WSZYSTKO
NIE TAK!

Izabella Frączyk

WSZYSTKO NIE TAK!

Prószyński i S-ka

Projekt okładki
Sylwia Turlejska
Agencja Interaktywna Studio Kreacji
www.studio-kreacji.pl

Zdjęcie na okładce
© Nina Masic/Trevillion Images;
Lee Avison/Arcangel Images

Redaktor prowadzący
Michał Nalewski

Redakcja
Ewa Charitonow

Korekta
Maciej Korbasiński

Łamanie
Ewa Wójcik

ISBN 978-83-8123-325-5

Warszawa 2018

Wydawca
Prószyński Media Sp. z o.o.
02-697 Warszawa, ul. Gintrowskiego 28
www.proszynski.pl

Druk i oprawa
Drukarnia POZKAL Spółka z o.o.
88-100 Inowrocław, ul. Cegielna 10-12

Przypuszczam, że moi Czytelnicy wezmą mnie w tej chwili za osobę niespełna rozumu, ponieważ postanowiłam zadedykować tę powieść mojemu psu Tornado ☺ Mimo że jest już statecznym seniorem, nadal mamy w pamięci jego zwariowaną młodość oraz czasy, kiedy jeszcze mu się chciało. Wszystkiego. Nie da się wyszacować naszych zszarpanych nerwów i ekstremalnych emocji z jego udziałem. Zliczyć jego ucieczek, pieniędzy na nagrody czy mandaty, jakie oboje z mężem grzecznie płaciliśmy za łamanie wielu przepisów przy poszukiwaniach uciekiniera. Nie da się zapomnieć wszystkich jego przygód i wyskoków, dzięki którym zaczęłam pisać. No i nie da się ukryć, że gdyby nie Tornado, nasz dom byłby pusty i nijaki, i że nie byłoby moich książek…

Po prostu należy Ci się Piesku, a zatem ta trzynasta, szczęśliwa powieść jest Twoja, a psi bohater, który nosi Twoje imię, daje czadu aż miło ☺

Hau! ♥

ROZDZIAŁ 1

EWA ODGARNĘŁA Z OCZU nieco przydługą jasną grzywkę i przekręciła pokrętło radia na cały regulator. Uwielbiała słuchać muzyki w samochodzie. Właściwie było to jedyne miejsce, gdzie mogła skupić się na słuchaniu. W domu zawsze pochłaniało ją coś innego i nawet jeśli gdzieś w tle brzęczało radio, nie poświęcała mu uwagi. Zwykle skoncentrowana na pracy lub własnych myślach, ostatnio odprężała się właśnie w trakcie jazdy.

Z głośników popłynęły ogniste rytmy, inspirowane Afryką, a ona, wydzierając się na cały głos, dołączyła do wokalisty. Wcześniej upewniła się tylko, że zamknęła wszystkie okna i że nikt jej nie usłyszy. Od dziecka nie zdradzała nawet najmniejszych zdolności wokalnych, a fałszowała tak, że uszy puchły. Niemniej za młodu wcale jej to nie przeszkadzało. Dopiero później, mniej więcej w wieku licealnym, zdała sobie sprawę, że kim jak kim, ale śpiewaczką nie zostanie na pewno. I przestała próbować; ostatnio złapała się na tym, że udaje nawet przy śpiewaniu *Sto lat* i nie wydaje z siebie żadnego dźwięku. W jej wykonaniu kończyło się na otwieraniu ust. Ale teraz wykrzyczała coś w języku suahili i podrygując w rytmie rodem z murzyńskiej potańcówki, pokonała ostatni zakręt.

Świadoma, że na zewnątrz słychać charakterystyczne dudnienie, przyciszyła radio i statecznie zajechała na strzeżony parking. Skinęła dłonią na powitanie siwemu właścicielowi i jak gdyby nigdy nic zaparkowała na swoim miejscu. Zanim opuściła przytulne wnętrze, zerknęła we wsteczne lusterko, by skontrolować stan makijażu. Poprawiła morelowy błyszczyk na ustach i pogwizdując wesoło pod nosem, wbiegła do pobliskiego sklepiku.

Była głodna jak wilk, więc od razu zaatakowała zamrażarkę z gotowymi pierogami. Pechowo te z owocami właśnie się skończyły. Sięgnęła po pyzy z mięsem, dokupiła opakowanie prażonej cebulki i łypnęła w stronę witryny z wędlinami. Do pełni szczęścia brakowało jej tylko skwarek, ale słonina, zgodnie z zapewnieniem sprzedawczyni, też już „wyszła". Do tego padł terminal do płatności kartą i właśnie skończyła się rolka z papierem do drukowania paragonów.

– Jak pech, to na całego – powiedziała do siebie sprzedawczyni.

– Ano właśnie – przytaknęła Ewa.

Słowom zawtórowało głośne burczenie w brzuchu.

Nowa rolka upadła na podłogę i poturlała się za lodówkę z napojami.

– Nie, no! – stojący za Ewą mężczyzna westchnął z irytacją.

– Przepraszam, ale czy możecie mi państwo pomóc odsunąć tę chłodnię? To był ostatni papier do paragonów.

Sprzedawczyni uśmiechnęła się z wdziękiem, ale widocznie według niecierpliwego mężczyzny miała go zbyt mało, bo fuknął wściekle, zostawił zakupy i złorzecząc pod nosem, wyszedł na zewnątrz. Dobrze, że lodówka miała kółka, obie kobiety bowiem nie grzeszyły ani wzrostem, ani posturą. Za to tryskały entuzjazmem i w mig poradziły sobie z odsunięciem ciężkiego sprzętu.

Ewa w końcu zapłaciła i bez zwłoki pobiegła do siebie. Rzuciła wszystko na podłogę w przedpokoju i od razu nastawiła garnek z wodą na pyzy. W oczekiwaniu na wrzątek dorwała się do pudełka z lodami. Na jej twarzy zagościł wyraz błogości.

Uwielbiała swoje ostatnie odkrycie, czyli lody o smaku ciasteczek. Mogła się nimi zajadać do znudzenia. Natura wyposażyła ją w niesłychaną przemianę materii, więc mogła sobie grzeszyć, ile dusza zapragnie. Nieraz łapała w restauracjach obce zazdrosne spojrzenia, bo była w stanie pochłonąć naprawdę sporo jak na swoje niespełna sto sześćdziesiąt centymetrów wzrostu i czterdzieści pięć kilogramów wagi. Sama marzyła o krągłej pupie i wydatnym biuście, podczas gdy jej koleżanki dałyby się pokroić za wystające żebra i brzuch dosłownie wessany do środka.

Na szczęście w trakcie pisania pracy doktorskiej nie ruszała się tyle, co zwykle, więc wreszcie udało jej się nabrać nieco upragnionej masy. Teraz walczyła, by jej nie utracić. W końcu przestała wyglądać jak zabiedzony kurczak, ale i tak, mimo jej blisko trzydziestu dwóch lat, nieraz przez pomyłkę brano ją za dziecko. Drobna aniołkowata buzia, jaśniutkie włosy i niebieskie oczy sprawiały, że całość nasuwała skojarzenia z nieletnią wątłą pastereczką, która wymaga nieustannej opieki. Tymczasem Ewa z wyróżnieniem ukończyła architekturę i zawodowo radziła sobie całkiem nieźle. Jeszcze na studiach zdobyła kilka prestiżowych nagród. W projektowaniu szczególnie upodobała sobie proste rozwiązania i geometryczne bryły o ostrych krawędziach, co przy wykorzystaniu ekskluzywnych materiałów wykończeniowych i w połączeniu z surowym betonem dawało oszałamiający efekt. Tymczasem w Polsce jej styl nie spotykał się z aprobatą klientów; na topie nieustannie znajdowały się wszelkiego rodzaju dworki i hacjendy, które szczęśliwie wyparły modne przez lata niby-zamki à la Gargamel, z obowiązkową basztą stanowiącą główny element. Owszem, podmiejskie krajobrazy zyskały nieco na tej zmianie trendu, ale Ewa nie bardzo potrafiła odnaleźć się w tym, czego nie czuła. Aby wyżyć z własnego niewielkiego studia, często musiała naginać kark do fanaberii klientów. Tyle że robiła to bez przekonania, pewna, że jej projektom na zamówienie brak jest tego czegoś, co sprawia, że pracując po nocach, architekt czuje ciarki na plecach. Rozwiązania były więcej niż przyzwoite, klienci zadowoleni, ale projektantka wiedziała, że w tym wszystkim brakuje duszy.

– Doskonale sobie radzisz – chwaliła matka.

– Ale to wciąż nie to, co bym chciała. Ech, powinnam się urodzić jakieś dwadzieścia lat później. – wzdychała zrezygnowana Ewa.

– Nie narzekaj, dziecko. Liczy się dobra praca. Przecież zarabiasz.

– Wiem. Ja to wszystko wiem. Ale zamiast czuć się jak artysta, czuję się jak machający młotkiem rzemieślnik. A już na sam dźwięk tego słowa mam drgawki.

Zawsze tak samo reagowała na ludzi, którzy za nic nie chcieli, bądź też nie umieli, pojąć jej zaangażowania. Dla nich liczył się dochód, najlepiej w komplecie z etatem od dziewiątej do siedemnastej. A gdzie miejsce na fantazję, polot, marzenia?

No cóż, rzeczywiście rozumiał ją mało kto. Dopiero gdy poznała Carlosa, z miejsca uznała, że oto właśnie spotkała na swojej drodze bratnią duszę.

W czasie gdy broniła doktorat, na uczelni pojawił się on; europejskiej klasy specjalista od przemysłowych umocnień zawitał z cyklem wykładów również na Politechnikę Krakowską. Nie była to wprawdzie dziedzina, która pasjonowała przyszłą panią doktor architekt, niemniej fakt pobytu zagranicznego prelegenta obił się jej o uszy. Jego słuchacze byli zachwyceni jakością i sposobem prowadzenia zajęć, ona natomiast, pochłonięta przygotowaniami do egzaminu, nie znalazła wówczas ani czasu, ani chęci na wysiadywanie krzesła w auli. W dodatku na wykładzie z kompletnie innej bajki.

Poznali się w dniu jej obrony. Zadowolona, w podskokach wybiegła na parking i pogwizdując wesoło, energicznie wycofała swoją fiestę. Bardziej usłyszała, niż poczuła, głuche łupnięcie. Najpierw dobiegł ją krzyk, a następnie stek hiszpańskich przekleństw.

– O Boże! – Wyskoczyła z auta jak wypchnięta sprężyną. – Przepraszam, nic panu nie jest?! – paplała bezmyślnie po polsku. Że jej ofiara to obcokrajowiec dotarło do niej dopiero po chwili. Wzięła zatem dwa głębokie oddechy i przeszła na angielski.

– Złamałaś mi nogę! – Ciemnowłosy mężczyzna krzywił się z bólu.

– Jedziemy do szpitala! Spokojnie, pomogę ci wstać, dobrze? – Ewie z przejęcia drżał głos.

– Aaa! *Caramba!* – zaklął Hiszpan, ale w końcu stanął na nienaruszonej kończynie i wykonał kilka podskoków w stronę fiesty.

Fordzik nie był przystosowany do transportu połamanych delikwentów, lecz Ewa uznała, że miejsce na tylnej kanapie będzie dla poszkodowanego bardziej odpowiednie. Po drodze wykazała się odrobiną przytomności umysłu i ustaliła, czy jej ofiara posiada jakąś konkretną polisę ubezpieczeniową na wypadek podobnych zdarzeń. Gdy okazało się, że owszem, z ulgą zmieniła kierunek jazdy, szczęśliwa, że ominie ich długie czekanie na SOR-ze. Przez całą drogę Hiszpan teatralnie stękał z bólu, mimo że starała się zmieniać biegi jak najdelikatniej. I wolniutko wchodzić w zakręty.

Ależ z niego delikacik! No, kto by pomyślał, dumała. Taki kawał chłopa, a zachowuje się jak rozpieszczony bachor.

Dopiero po założeniu gipsu, pod koniec całej przygody, udało im się nawiązać sensowną konwersację, a Ewa wreszcie załapała, z kim ma do czynienia. Skądinąd wiedziała, że Carlos zakończył już wykłady w Krakowie i wyrusza w trasę po innych polskich uczelniach, co z nogą w gipsie mogło być trudne do wykonania. Pełna wyrzutów sumienia, choć prawie pewna, że wlazł jej pod zderzak z własnej inicjatywy, postanowiła jakoś się zrehabilitować. A że kolejnym przystankiem Carlosa była Politechnika Wrocławska, szybko przeanalizowała aktualne zobowiązania. Uznawszy, że chwilowo nie ma w planach niczego pilnego, postanowiła odtransportować swoją ofiarę na Dolny Śląsk. Autostradą łączącą oba miasta jechało się płynnie i jak po stole, więc stwierdziła, że zrobi to z ochotą.

– To w ramach przeprosin. Choć to nie do końca wyłącznie moja wina – powiedziała.

– Na parkingu pieszy powinien być bardziej przytomny, a nie gadać przez telefon i nie patrzeć, co się dzieje wokół – odparł Carlos pokornie.

– Cieszę się, że nie żywisz urazy. – Ewa zerknęła na niego z ukosa.

Nigdy nie lubiła Latynosów. Zawsze gustowała w męskich przedstawicielach rasy zbliżonej raczej do aryjskiej, ale pasażer zaintrygował ją nieco. Nie był typowym przykładem gorącokrwistego bawidamka.

– To się zdarza. Wypadek. Ale chętnie skorzystam z twojej propozycji.

Przed Ewą był wolny weekend. Cieszyła ją okazja darmowej kilkugodzinnej konwersacji po angielsku, ale po przejechaniu pierwszych pięćdziesięciu kilometrów odkryła, że już dawno nie spotkała osoby, z którą tak dobrze nadaje się jej na tej samej fali. Ze zdziwieniem uznała, że nie pamięta, kiedy ostatnio rozmawiała z kimś tak swobodnie. Najwidoczniej Carlos odniósł podobne wrażenie, bo do Wrocławia zajechali już jako para serdecznych przyjaciół. Na miejscu wymienili się numerami telefonów, adresami mejlowymi i namiarami na czat na popularnym portalu społecznościowym. Zanim jeszcze wróciła do Krakowa, Ewa zdążyła odebrać kilka połączeń od nowego znajomego, który z troską pytał, jak mija jej droga, czy zjadła obiad i czy nie jest zmęczona. W domu, w skrzynce, czekały na nią miłe mejle od Carlosa i zaproszenie do grona jego znajomych na Facebooku.

– Kurczę, dziwny koleś – mruknęła, ale klikając „Potwierdź", bezwiednie uśmiechnęła się pod nosem.

Jak się później okazało, uśmiech miał nie schodzić z jej twarzy przez kolejne tygodnie. Z biciem serca czekała na umówione sesje na czacie, telefony i zdjęcia z podróży. Nieraz godzinami bezczynnie tkwiła przy otwartym oknie dialogowym, spragniona wiadomości. Zupełnie jak zadurzona gimnazjalistka.

Nie zauważyła, kiedy wpadła po uszy. Nic nie było w stanie równać się z tym cudownym uczuciem; Ewa po prostu promieniała. Gdziekolwiek się pojawiała, wszystkie oczy kierowały się tylko na nią. Otaczała ją aura osoby świeżo zakochanej, która nie myśli o konsekwencjach, a wyłącznie o tym, co tu i teraz.

– Trwaj chwilo, trwaj! – powtarzała Monice, która niemal natychmiast wyczuła, że coś jest na rzeczy.

– Dobra, dobra. Konkrety poproszę! Przecież ślepy by zauważył, że fruwasz na wysokości lamperii.

– Lamperii? Gdyby nie sufit, fruwałabym nad dachem jak gołąb!

– Boże, litości! Tylko nie gołąb – roześmiała się Monika. – Kochasz go?

– Tak. I chyba z wzajemnością. To jakieś szaleństwo. Na niczym nie potrafię się skupić. O niczym nie daję rady myśleć, bo cały czas myślę o nim. Zasypiam, widząc go i z wrażeniem, że jest obok. I z takim samym uczuciem się budzę.

– Znam to, znam. A w samochodzie on siedzi obok i jeszcze na dodatek z nim rozmawiasz.

– Skąd wiesz?

– Z autopsji – westchnęła Monika. – Odległej, niemniej jednak prawdziwej. Powiem więcej: tęsknię za tym i zazdroszczę ci tego.

– Jak to? – zdziwiła się Ewa, która sądziła naiwnie, że towarzyszące zakochaniu uczucie szczęścia dotknęło wyłącznie ją. Że wcześniej nikt inny czegoś podobnego nie doświadczył. A już na pewno nie Monika, od kilku lat szczęśliwa mężatka.

– Normalnie. Nie ty to wymyśliłaś. Piszą o tym w książkach. Nie czytałaś?

– O czym? – zapytała Ewa nieco nieprzytomnie.

– No o tej tęsknocie do bólu. Do takiego bólu, że czujesz, jak rozrywa ci trzewia. O pożądaniu, które trawi cię od środka i masz wrażenie, że zaraz ci skręci macicę w korkociąg. O tych motylach, które łaskoczą w okolicy żołądka i powodują, że żreć ci się nie chce. Aha, i o tej fali endorfin, od których się chudnie. Wystarczy?

– O Jezu, tak! I jeszcze płakać mi się chce, że go tu nie ma – chlipnęła Ewa.

– No widzisz. To absolutnie normalne. Taka wariacja na temat tęsknoty. Klasyczny przypadek.

– Boże… Ryczeć mi się chce!

– No to na co czekasz? Rusz tę skręconą macicę i zarezerwuj samolot do Barcelony!

Istotnie, pomysł był dobry.

Zbolała z tęsknoty i chora z miłości Ewa właśnie przekonała się na własnej skórze, że te wszystkie wyświechtane frazesy z książek dla przysłowiowych kucharek wcale nie są przesadzone. Że te wszystkie boleści, umierania i usychania naprawdę się w życiu zdarzają. Że ludzie, kochając, potrafią czuć się w ten sposób. A nieraz istotę uczucia mogą oddać tylko mocno infantylne określenia, bo trudno ją opisać normalnymi słowami. A nawet trudno opisać jakkolwiek.

Po krótkim namyśle uznała, że skoro i tak nie może skupić się na pracy, to przynajmniej zafunduje sobie krótki urlop i spotka się z ukochanym. W Polsce listopadowa aura od kilku dni sprzyjała samobójstwom, więc miła wizja skąpanego w słońcu hiszpańskiego wybrzeża była jak objawienie. Zwłaszcza że w ostatnich wiadomościach Carlos między wierszami sprytnie przemycał drobniutkie erotyczne świństewka, które dodatkowo pobudzały wyobraźnię. Ewa miała wrażenie, że oszaleje z miłości i pożądania. Z jednej strony szczęśliwa jak nigdy, z drugiej cierpiała męki jak jakaś dusza przeklęta i nie przestawała chlipać po kątach. Tak nie szło żyć, więc w końcu podjęła decyzję.

Nikomu nic nie mówiąc, zabukowała przelot.

Nie wybierała się na długo, ale na wszelki wypadek wrzuciła do walizki trochę więcej szałowych fatałaszków. Co rusz roiła sobie w głowie nowe scenariusze z Carlosem w roli głównej. Przez ostatni czas w tych wizjach rozebrał ją już chyba ze wszystkiego, co miała w szafie, więc w trakcie pakowania miała niezły zgryz, na co powinna się zdecydować. Na kanapie uzbierała się spora sterta ubrań, zdecydowanie za duża na kilkudniowy pobyt, który i tak Ewa planowała spędzić w łóżku. Z ciężkim sercem zrezygnowała z kilku zestawów i dorzuciwszy w zamian parę cieplejszych rzeczy, dokończyła pakowanie.

Niespokojnie zerknęła na zegarek. Do odlotu pozostała niemal doba, a jej już spociły się dłonie. Nigdy nie lubiła latać, acz na tym etapie życia, który ostatnio obfitował w podróże, będzie musiała przywyknąć. Wymyśliła patent z zamykaniem oczu i wyobrażaniem sobie, że jest w tramwaju. Doskonale rozumiała pasażerów, którzy przed odlotem dodawali sobie odwagi alkoholem. Sądząc po stanie niektórych, musieli naprawdę bać się straszliwie. Gdyby Ewa lubiła alkohol, skorzystałaby zapewne z jego dobrodziejstw, ale wolała nie ryzykować. Do dziś pamiętała jedną ze studenckich imprez, którą okupiła torsjami i potwornym bólem głowy. Momentami miała wrażenie, że jej czaszka eksploduje za chwilę, a żołądek przenicuje się futerkiem do spodu. Nigdy więcej!, obiecała sobie wtedy. Nauczka była tak sroga, że słowa udawało się dotrzymać przez ładnych parę lat.

Punktualnie o czasie zawitała na lotnisko w podkrakowskich Balicach i nadała bagaż. Na podróż założyła do jasnych obcisłych dżinsów czarne glany i korzystając ze względnie ciepłej jesiennej aury, narzuciła szykowną skórzaną kurtkę podbitą ciepłym kożuszkiem. Skromne uczesanie i duże przeciwsłoneczne okulary sprawiały, że nawet z bliska wyglądała jak nastolatka.

Wokół pachniało charakterystycznie nieco zbyt mocno podpieczonymi frytkami. Ewa poczuła głód.

Prowadziła życie tak aktywne, że nie miała czasu na zawracanie sobie głowy zdrowym jedzeniem i regularnością posiłków. Jej szalony codzienny harmonogram niejednego przyprawiłby o niedowierzanie, bo ile zajęć można upchnąć w ciągu jednej doby? Lecz Ewa, żyjąc przez ostatnie lata samotnie, w temacie organizacji czasu osiągnęła mistrzostwo świata, choć nawet to nie uchroniło jej od wrażenia, że w minionych miesiącach goniła w piętkę i pożerała własny ogon. Co z tego, że finansowo wiodło się jej nie najgorzej, skoro nie miała chwili na oddech i skorzystanie z rzeczy, na które zwyczajnie sobie zasłużyła.

Jakimś cudem znalazła wolne miejsce w rzędzie połączonych metalową szyną plastikowych wytłoczek udających krzesełka.

Lot był opóźniony, więc na pokład weszła dopiero dwie godziny po czasie. Westchnęła ciężko i spróbowała jakoś umościć się na niewygodnym fotelu w niewielkim odrzutowcu. W oczekiwaniu na start przypięła się pasem i przymknęła oczy, zadowolona, że nikt nie usiadł na miejscu obok. Radość trwała krótko, bo po chwili w sąsiedni fotel wtłoczyła się zasapana korpulentna kobieta w okolicach sześćdziesiątki. Usta się jej nie zamykały. Ewa na próżno udawała, że śpi – nie minęło pięć minut, jak została wypytana o cel podróży, poznała mimo woli plany sąsiadki, dowiedziała się o jej panicznym strachu przed lataniem oraz o trójce udanych dzieci i piątce wnucząt.

Na chwilę wykpiła się bólem głowy, ale podczas startu poczuła, że ktoś kurczowo łapie ją za rękę.

– Boże drogi! Zaraz spadniemy! Boże, Boże, wybacz mi! Żałuję za grzechy… – szeptała sąsiadka w panice.

– Nie spadniemy. Jakby samoloty miały spadać za każdym razem, to nikt by do nich nie wsiadał.

– Ewa spróbowała argumentacji, ale spanikowana kobieta za nic nie dawała sobie wytłumaczyć, na czym polega siła ciągu.

– To nieprawda! – W oczach miała przerażenie. – To niemożliwe, żeby taka kupa żelastwa sama z siebie unosiła się w powietrzu! Tyle ciężkich ton! Boże, ja chcę wysiąść! – Bezradnie szarpnęła za pas.

– Za późno – odparła Ewa, wystarczająco rozbawiona, by pozwolić sobie na żart. – No, chyba że chce pani luzem polatać?

– Oczywiście, że nie chcę! – obruszyła się tamta i nieco poluzowała uścisk dłoni. – Mam na imię Zofia.

– Miło mi.

Ewa przedstawiła się również i podziękowała Bogu, że lot jest krótki. Kobieta, nie dość, że była gadatliwa, to jeszcze upchnąwszy rozłożyste biodra na ciasnej przestrzeni, skutecznie wdzierała się pośladkiem na fotel szczupłej sąsiadki.

Diabli nadali tę babę, westchnęła w duchu Ewa i udała się do toalety.

– Proszę już usiąść, za chwilę podchodzimy do lądowania – napomniała ją w drodze powrotnej stewardesa.

Skutecznie zagadana przez Zofię, Ewa nawet nie zauważyła, kiedy kapitan posadził maszynę na płycie lotniska w Barcelonie. Pasażerowie nagrodzili go rzęsistymi oklaskami. Oczywiście najgłośniej biła brawo sąsiadka.

– Czy pani wie, że nikt poza Polakami nie klaszcze w samolocie?

– Jak to?

– No a po co? Przecież piloci i tak tego nie słyszą.

Na twarzy towarzyszki podróży odmalowało się wyraźne rozczarowanie, ale radość z udanego lądowania sprawiła, że rozgadała się na nowo.

Po opuszczeniu samolotu Ewa znalazła się na zalanej słońcem płycie lotniska, gdzie wsiadła w autokar, który sprawnie przetransportował pasażerów do terminalu. Dość szybko odzyskała swój bagaż i wyszła na zewnątrz. Natychmiast wyłuskała tablicę informacyjną i dobrze sobie znany szyld wypożyczalni samochodów. Przyśpieszyła kroku i dokonała formalności.

Już miała wsiąść za kółko, gdy za plecami usłyszała znajomy głos. Którego wolałaby nie usłyszeć.

– Och, kochaneńka! Czy mogę zabrać się z tobą? – Do auta dotoczyła się zdyszana Zofia.

– Eee… – Zaskoczona Ewa na sekundę straciła rezon. – Ale ja w stronę Girony.

– To świetnie się składa, bo ja też!

23

Niewiele myśląc, kobieta wręczyła skonsterno-wanej Ewie bagaż i bez ceregieli wtarabaniła się na siedzenie dla pasażera.

Ta bezceremonialność drażniła, ale nieustanne trajkotanie rozgadanej baby było Ewie na rękę. W przeciwnym wypadku czułaby się zobowiązana do podtrzymywania miałkiej konwersacji, na którą wcale nie miała ochoty. Czekała ją przynajmniej godzina jazdy, ale mogła spokojnie pomyśleć. Mam tylko nadzieję, że ten monolog mnie nie uśpi, westchnęła w duchu.

Wyłączyła się mniej więcej na etapie luźnych kupek najstarszego wnuczęcia i kolki nękającej najmłodsze.

– Daleko jeszcze? – zapytała Zofia.

– Daleko – wymamrotała Ewa. – Za daleko.

Zamyślona, kompletnie nie słuchała paplaniny Zofii, tylko niecierpliwie wypatrywała morza. Gdy w końcu przed jej oczami pojawiła się stykająca się hen z widnokręgiem szara tafla, westchnęła zachwycona i zagapiła się na widok nieśpiesznie przesuwający się za oknem. Uchyliła je i z przyjemnością wpuściła do samochodu pachnące morzem powietrze. Odetchnęła głęboko.

Uniesienie nie trwało długo, bo już po chwili utknęła w korku. Czym prędzej podniosła szybę, żeby nie nawdychać się spalin.

Hotel położony w centrum miasteczka spodobał się jej od pierwszego wejrzenia, ale podekscytowana rychłym spotkaniem z ukochanym nie poświęciła swojemu lokum zbyt wiele uwagi. Z podręcznego bagażu wyjęła laptopa, na chwilę podłączyła go do prądu i weszła pod prysznic. W kilka minut zmyła z siebie trudy podróży i korzystając z bezpłatnego hotelowego internetu, ustaliła trasę dojazdu do domu Carlosa. Jeśli wierzyć mapom Google, mieszkał całkiem niedaleko, a ona planowała zrobić mu niespodziankę. Podśpiewywała wesoło, jednocześnie wyobrażając sobie, jaką minę zrobi na jej widok mężczyzna.

Bo Ewa uwielbiała niespodzianki. To znaczy uwielbiała je robić. Gorzej było, gdy zaskakiwali ją inni. A tak właśnie stało się tym razem.

Ciemnowłosy obiekt westchnień na jej widok zrobił klasycznego karpia i wytrzeszczył oczy tak, że omal nie wyskoczyły z orbit. W normalnych okolicznościach Ewa spuchłaby z dumy, że oto wprawiła go w osłupienie, niemniej teraz także i ona rozdziawiła usta ze zdumienia. Otóż jej wymarzony latynoski kochanek, jak widać było na załączonym obrazku, doskonale bawił się nad basenem w towarzystwie żony i trójki rozbrykanych dzieciaków. Odruchowo zrewanżował się cmoknięciem

25

przechodzącej połowicy i mocno skonfundowany podszedł do ogrodzenia.

Mimo założonych naprędce ciemnych przeciwsłonecznych okularów intensywność jego spojrzenia porażała.

– Co tu robisz, do diabła?! – wysyczał.

– Ekhm – odchrząknęła zaskoczona Ewa. – Przyjechałam zrobić ci niespodziankę. Jak widzę, świetnie mi wyszło – dodała z przekąsem.

– Mogłaś mnie uprzedzić, że się wybierasz!

– A niby dlaczego? – żachnęła się. – Żebyś miał czas ukryć przede mną rodzinę?

– Nie! Po to, bym miał możliwość zorganizować jakoś nasze spotkanie.

– Aaa, czyli wykombinować, jak okłamać i ją. – Ewa wskazała ręką na dom, w którym przed momentem znikła kobieta. – Czy tak?

– Nie, to nie tak.

– A niby jak?! Ty marny dupku!

Ewa wściekła się na całego. Sens zastanej tu i teraz hiszpańskiej rzeczywistości w tej chwili dotarł do niej z całą mocą. Carlos, jej romantyczny zalotnik, ten wymarzony kochaś, właśnie objawił się jako drań. I wobec niej, i wobec żony.

– Zaczekaj – zniżył głos. Spróbował chwycić Ewę za rękę.

– A co? Chcesz mnie może zaprosić na rodzinny lunch nad basenem? No tak, dziś niedziela. Byłeś już w kościele, *amigo*?

Zła jak osa z całej siły trzasnęła metalową furtką i nie oglądając się na zdziwione spojrzenie piękności, która właśnie wyłoniła się zza pleców Carlosa, energicznym krokiem podeszła do samochodu. Ruszyła z piskiem opon godnym podmiejskich zawodów w paleniu gumy. Nigdy wcześniej tego nie potrafiła, ale tutaj, przy wysokiej temperaturze i nagrzanym asfalcie, jakoś samo jej wyszło. No proszę, muszę zapamiętać ułożenie sprzęgła względem gazu!, pomyślała i średnio przytomnie uznawszy, że chyba jest w szoku, zwolniła.

Po kwadransie złość ustąpiła miejsca furii, a gdy po chwili Ewa przeciskała się uliczkami tak wąskimi, że trzeba było złożyć boczne lusterka, pałała już żądzą zemsty na całego. Klnąc na czym świat stoi na ciasne zaułki, aż spociła się z wysiłku, by nie poobijać wypożyczonego auta. W końcu szczęśliwie zaparkowała przed hotelem i zdyszana wbiegła do pokoju. Cisnęła torebką o podłogę i rzuciła się do laptopa. Wykasowała całą korespondencję z Carlosem, usunęła go z grona znajomych na Facebooku i z trzaskiem zamknęła urządzenie. Zbiegła po schodach.

Na ulicy rozejrzała się nieprzytomnie. Nagle zamarzyło się jej wino, ale nigdzie w pobliżu nie dostrzegła sklepowego szyldu.

– Trudno – mruknęła do siebie. – W knajpie sobie siądę.

Czując, jak wzburzenie opuszcza ją pomału, z rozmachem opadła na kawiarniany fotel.

Delikatny wiklinowy mebel zaskrzypiał niebezpiecznie, a Ewa skinęła na kelnera. Na chybił trafił wybrała z karty jakieś przekąski i wskazała palcem na pierwsze z brzegu wino. Złożyła zamówienie, choć nie bardzo rozumiała, co mówi do niej kelner. Ale że młody chłopak był niezwykle urodziwy, w zachwycie skinęła głową, zadowolona, że rozczarowanie i ból po zdradzie Carlosa w najmniejszym stopniu nie wpłynęły na jej gust i wzrok.

Wyjęła komórkę i machinalnie wybrała numer Moniki, która po krótkiej, acz rzeczowej relacji nie pozostawiła na przyjaciółce suchej nitki.

– Nie przypuszczałam, że jesteś aż tak głupia! – huknęła w słuchawkę. – Sama sobie jesteś winna! Uroiłaś sobie jakąś miłość z Bóg wiem kim, a teraz pretensje do faceta, że ma żonę!

– Ale ja…

– I jeszcze mu się zwalasz na głowę bez uprzedzenia! Zdziwiona, że zaskoczony? Zgłupiałaś do reszty?

– Ale...

– Ale co?

– Przecież sama mnie namawiałaś na ten wyjazd!

– Tak. Ale do głowy mi nie przyszło, że nic mu o tym nie powiesz!

– Ale...

– Cicho! – Monika skutecznie ustawiła przyjaciółkę do pionu. – Ile ty masz lat, co? Bo zachowujesz się jak piętnastoletnia gęś! Zamiast zabrać się za siebie jakoś tak racjonalnie, ty wymyśliłaś sobie wirtualny romans. Ech, głupia baba!

– Tak! – chlipnęła Ewa znad kieliszka. – Masz rację. Liczyłam na coś więcej. Cóż, poniosła mnie fantazja.

Wymieniły jeszcze kilka zdań i Monika, uznawszy, że przyjaciółka ochłonęła nieco, zakończyła rozmowę. Trochę żałowała, że nie może teraz być z nią, no ale okoliczności były, jakie były.

– Idiotka. Kretynka skończona, koza durna! Jak mogłam być aż tak głupia, ech... Porażka na całej linii! – mamrotała Ewa nad sałatką z ośmiornicy, kompletnie nieświadoma, że z drugiego końca restauracji obserwuje ją mężczyzna o wyglądzie i posturze wikinga.

Opróżniła kieliszek i nalała sobie wina z butelki. Była pewna, że zamawiała tylko jeden kieliszek, ale jak widać, dostała flaszkę. Nawet całkiem niezłe, stwierdziła. Uregulowała rachunek i upewniła się, czy może zabrać butelkę do hotelowego pokoju. Choć nie miała pojęcia, jakim cudem zdoła skonsumować taką ilość alkoholu. Dzięki Bogu mam w numerze lodówkę, uśmiechnęła się w duchu Ewa, jest szansa, że przed powrotem do kraju opróżnię butelkę tego zacnego trunku samodzielnie.

ROZDZIAŁ 2

ZAMYŚLONA WSTAŁA OD stolika i z impetem rąbnęła w szeroką męską pierś.

– Och, sorry! – Zachwiała się oszołomiona.

Umięśniony męski tors okazał się dość twardy.

– To ja przepraszam. Wlazłem ci w drogę – odezwał się wiking po polsku. – Nie chciałem cię przestraszyć.

– Nie, nie. Nic nie szkodzi. Czy my się znamy? – Spojrzała zaciekawiona.

– Jeszcze nie. Ale właśnie mam zamiar to zmienić. Jeśli pozwolisz: Maciek.

Ewa zmierzyła nowego znajomego od stóp do głów. Był mężczyzną potężnym, wręcz zwalistym. Jego wielkie łapska rozmiarem przypominały bochny chleba, szerokie bary nasuwały skojarzenie z szafą, a kwadratowa szczęka nadawała mu nieco pierwotny wygląd i sprawiała, że jego uśmiech był z lekka drewniany.

A pokryte jasnymi włoskami opalone przedramiona w obwodzie na oko szersze niż uda Ewy.

W sumie gość sprawiał całkiem sympatyczne wrażenie. Nie wyglądał na mordercę, a Ewa nie miała żadnych planów.

Zaintrygowana wróciła na wiklinowy fotel.

– Czym się zajmujesz? – zapytała. – No i co robisz w tym miejscu poza sezonem urlopowym?

– Właśnie jestem w pracy. Pracuję w branży morskiej. A konkretnie zajmuję się systemami zabezpieczeń na tankowcach i platformach wiertniczych. Jestem niezależnym specjalistą, więc moja korporacja co jakiś czas ciska mną po świecie. Teraz mam chwilę wolnego, a pojutrze biorę udział w międzynarodowej konferencji naftowców w Barcelonie. A ty? Jesteś tutaj sama? Nie jestem wścibski, ale nie chciałbym oberwać po gębie od jakiegoś wściekłego zazdrośnika – zażartował.

– Ty? Oberwać? Chyba od samobójcy! – roześmiała się Ewa.

Obawa była raczej irracjonalna, bo jej nowy znajomy mógł bez wysiłku odstraszyć posturą nawet zgraję rozochoconych kiboli.

– Nie no, tak tylko pytam. Bo przez przypadek podsłuchałem twoją rozmowę. Ktoś cię skrzywdził? – zainteresował się.

– Tak. Nie. – Ewa zawahała się na moment. – Właściwie to skrzywdziłam się sama. Dlatego właśnie jestem tak wściekła.

– Cóż, bywa – mruknął filozoficznie Maciek.

– Sama się nakręciłam, choć przecież sama nie wymyśliłam pewnych rzeczy. Trudno, jakoś to przeżyję. A skoro już tu jestem, zamierzam skorzystać i odpocząć. – Odgarnęła z oczu blond grzywkę.

Ostatnio dała się namówić fryzjerce na zdecydowaną asymetrię. Efekt był taki, że włosy co chwila wchodziły jej do oczu.

Nowy znajomy sprawiał bardzo sympatyczne wrażenie, więc po dłuższej chwili rozmowy pozwoliła się namówić na spacer po okolicy. Nie miała jeszcze czasu, by zwiedzić miasteczko, i pewnie gdyby nie propozycja Maćka, nie zrobiłaby tego wcale. Znając życie, zaszyłaby się w hotelowym pokoju i pogrążyła w czarnej rozpaczy. Sto razy wyrzuciłaby sobie własną głupotę, dorzuciła do tego milion westchnień i zapewne pochlipałaby nieco z powodu złamanego serca. Tymczasem obecność wikinga nie pozwalała jej na roztkliwianie się i rozmyślania o Carlosie.

Maciek skutecznie zajął Ewę rozmową, a że był urodzonym gawędziarzem, nawet się nie zorientowała, kiedy nastał wieczór. Zmęczeni przysiedli w kawiarnianym ogródku. Maleńki ryneczek rozświetlony starymi lampionami sprawiał wrażenie jakby żywcem przeniesionego z dawnej epoki. Z okiennych donic zwisały różnokolorowe kwiaty. Było w tym coś tak urokliwego, że Ewa aż wstrzymała oddech.

– Boże, jak tu jest cudownie! Chyba mogłabym tutaj zamieszkać – westchnęła zachwycona.

– A w czym problem? Mówisz i masz. – Maciek wzruszył ramionami i ruchem głowy wskazał za plecy swojej towarzyszki. – „Mieszkanie do wynajęcia od zaraz". To na ostatnim piętrze.

– No coś ty? – Ewa ze śmiechem odwróciła głowę.

– Poważnie. W oknie wisi tablica z informacją.

– Ale ja nie mogę się przenieść. A szkoda.

– A niby czemu? Ze swoim zawodem możesz pracować wszędzie, a tutaj ostatnio sporo się buduje. Sama mówiłaś, że masz powyżej uszu nowobogackich pałacyków i dworków. Mogłabyś rozwinąć skrzydła.

– A język? Po hiszpańsku znam tylko „dziękuję" i kilka przekleństw.

– Się nauczysz – skwitował tę wątpliwość Maciek, wzruszając ramionami.

Zupełnie jakby przeprowadzka do innego kraju i nauka nowego języka były czymś, co się robi kilka razy w roku.

– Ech, marzenie – odparła cicho Ewa, ale myśl już zakiełkowała w głowie. Może przeprowadzka to zbyt duże wyzwanie, ale w sumie po powrocie do Polski mogłabym zacząć uczyć się hiszpańskiego, pomyślała.

Koszmarny i męczący dzień, dziwnym zbiegiem okoliczności zakończony uroczym wieczorem, właśnie dobiegł końca. A Ewa czuła, że jeśli za chwilę się nie położy, przewróci się ze zmęczenia. Z trudem tłumiła ziewanie.

Jej bystry towarzysz i tak się domyślił.

– Tylko nie zaśnij mi w drodze do hotelu! Żebym nie musiał cię nieść.

– Przy mojej wadze pewnie byś tego nawet nie poczuł.

Wizja targania przez osiłka wywołała na jej twarzy uśmiech. Mimo że Maciek nie był w jej typie, uznała, że spokojnie mogłaby się z nim zaprzyjaźnić. Chemia umysłów to rzecz spotykana nieczęsto, a uczucie, że wie się, co myśli i co za chwilę powie twój rozmówca, jest nie do przecenienia.

Tak właśnie było w przypadku Maćka. Jego postura i wygląd nasuwały skojarzenia z tępym mięśniakiem z epoki kamienia łupanego, tymczasem wewnątrz krył się prawdziwy intelektualny diament. Do tego właściciel tych przymiotów w najmniejszym stopniu nie sprawiał wrażenia zainteresowanego nową znajomą, więc Ewa bez oporów pozwoliła zaprosić się nazajutrz na rejs turystycznym stateczkiem. Ustaliła, że spotkają się na śniadaniu, i poczłapała do siebie.

Była tak wykończona, że darowała sobie dokładniejsze ablucje, zgasiła światło i jak nieżywa gruchnęła na łóżko. I pewnie zasnęłaby w sekundę, gdyby nie wyrżnęła głową o masywne rzeźbione wezgłowie.

– Jezu! – krzyknęła.

Uderzenie zamroczyło ją nieco, ale przytomnie sięgnęła do hotelowego minibaru i przyłożyła do czoła butelkę schłodzonego dżinu. Marzyła o śnie, ale ból rozsadzał jej czaszkę. Poza tym bała się, że jeśli nie przytrzyma zimnego okładu dostatecznie długo, nabawi się solidnej śliwki. Tymczasem prowizorka ogrzała się zbyt szybko, więc Ewa zamieniła dżin na puszkę piwa San Miguel i poszła do łazienki ocenić szkody.

W okolicy brwi widać było wyraźne zasinienie, ale dzięki Bogu żadnego rozcięcia.

Uznała, że ma dość. Wyjęła z lodówki ostatnią zimną butelkę – tym razem padło na whisky – i przywiązała ją sobie rajstopami do czoła. Po czym odpłynęła w objęcia Morfeusza.

Rano obudziły ją mdłości. Z trudem usiadła na łóżku, ale zawroty głowy skutecznie ostudziły jej zapał i z powrotem przygwoździły do poduszki. Z jękiem sięgnęła po telefon, żeby sprawdzić, która godzina.

Właśnie kończyła się pora śniadania.

Jeszcze ta umowa z Maćkiem, pomyślała. Uznała, że jakoś musi się zwlec, ale rozważania przerwał jej dźwięk hotelowego telefonu.

– Cześć, to ja. – Po drugiej stronie rozbrzmiał ciepły męski głos. – Zaspałaś? Czy coś się stało?

– Nie. To znaczy w nocy omal się nie zabiłam o własne łóżko. Ale żyję. Tylko łeb mnie napiernicza i mam mdłości.

– Pewnie wstrząs mózgu. Leż spokojnie, zaraz przyniosę ci coś do jedzenia.

Chciała zaprotestować, ale Maciek się rozłączył, a ona nie znała numeru jego pokoju i nie mogła oddzwonić. Co prawda nie była nim zainteresowana jako mężczyzną, ale też za nic nie chciała, żeby oglądał ją w takim stanie. Nie dość, że wyglądała tak, jakby przejechał ją czołg, a wieczorem porządnie nie zmyła makijażu, to jeszcze nie miała na sobie niczego, bo nie chciało jej się szukać piżamy. Sytuacja zmuszała, by spiąć tyłek i wziąć się w karby, na co wcale nie miała ochoty.

– Cholera by go wzięła! Opiekun się znalazł z bożej łaski. Szlag by go trafił! – wymamrotała w drodze do łazienki. – O matko święta... – wyszeptała na widok swojej twarzy w lustrze.

Guz przybrał efektowne odcienie wiśni i fioletu, ale nic nie wskazywało, że ma zamiar rozlać się wokół oka.

Ostrożnie umyła twarz. Zostawiła lekko uchylone drzwi na korytarz i walcząc z zawrotami głowy, weszła pod prysznic. Już kończyła, gdy dobiegło ją powitanie.

– Jestem, jestem! Już wychodzę! – odkrzyknęła z łazienki. Szybko narzuciła na siebie kwiecistą tunikę, byle jak wytuszowała rzęsy.

Weszła do pokoju i omal nie padła z wrażenia.

Maciek zorganizował dla niej całą ucztę. Matko, chyba zgarnął wszystko, co zostało po śniadaniu?, pomyślała na widok mnogości jedzenia.

– Co ci nałożyć? – zapytał zadowolony, nachylając się nad stolikiem. – Jajeczniczka? Może tosty? Przed chwilą zrobiłem. Spójrz, jakie chrupiące.

– Nie, dzięki. Nie mogę patrzeć na jedzenie. Mam nudności i zawroty głowy.

– Uuu, nieźle przysadziłaś. – Maciek okiem znawcy otaksował guza.

Spędziwszy wiele czasu na morzu i w portach, nieraz naoglądał się podbitych oczu i rozkwaszonych nosów. Rozcięte wargi, sińce i powybijane zęby również nie należały do rzadkości. Czasem miewał wrażenie, że widzi sceny jak z filmu o piratach. Jedyną różnicą było to, że portowa rzeczywistość była całkowicie wypruta z romantyzmu.

Zaproponował Ewie kawę i tabletki przeciwbólowe.

– Tylko takie znalazłem, ale powinny trochę ci ulżyć. – Wycisnął z blistra pastylkę i nalał kawy do kubka. – Coś musisz przełknąć. Inaczej przez cały dzień nie będziesz się do niczego nadawać.

– Ech, szkoda, że przepadnie nam rejs... – westchnęła zawiedziona, bo zdążyła się już nastawić na wycieczkę.

– Najwyżej popłyniesz sobie jutro.

– Sama? Nie sądzę, żeby mi się chciało. – Posmutniała wyraźnie.

Szczęśliwie około południa dolegliwości minęły i po obfitym posiłku rekonwalescentka uznała, że spokojnie może się wybrać na rejs w wydaniu skróconym. A Maciek powitał ten pomysł z niekłamaną radością. Pływanie uwielbiał od zawsze, kochał bujanie statku na falach, na olbrzymich tankowcach bywało to raczej mało odczuwalne. Ale i tak otwarta przestrzeń i nieustający chlupot rozbijanej kadłubem wody zawsze poprawiały mu humor.

Także i teraz cieszył się jak dziecko. Zadowolony zabawiał Ewę anegdotami. Bawiła się tak świetnie, że zanim się spostrzegła, z powrotem dobili do przystani.

– Dziękuję za zaproszenie. – Uśmiechnęła się.

Po czym wspięła się na palce, najwyżej jak mogła, i cmoknęła zaskoczonego Maćka w okolice brody.

– Ech, nie jestem z gumy... A ty mógłbyś przynajmniej trochę się pochylić. – Sprytnie obróciła niezręczność w żart. – I dziękuję za poranny ratunek.

Sprawiała wrażenie, że chce się pożegnać. Maciek wyczuł to natychmiast.

– Jeszcze z tobą nie skończyłem. – Mrugnął łobuzersko. – To mój ostatni wolny dzień, więc wypuszczę cię dopiero po kolacji. Teraz godzinka sjesty i idziemy w miasto, moja pani! – zakomenderował.

Rozbawiona Ewa chętnie przystała na propozycję.

– Dzięki. A zatem za godzinkę. No to pa! – Odwinęła się na pięcie i z ulgą pognała na piętro.

Nie znosiła morskiej wody, a podczas rejsu fala parę razy opryskała ją solidnie. Przesycone solą powietrze również zrobiło swoje i teraz miała wrażenie, że cała jej skóra się lepi.

Z przyjemnością wzięła kąpiel, zerknęła na zegarek. Pozostało jeszcze sporo czasu.

Nie zdążyła zgłodnieć po porannym obżarstwie, więc skierowała kroki do lodówki z napojami. Wino z minionego wieczoru zdążyło się już schłodzić. Potrząsnęła butelką, żeby się upewnić, ile go zostało, i upiła mały łyk. Nigdzie nie znalazła stosownego naczynia, ale uznała, że w samotności śmiało może napić się z gwinta.

Wyszła na balkon z butelką w dłoni i wygodnie umościła się na leżaku. Przyjemnie ciepłe powietrze owiewające jej twarz sprawiło, że popadła w leniwy błogostan. Byłaby usnęła na dobre, gdyby nie energiczne stukanie do drzwi. W wydaniu Maćka było jak piekielny łomot.

Podskoczyła jak oparzona.

– Zaraz! Zaczekaj na dole, muszę się ubrać! – zawołała, przeklinając w duchu punktualność towarzysza.

Jak nieprzytomna miotała się po pokoju w poszukiwaniu bluzki, którą przygotowała przecież wcześniej. W końcu znalazła ją w łazience, gdzie po raz kolejny przypudrowała okolice guza. W ciągu dnia kamuflaż załatwiały duże przeciwsłoneczne okulary, ale teraz słońce już zaszło. Naciągnęła grzywkę na czoło, psiknęła lakierem do włosów i po kilku minutach zameldowała się przy recepcji.

– Jakie plany? Tylko błagam, bez łażenia po mieście – poprosiła.

Po wczorajszym zwiedzaniu nogi wlazły jej w miejsce, gdzie kończą się plecy.

– Kolacja na rynku? – rzucił Maciek z błyskiem w oku i podstawił łokieć.

– Tak! – przystała ochoczo i wzięła go pod rękę, choć miejsce, gdzie zwykle powinno być męskie ramię, tym razem wypadało mniej więcej na wysokości jej podbródka.

Spędzili uroczy wieczór i Ewa nie mogła odżałować, że to ostatnie wspólne chwile. Szczerze polubiła poczciwego olbrzyma i wyraźnie posmutniała na myśl o rozstaniu. Wprawdzie w Polsce Maciek mieszkał w Chrzanowie, czyli całkiem niedaleko Krakowa, ale teraz wypływał w dwumiesięczny rejs na jakimś nowym tankowcu.

– Nie masz nawet pojęcia, jak bardzo mi pomogła twoja obecność – powiedziała pod koniec. – Normalnie niebiosa mi ciebie zesłały.

– No coś ty?

– Poważnie. Zapewniłeś mi tyle atrakcji i tak szczelnie wypełniłeś mój czas, że nie miałam nawet chwili, by pomyśleć o moich pokręconych sercowych przygodach.

– He, he! – Olbrzym roześmiał się tubalnie. – To jeszcze nie koniec.

– Że co?

– Zaraz zobaczysz.

Szybko uregulował rachunek i pociągnął Ewę w kierunku pobliskiej kamienicy. Pchnął wielkie drewniane drzwi. Ustąpiły przy głośnym akompaniamencie skrzypiących żelaznych zawiasów.

– Co ty wyprawiasz? – zaniepokoiła się. – Chcesz mnie zgwałcić w tej bramie czy co?

– Zwariowałaś? Przecież jakbym chciał, to wybrałbym jakieś wygodniejsze miejsce. Za stary jestem na szybkie numerki po bramach – roześmiał się głośno, a Ewa mu zawtórowała.

Zatrzymali się na ostatnim piętrze. Maciek nacisnął na dzwonek.

– Gdzie jesteśmy? – Ewę wprost skręcało z ciekawości.

– Naprawdę nie poznajesz? – zapytał.

Nie zdążyła odpowiedzieć, bo w drzwiach stanęła leciwa Hiszpanka. Gestem zaprosiła ich do środka.

Ewa, która w końcu domyśliła się, gdzie się znalazła, jak urzeczona przyglądała się mieszkanku w stareńkiej kamienicy. Niewielkie okna z masywnymi żaluzjami i grube mury sprawiały, że lokum robiło wrażenie swojskiego i przytulnego. Oryginalne rustykalne wyposażenie znacząco odbiegało od nowoczesnych podróbek. A widok łazienki, gdzie na honorowym miejscu stała żeliwna wanna na lwich łapach, wywołał jęk zachwytu.

– I jak ci się podoba? – zapytał Maciek, gdy wyszli na nieduży taras na dachu.

– Podoba? Jestem zachwycona!

Oczarowana Ewa gapiła się na morze, gdzie w oddali migotały jasne światełka wycieczkowych statków.

Po kwadransie podziękowali właścicielce i wyszli na zewnątrz.

– Wiesz, gdybym miała się gdzieś przenieść, to właśnie w takie miejsce – westchnęła smutno rozmarzona Ewa w drodze do hotelu.

– Wcale ci się nie dziwię. A na wypadek, gdybyś kiedyś zmieniła zdanie, masz tutaj namiary do tej babuleńki. Mieszkanie jest do wynajęcia od zaraz. I to za niewielkie pieniądze.

– Wariat! – parsknęła śmiechem, ale schowała wizytówkę do torebki.

Nazajutrz, by zdążyć na czas do Barcelony, Maciek musiał opuścić hotel jeszcze przed świtem, więc wieczorem wymienili się telefonami i namiarami na internetowy czat. Do tej pory Ewa nie sądziła, że na morzu można korzystać z internetu, ale Maciek szybko wyprowadził ją z błędu. W dobie łączności satelitarnej możliwe było wszystko.

Z żalem pożegnała się i poszła do swojego pokoju.

Powrotny samolot do Polski miała dopiero wieczorem następnego dnia, uznała zatem, że może spać do południa. W końcu muszę kiedyś odrobić senny deficyt z poprzedniej nocy, pomyślała. A poza dojazdem na lotnisko i zakupami w strefie wolnocłowej nie mam na ten dzień żadnych planów.

Był już późny wieczór, a ją jak na złość opuściła senność. Przez godzinę przewracała się z boku na bok, aż w końcu zrezygnowała i przeniosła się na balkon. Hiszpańskie listopadowe noce nie są zbyt ciepłe, a w ciągu dnia mury nie nagrzewają się wystarczająco, więc szczelnie owinęła się hotelową narzutą i rozłożyła na leżaku. Zagapiła się w niebo i odetchnęła głęboko. Przymknęła oczy, licząc, że w końcu zmorzy ją sen.

Nic z tego.

Przypomniała sobie o resztce wina. Wstała i uważając, by nie potknąć się o spowijającą ją pikowaną tkaninę, poczłapała do lodówki. Na dnie butelki chlupotało jeszcze trochę wytrawnego trunku.

Bezskutecznie czekając na Morfeusza, po kolei analizowała ostatnie wydarzenia. Z perspektywy kilku dni pomysł przyjazdu tutaj wydał jej się na tyle kuriozalny, że uśmiechnęła się do siebie. A wspomnienie miny zaskoczonego Carlosa sprawiło, że parsknęła śmiechem. Ale wciąż było jej przykro, że ją oszukał, wciąż bolało urażone ego. I co gorsza zdawała sobie sprawę, że chyba wciąż czuje do niego miętę.

Poznanie i obecność Maćka bardzo jej pomogły pozbierać się emocjonalnie, ale nowy znajomy kompletnie nie nadawał się do wykorzystania w sprawdzonym systemie „klin klinem". Dobrze czuła się w jego obecności, podobało się jej, jak o nią dba, ale poza ewidentnym intelektualnym powinowactwem nie zauważała żadnej innej, a już zwłaszcza damsko-męskiej, chemii. Maciek skutecznie zajął jej czas i myśli, tylko że na krótko.

Na zbyt krótko.

Przymknęła oczy i znów wyobraziła sobie Carlosa – jak na nią patrzy, jak bierze za rękę, by finalnie zdjąć z niej ubranie. Do ostatniego fatałaszka. W jego wzroku było coś tak hipnotyzującego, że wystarczyło wspomnienie, by Ewa poczuła dreszcz podniecenia.

– Ech! – parsknęła, wściekła na siebie i na te głupie miłosne rojenia, w dodatku bez szans na realizację. Czuła, że boli ją dusza.

Spod powiek popłynęły łzy, nie wiadomo, czy bezsilności, czy żalu po utraconej miłości. Ewa rzadko kiedy pozwalała sobie na płacz, ale teraz dała upust obfitej fontannie, licząc na szybką ulgę. I w końcu zasnęła z nadzieją, że nazajutrz będzie lepiej. Musi być lepiej!, postanowiła.

Zwłaszcza że w Krakowie czekała na nią masa obowiązków. I tych zawodowych, i tych prywatnych. Od miesięcy nie mogła się zebrać, by uporządkować domek letniskowy, który odziedziczyła po babci ze strony ojca i wkrótce miała zamiar wynająć turystom. Położona w Myślenicach, tuż nad brzegiem Raby, posesja była aktualnie tak zapuszczona, że wstyd było pokazać ją komukolwiek. Już sama sprawa letniej daczy będzie wymagać sporo zachodu, doszła do wniosku. O zawodowych zobowiązaniach nie wspominając.

ROZDZIAŁ 3

RANO OBUDZIŁA SIĘ z nadzieją, że przestaną ją w końcu nękać myśli o Carlosie.

Bo tak to już w życiu jest, że im bardziej nie chcemy o czymś myśleć, tym myślimy częściej. Otaczająca nas rzeczywistość jest perfidna i podsuwa nam niechciane skojarzenia. Nagle zaczynamy wyłapywać słowa piosenek, do których nigdy nie przywiązywaliśmy wagi. Nagle każdy przedmiot, każda czynność czy sytuacja wymusza wspomnienia. Na widok każdej pary mijającej nas na ulicy trafia człowieka szlag. Umysł płata figle i kieruje zgoła neutralne myśli na takie tory, że ich tok, mimo usilnych starań, i tak zawsze doprowadza do bolesnych przeżyć. Po prostu nagle kojarzy się wszystko. Gdybyż tylko móc wyrzucić z głowy te przeklęte natręctwa! I żeby wreszcie przestało boleć!, dumała Ewa, leżąc w łóżku.

Od zawsze wiedziała, że płaci się w życiu za wszystko, ale nie sądziła, że endorfiny kosztują aż tyle. Nie była już nieopierzoną młódką i miała świadomość, że niektóre rzeczy bywają drogie. Zbyt drogie. Zwłaszcza miłość. Tu opłaty były aż nazbyt słone. Szczególnie za tę szczerą, czystą. Kiedy traci się poczucie tego, co tu i teraz.

Tak, zdawała sobie sprawę, że tym razem przesadziła. Nie było to pierwsze zakochanie w jej życiu, lecz pierwsze tak silne, że utraciła kontakt z rzeczywistością. Do pewnego momentu próbowała się opanowywać i zachowywać trzeźwość umysłu, ale poległa z kretesem. Postawiła wszystko na jedną kartę. Była tak szczęśliwa, że nie chciała się powstrzymywać czy ograniczać.

– Wiem, że kiedyś za to zapłacę, ale przynajmniej będę wiedzieć za co – powiedziała jakiś czas temu do Moniki.

Ta, przerażona, aż złapała się za głowę.

– Boże, dziewczyno, nie angażuj się tak po całości! Przecież ledwie tego gościa znasz!

– A niby czemu nie? Ja go chcę, on mnie chce.

– Jesteś pewna tego drugiego? – powątpiewała Monika.

No właśnie. Choć Ewa bardzo tego pragnęła, nie była. Ani w trakcie tej rozmowy, ani tym bardziej po zderzeniu z rzeczywistością. Uzyskała co prawda kilka ustnych deklaracji i kilka zawoalowanych aluzji na piśmie, ale było to zbyt mało, by mieć pewność.

Teraz miała opuścić słoneczne hiszpańskie wybrzeże ze złamanym sercem. Ze smutkiem pomyślała o dżdżystej polskiej aurze, pożegnała się z recepcjonistą i doturlała walizkę na parking.

– Niech to cholera! – jęknęła na widok wgniecionego błotnika.

Była pewna, że wcześniej samochód był cały. Nie licząc dojazdu z lotniska i wizyty u Carlosa, nie używała go wcale, zatem zawinił ktoś inny. Doskonale pamiętała, że w wypożyczalni podpisywała specjalny protokół zdawczo-odbiorczy, w którym wyszczególniono tylko jedną małą rysę na drzwiach od strony kierowcy. Sprawdziła, czy przypadkiem sprawca nie włożył za wycieraczkę jakiejś informacji, a nie znalazłszy niczego takiego, podeszła do budki parkingowego z pytaniem o nagranie z monitoringu. Zaspany mężczyzna odpowiedział łamaną angielszczyzną, że o niczym nie wie. I że generalnie przecież nic wielkiego się nie stało. A poza tym to on ma poobiednią sjestę.

– A żebyś dostał podagry, leniwy baranie! – zaklęła Ewa po polsku i walcząc z wściekłością, uruchomiła silnik wypożyczonego auta.

Ponadgodzinna podróż na lotnisko sprzyjała rozmyślaniom.

Jako urodzona pragmatyczka i osoba więcej niż konkretna doskonale wiedziała, że z dnia na dzień smutek i złość będą maleć. Była nieszczęśliwie zakochana już kiedyś i wiedziała, że to fatalne uczucie mija z czasem. Jednak ta świadomość na razie nie przynosiła jej ulgi. O ile kiedyś, w czasach liceum, gdy bez pamięci zadurzyła się w koledze z równoległej klasy, winna była szczenięca naiwność i buzujące hormony, o tyle teraz winą mogła obciążyć co najwyżej własną głupotę i pragnienie miłości. Tej jedynej, takiej na całe życie. Cóż mogła poradzić, że pragnęła jej tak mocno, może nawet zbyt mocno, skoro najwyraźniej miała w życiu pecha? Może nie była klasyczną pięknością, ale całkiem miłą i ładną kobietą. Jej drobna sylwetka i wygląd niewiniątka niejednego wyprowadzały w pole.

Pozbawiona większych złudzeń zwykle twardo stąpała po ziemi. Przez lata przyzwyczajona do samodzielności potrafiła sobie poradzić z większością problemów. I zamiast stać się celem czyjejś troski i opieki, nieraz lądowała na odwrotnej pozycji. Dołożywszy do tego fakt, że również i zawodowo radziła sobie nieźle, nikomu z jej otoczenia nie przyszłoby do głowy, że czegokolwiek jej brak.

Gdy samolot osiągnął pułap przelotowy, poluzowała nieco pas. Jakoś nie mogła nauczyć się podróżować z rozpiętym. Ten kawałek parcianej taśmy, spięty klamrą na biodrach, sprawiał, że czuła się znacznie bezpieczniej.

Wygodnie wyciągnęła nogi przed siebie. Tym razem samolot był prawie pusty, a w efekcie również sąsiednie fotele. Przyjęła ten fakt z ulgą i umieściła na wolnym siedzeniu dwie oryginalne hiszpańskie szynki. Wielgachne kilkukilogramowe giczoły z okazałym suszonym szynkowym pośladkiem z jednej strony, z drugiej zakończone malowniczym świńskim kopytkiem. Widok owych kopytek wzbudzał w Ewie dreszcze, ale ponieważ szynki doskonale nadawały się na prezenty, stękając z wysiłku, jakoś dotaszczyła je na pokład.

Przymknęła oczy i zasłuchana w szum silników niespodziewanie usnęła.

Przespała całą drogę i obudził ją dopiero głos kapitana, który oznajmił, że niebawem nastąpi lądowanie. Ewę nieco zaskoczył fakt, że nikt nie zaczepił jej wcześniej, pod pretekstem serwowania kawy, drinków czy sprzedaży perfum.

Na miejscu wiał tak porywisty wiatr, że na moment odebrało jej oddech. Silne lodowate wietrzysko bez litości tarmosiło niedopiętą kurtkę. Mokre schodki były dość śliskie i gdyby nie uczynność starszego mężczyzny, który na chwilę przejął fizycznie pieczę nad wieprzowiną, Ewa zapewne zaliczyłaby upadek. Zasapana dopadła lotniskowego autokaru. Wcisnąwszy się w jego najdalszy kąt, uruchomiła telefon i zadzwoniła po taksówkę.

Lubiła wracać do siebie, nieważne, czy ze spotkania, czy z dalszych wojaży. Wynajęte dwupokojowe mieszkanie nie stanowiło spełnienia jej lokalowych marzeń, ale za to dawało poczucie, że przed nią jeszcze długa zawodowa droga. Jako się rzekło, Ewa preferowała proste formy i puste przestrzenie, a właśnie do takiej aranżacji jej lokum świetnie się nadawało. We wnętrzu panował styl minimum; niezbędne meble w tak zwanych barwach ochronnych, czyli niewymagających ciągłego biegania ze szmatką, oraz brak łapaczy kurzu, czyli wszelkiego rodzaju dzindzibołów o niewiadomym przeznaczeniu, w zupełności zadowalały lokatorkę. Owszem, marzyła, by z czasem nabyć coś nieco bardziej przytulnego, ale na razie, dopóki to mieszkanie stanowiło również jej biuro i pracownię w jednym, wolała skupić się na pracy. A w pracy nic nie powinno jej rozpraszać.

Jej matka, regularnie prowokowana przez ojczyma, co jakiś czas wtrącała swoje trzy grosze w tej kwestii. Adam, jej drugi mąż, niespecjalnie utalentowany inżynier od architektury sakralnej, który nigdy nie zaprojektował choćby przydrożnej kapliczki, o kościele nie wspominając, z braku innych możliwości przebranżowił się na sprzedawcę w sklepie meblowym. Nie wiedzieć kiedy połknął handlowego bakcyla i co sił ruszył wciskać komu się dało swoje meblościanki z MDF-u. W pierwszej kolejności wziął na celownik pasierbicę.

Lecz Ewa pozostawała nieugięta. Po pierwsze meble z asortymentu ojczyma nijak nie trafiały w jej gust, a po drugie nie cierpiała Adama z całego serca.

Gdy jej matka po dwóch latach wdowieństwa ponownie wyszła za mąż, córka właśnie weszła w okres buntu nastolatka. Jako że w tych okolicznościach kontestacja wszystkich autorytetów była rzeczą absolutnie normalną, podobnie jak odczucie, że ktoś próbuje jej zastąpić zmarłego ojca, Ewa zamknęła się w sobie i wszelkie próby nieudolnego tatusiowania z udziałem Adama zbywała prychnięciem albo wzruszeniem ramion. Oliwy do ognia dolał z czasem fakt, że mężczyzna, dostrzegłszy w niej rozkwitającą młodą kobietę, zaczął czynić jej awanse. Wtedy Ewa kompletnie nie zdawała sobie sprawy, czym jest pedofilia, i uznała, że zachowanie ojczyma wynika wyłącznie z chęci zbliżenia rodziny. Nie miała pojęcia, o czym świadczą te jego niby zdawkowe dotknięcia dłoni, te niby przypadkowe muśnięcia jej warg przy składaniu świątecznych życzeń. Doskonale wiedziała, że ojczym się stara. Miała go w nosie, niemniej jednak słowne pikantne aluzje sprawiły, że poczuła niepokój. Kilkakrotnie próbowała porozmawiać z matką, ale ta, doskonale wiedząc, że córka pogardza jej nowym mężem, odebrała te próby jako zemstę. Ewa zamknęła się zatem jeszcze bardziej, wycofując na obrzeża nowego rodzinnego układu.

Czarę goryczy przelała entuzjastyczna wiadomość o powiększeniu rodziny. Tego już było za wiele. Piętnastoletnia dziewczyna odebrała to jako najbardziej bolesny zamach zarówno na jej uczucia, jak i na względnie poukładany świat. Przez jakiś czas próbowała walczyć o swoje najprostszym sposobem, czyli przykuwaniem uwagi przez regularne sprawianie kłopotów, ale matka tak źle znosiła późną ciążę, że kompletnie nie miała głowy, by przejmować się humorzastą nastolatką.

Sprytny plan spalił na panewce.

Nie wiadomo, jak by się potoczyło dalsze emocjonalne życie Ewy, gdyby do akcji nie wkroczyła jej babcia. Stateczna pani po siedemdziesiątce właśnie wróciła z Ameryki, gdzie rozwiodła się po raz piąty. Oskubawszy z pieniędzy niewiernego przedsiębiorcę pogrzebowego rosyjskiego pochodzenia, po latach zjawiła się w Polsce w glorii i chwale. Szybko odnowiła stare znajomości, jeszcze szybciej nabyła dom na myślenickim Zarabiu i wkroczyła w rodzinne układy jak burza. Właśnie wtedy, sporo przed czasem, urodził się jej wnuczek, zwany przez Ewę Pokurczem, który zapewne nie dożyłby wieku przedszkolnego, gdyby babka nie zabrała zbuntowanej dziewczyny do siebie. Była spostrzegawcza, więc jak na dłoni widziała, kto, gdzie i kiedy popełnił błąd w kwestii jej wnuczki. Której dodatkowo pojawienie się małego dziecka całkiem wywróciło codzienność do góry nogami. Adam chodził tak dumny z faktu posiadania męskiego potomka, jakby się nie wiadomo jak bardzo przy tym zasłużył i napracował. Matka natomiast kompletnie zbzikowała na punkcie zdrowia chorowitego malca i wydawało się, że zapomniała o córce.

Dość powiedzieć, że po przeprowadzce do Myślenic Ewa odżyła.

Zanosiło się na to, że zrobi jej dobrze również zmiana szkoły, choć i tam pragnęła szokować punkowym stylem, glanami i nabijaną ćwiekami bransoletką. Zafarbowane na kruczoczarno włosy stroszyła paradnie jak indor i napawała się pełnymi grozy spojrzeniami nowych sąsiadek. Kilkanaście kolczyków wbitych w ucho jeden przy drugim stanowiło przedmiot jej niekwestionowanej dumy. Oczywiście zdawała sobie sprawę, że w małomiasteczkowym liceum taki numer nie przejdzie, ale były przecież wakacje.

Ewie nawet nie przeszło przez myśl, że pozytywne zmiany nastąpią dużo wcześniej.

Lipcowy poranek uraczył wszystkich słońcem, więc nad rzekę tłumnie zawitali plażowicze spragnieni kąpieli w chłodnej toni. Miejsce, w którym sztucznie spiętrzono wodę rzeki Raby, zwane potocznie jazem, niezmiennie okupowali turyści. Wszędobylskie wrzeszczące dzieciaki i ich matki, wrzeszczące jeszcze głośniej, wyprowadziłyby z równowagi nawet świętego.

Ewa, która nie lubiła tumultu, poszła zatem popływać na jaz wczesnym rankiem, żeby zdążyć przed najazdem tłuszczy. Wróciła do domu, doprowadziła do ładu swój przemyślany wizerunek i z nastroszoną fryzurą, piechotą wyruszyła do piekarni po bułki.

Raźno maszerowała krzywym chodnikiem. Specjalnie nadłożyła drogi, by „przypadkiem" przejść obok domu, w którym mieszkał Marek, czyli – jak się zdążyła zorientować podczas wizyt u babci – największy miejscowy przystojniak z licealnej socjety. Pochłonięta myślami nie zauważyła, że niespodziewanie zaszło słońce. A gdy dopadła drzwi piekarni, była już mokra jak chluszcz. Oklapnięte włosy przykleiły się do czoła, a czarny tusz spłynął na policzki. Była tak wściekła, że w pierwszej chwili nie zareagowała na słowa stojącej za ladą rudej dziewczyny.

– To ty jesteś ta nowa? – zapytała nieco grubawa rudowłosa.

– A o co chodzi? – Ewa buńczucznie wysunęła brodę i uważnie przyjrzała się dziewczynie.

Ruda musiała być mniej więcej w jej wieku i wyglądała całkiem sympatycznie. Natomiast świadoma własnej opłakanej prezencji Ewa poczuła się nieco zbita z tropu. Widocznie jej ostry wizerunek nie zrobił wrażenia na czerwonowłosej piegusce.

– Tak, mieszkam tutaj od dwóch tygodni – powiedziała. – Na Zarabiu. Jestem Ewa.

– Monika. Wieść gminna niesie, że będziemy chodzić do tej samej klasy.

– Poważnie?

– Tak! Strasznie się cieszę, że cię poznałam! A dziewczyny już nie mogą się doczekać, żeby się czegoś o tobie dowiedzieć. Dlaczego mieszkasz z babcią?

– Bo tak się ułożyło. Generalnie moja rodzinka ma zdrowo zryty beret, ale babcia jest spoko. Ale dlaczego nie widziałam cię wcześniej? Twoje włosy są tak odjechane, że trudno je przeoczyć.

– Bo mnie nie było. Właśnie wróciłam z obozu jeździeckiego. Chyba jeszcze cuchnę stajnią – roześmiała się płomiennowłosa dziewczyna.

Monika, gdy tylko przekonała się, że nowa nie gryzie i nie bije, natychmiast zawołała z zaplecza piekarni brata, by ją zastąpił za ladą. I siłą zaciągnęła nową koleżankę do domu.

Niespodziewanie dziewczyny znalazły wspólny język, a gdy okazało się, że Marek jest kuzynem Moniki, Ewa poczuła się u nowej koleżanki jak u siebie. Obie uznały, że wyróżniają się z tłumu i odstają od reszty, i stwierdziły, że wypadałoby zrobić z tego atut. A do Ewy w końcu dotarło, że nie ona jedna ma ciężko w życiu. Bycie rudym, piegowatym i w dodatku pulchnym to wcale nie przelewki. Zwłaszcza gdy ma się szesnaście lat.

Tamtego dnia obie zameldowały się na obiedzie u babci na Zarabiu, a ta, szczęśliwa, że wnuczka w końcu znalazła koleżankę od serca, ukradkiem otarła łzę wzruszenia. Istniała szansa, że za sprawą nowego środowiska Ewa względnie normalnie przeżyje szczeniackie lata.

Dziewczyny po tygodniu stały się praktycznie nierozłączne. Ewa czekała niecierpliwie na powrót obiektu swoich westchnień, czyli Marka, ze sportowego zgrupowania. Wcześniej, niby przypadkiem, wypytała Rudą o kuzyna, a gdy ta, nie szczędząc szczegółów, opowiedziała jej wszystko, poczuła, że po raz pierwszy w życiu jest zakochana. Co z tego, że widziała Marka tylko przelotnie i znała go wyłącznie ze słyszenia. Dla niej stanowił chodzący zestaw cech idealnych: przystojny, wysoki, wysportowany, zdolny, ambitny. Czegóż można chcieć więcej od nastolatka? Nieświadoma niczego Monika podsycała młodzieńcze uczucie przyjaciółki, choć nie miała pojęcia, że to właśnie dzięki niej Ewa porzuciła wizerunek pseudogotyckiej brunetki. Wystarczyła przypadkowa wzmianka, że ostatnia dziewczyna Marka była jasną blondynką, by jeszcze przed końcem wakacji zaczęła wyglądać jak człowiek.

Początku roku szkolnego czekała jak kania dżdżu.

Tymczasem wraz z nastaniem września czar prysł. Nie dość, że obiekt westchnień nawet na nią nie spojrzał, to na dokładkę pojawił się na rozpoczęciu roku w towarzystwie długonogiej brunetki, która spojrzeniem pełnym pogardy pobłażliwie taksowała tłumek rozszczebiotanych idiotek mizdrzących się do jej chłopaka. Tego było dla Ewy za wiele. Zależało jej wprawdzie na bliższym poznaniu Marka, ale za nic nie chciała dołączyć do grupy nadskakujących mu dzierlatek. Poza tym chłopak wyglądał na przyzwyczajonego do atencji płci przeciwnej i zachowywał się tak, jakby świat leżał u jego stóp. A przynajmniej damska część świata.

– On jest po prostu skazany na sukces – oznajmiła kiedyś Ewa.

– Zwariowałaś? – zdziwiła się Monika. – To bufon jakich mało. Jest tak rozpuszczony, że nie idzie z nim wytrzymać. Normalnie jakiś zakichany jaśnie książę, psia jego mać! A niech tylko nie dostanie, czego chce, od razu strzela fochy jak pieprznięta królewna. Uchowaj Boże przed takim chłopakiem! Biedna ta nowa... – westchnęła ze współczuciem.

Ewa pomału zaczęła dostrzegać, że zbłądziła.

Trochę potrwało, zanim zorientowała się, że zakochała się nie tyle w Marku, ile we własnym wyobrażeniu na jego temat. Tak bardzo pragnęła być dla kogoś ważna, że na własne potrzeby zaczęła sobie tworzyć idealne scenariusze, w których wszystko wyglądało wspaniale, a ona sama grała w nich pierwsze skrzypce. I co gorsza w te scenariusze wierzyła.

Tak było nie tylko z Markiem – również na studiach dwukrotnie w ten sam sposób wpadła we własne sidła. Jej własna fantazja stała się największą przeszkodą w sercowych sprawach, zderzenie imaginacji z rzeczywistością bywało bowiem bolesne i zawsze skutkowało twardym lądowaniem. Tak samo było w przypadku Carlosa, mimo że Ewa już dawno przestała być naiwną młódką. Lata temu wyzbyła się kompleksów z dzieciństwa, osiągała sukcesy i pewna własnej wartości raźno kroczyła przez życie. Kariera zawodowa i praca naukowa dawały jej na tyle dużą satysfakcję, że miłość ulokowała na samym końcu listy priorytetów. Uznała, że szczęście rodzinne nie jest jej pisane, i przekonana, że została stworzona do roli ambitnej singielki, po prostu robiła swoje.

Cała jej energia skumulowana na sprawach zawodowych błyskawicznie przyniosła wymierne efekty. Ewa jeszcze przed końcem studiów stała się bardzo cenionym fachowcem i zaczęła realizować swoją pasję. A że była tytanem pracy, szybko zyskała uznanie. Wieść o uzdolnionej pani architekt szybko rozniosła się wśród majętnych mieszczuchów. Jako że ekspansja z miasta do podkrakowskich wsi szła pełną parą, młoda projektantka nie mogła narzekać na brak pracy. Po pierwszych kilku udanych realizacjach ruszyła poczta pantoflowa, a zamówienia na znienawidzone niby-dworki posypały się jak z rozprutego worka. Szkoda tylko, że żaden z klientów nie dał się namówić na to, w czym Ewa była najlepsza, czyli na dużo prostsze formy.

– Kobieto, posłuchaj, nie każdy lubi taką ascezę – przekonywała ją Monika.

– Ja lubię – bąknęła niezadowolona Ewa.

– Taaa, tylko popatrz na swoje wnętrza. U ciebie w kuchni na wierzchu stoi wyłącznie solniczka, a u mnie nie masz gdzie postawić kubka z kawą.

– Każdy ma, co lubi. Co ja poradzę, że lubię wolne przestrzenie? Wolę proste linie. Ten cały barok jest nie dla mnie. Przy nadmiarze sprzętów się duszę.

– Ja wszystko rozumiem, ale uważam, że popadasz w skrajność. W końcu projektujesz domy i wnętrza, ale nie dla siebie, a dla kogoś. Jak dla mnie możesz mieszkać w betonowym schronie przeciwlotniczym, i nic mi do tego, ale szansa, że spotkasz jakiegoś nadzianego amatora na taki schron, w którym dyndają gołe żarówki w zwykłych oprawkach i stoi jedynie metalowe łóżko jak z horroru o szpitalu dla umysłowo chorych, jest równa zeru.

– Przesadzasz! – roześmiała się Ewa.

Przyjaciółka, jak zwykle, miała na nią wpływ niczym sole trzeźwiące. Ciepła i serdeczna od zawsze potrafiła skutecznie rozjaśniać mroczne myśli, wnosząc w codzienność dużo radości.

Po maturze Monika, od dawna zwana Rudą, choć po jej marchewkowej czuprynie pozostało już tylko wspomnienie, skończyła studia ekonomiczne związane z logistyką i z tym kierunkiem wiązała swoją zawodową przyszłość. Ale również i w jej przypadku nie wszystko poszło tak, jak sobie zaplanowała. Zamiast zarządzać międzynarodową spedycją, odziedziczyła po przedwczesnej śmierci rodziców piekarnię. Jej mąż początkowo obiecał zająć się interesem, tymczasem okazał się na tyle nieudolny i mało zorganizowany, że omal nie rozłożył rozkręconego biznesu na łopatki. Piekarnictwo przerosło jego możliwości, zarówno intelektualne, jak i organizacyjne, Monika zatem z konieczności osobiście stanęła za sterem.

Po dogłębnym zbadaniu rynku stało się jasne, że ugruntowana marka myślenickich wypieków stanowi kapitał na tyle duży, by warto było zainwestować w dalszy rozwój firmy. Po roku piekarnia rozrosła się o nową halę produkcyjną oraz o lokalną sieć własnych punktów sprzedaży i rozpoczęła ekspansję na rynek krakowski.

***

W dniu, w którym Monika podpisała umowę na dostawy pieczywa do Tesco, zaprosiła Ewę na kolację. Świętując sukces, postanowiły zaszaleć jak za studenckich lat i wyszykowane w nowe ciuchy ruszyły w miasto. Już wcześniej ustaliły, że Ruda przenocuje u przyjaciółki w Krakowie, więc teraz roześmiane beztrosko trajkotały jak najęte.

– Weź tak nie zapieprzaj, bo sobie nogi połamię! – utyskiwała Ewa, która mało przezornie przywdziała na ten wieczór kozaczki na niebotycznej szpilce. Była pewna, że wysiądą z taksówki tuż przed wejściem do restauracji, tymczasem Ruda w ostatniej chwili podjęła decyzję, że po kolacji pójdą jeszcze do klubu na drinka. Teraz Ewa wykręcała sobie nogi na kocich łbach i klęła pod nosem jak szewc. – Sama sobie załóż takie buty, to pogadamy!

– Zapomniałaś, złotko, że mam zerwane więzadła kolanowe i w takich bajeranckich butach mogę już tylko leżeć?

– To przynajmniej miej litość nade mną i przysiądźmy gdzieś na kawie, zanim to ja pozrywam swoje więzadła – zbuntowała się Ewa i nie oglądając się na przyjaciółkę, zajęła miejsce przy stoliku w pierwszej z brzegu kawiarni.

Na wszelki wypadek, by posiedzieć dłużej, wybrała duże latte, za to Ruda zdecydowała się na pachnące miętą mohito. Z rozkoszą pociągnęła przez słomkę łyk lodowatego drinka. Przez chwilę poplotkowały o pobycie w Hiszpanii oraz o rozwijających się piekarniczych interesach i Ewa skinęła na kelnerkę. Chciała poprosić o rachunek, ale młoda dziewczyna przyniosła w zamian po drinku dla każdej z nich i gestem wskazała na dwóch siedzących opodal mężczyzn.

– Że jak? Tamci panowie postawili nam drinki? – zdziwiła się Ewa i w geście podziękowania skinęła głową w ich stronę. Jeden wydał się jej znajomy, więc uśmiechnęła się niepewnie, nieprzyzwyczajona do knajpianych podrywów.

– Właśnie tak, proszę pani – przytaknęło dziewczę i mrugnęło domyślnie. – Panowie uregulowali cały rachunek.

– Co takiego? – oburzyła się Ruda i już miała zerwać się z miejsca, gdy obaj mężczyźni podeszli do ich stolika.

Przedstawili się uprzejmie i wtedy stało się jasne, że Ewa rzeczywiście kojarzy jednego z nich. To znaczy podobno studiowali na tej samej uczelni i siłą rzeczy znali się z widzenia.

Adrian i Dariusz byli kumplami od lat; ich połowice właśnie wyjechały z dziećmi na wakacje, a panowie postanowili nieco się zabawić. Miła i niezobowiązująca pogawędka zakończyła się zaproszeniem do klubu. Ponieważ zapraszający wydawali się dobrze wychowani i prezentowali się więcej niż korzystnie, Monika przystała na propozycję ochoczo.

– Dziękujemy!

Zaskoczona Ewa natychmiast wyciągnęła ją do toalety celem przypudrowania nosa, czyli wymiany wrażeń i opieprzenia przyjaciółki.

– Zwariowałaś do reszty?! – fuknęła od progu.
– Przecież ich nie znamy!

– Już znamy – prychnęła rozochocona Ruda i poprawiła błyszczyk na ustach. – Przecież Adrian cię zna, a ty jego. W czym problem?

– Taaa, jasne! Z widzenia. Podobno. Skąd mam wiedzieć, czy to nie jacyś handlarze żywym towarem? Chcesz się jutro obudzić bez nerki, głupia?!

– Spokojnie. Zamówimy sobie coca-colę i nie wypuścimy jej z ręki. Wtedy niczego nam nie dosypią.

– Jeżeli zakładasz, że mogą dosypać, to nie lepiej od razu ich spławić?

– Przestań być nadęta jak purytańska zakonnica!

– Ja? Przecież ja jestem wolna. Pomijając, że po aferze z Carlosem nie szukam nowych znajomości, to nie mam żadnych zobowiązań. To ty masz męża, a tamci mają żony i dzieci. To nie wróży nic dobrego.

– Ale ja nie mam zamiaru zdejmować im portek. Potańczymy, pobawimy się i koniec. Mamy podpierać ściany? – broniła się Monika.

I rzeczywiście, na parkiecie, rozbawiona, niemal zamęczyła Adriana na amen. Ewa próbowała gawędzić z Dariuszem, ale ten odstawał od kumpla zarówno pod względem elokwencji, jak i poczucia humoru. I chęci do zabawy. Ewa nie znosiła ciężkiego milczenia, więc zdesperowana usiłowała rozwinąć konwersację. Ale gdy jej towarzysz nie chwycił przynęty w postaci rozmowy o jego pracy w charakterze prywatnego detektywa, straciła nadzieję na miłą pogawędkę i poszła pokiwać się solo na zatłoczonym parkiecie.

Nie minęło nawet pół minuty, jak była z powrotem, bo poczuła na pośladkach czyjeś obce dłonie. Zniesmaczona czekała cierpliwie w towarzystwie milczka, aż Ruda wyszaleje się wreszcie i będą mogły wrócić do domu. Szczerze mówiąc, najchętniej zdjęłaby już te nieszczęsne szpilki.

Po hulance do późna na drugi dzień dziewczyny zwlekły się z łóżek jak z krzyża zdjęte.

– Boże jedyny. Bolą mnie wszystkie gnaty – jęknęła Ruda.

Jako się rzekło, już dawno przestała być ruda i teraz zmierzwiła przed lustrem bujną fryzurę w odcieniach brązu i oberżyny. Wciąż była postawna, ale z czasem nabrała regularnych kobiecych kształtów. Zachowała doskonałe proporcje, więc nawet przy swojej solidnej budowie uchodziła za więcej niż zgrabną.

– Jak żeś pofikała, to masz. Ałaaa! – zawyła Ewa, dotykając obolałych stóp. Na większości palców pojawiły się wypełnione przezroczystym płynem bąble. – Przeklęte buty!

– A nie mówiłam? Było iść w tenisówkach.

Monika nie zdążyła w porę uchylić się przed lecącą w jej stronę poduszką. W tej samej chwili pisnął esemes.

– Zgłupiałaś do reszty? Dałaś mu swój numer? – zdumiała się Ewa.

– A ty nie?

– Nie. Nie interesuje mnie dalsza znajomość z jakimś żonatym mrukiem. Jeszcze mi potrzeba na karku zazdrosnej baby z bachorami. Brr, uchowaj Boże! – wzdrygnęła się Ewa, której uwagi nie uszedł błogi uśmiech, z jakim jej przyjaciółka odpisuje na wiadomość.

– Zjedz cytrynę, idiotko, bo doniosę twojemu staremu, jak się haniebnie prowadzisz! – roześmiała się.

Twarde spojrzenie Rudej sprawiło jednak, że zamknęła się natychmiast i poszła nastawić ekspres do kawy.

– No i co? – Z lekkim stuknięciem postawiła na szklanym blacie dwa parujące kubki.

– Nie domyślasz się jeszcze? Serio? Nie widzisz moich rogów czy tylko przez grzeczność udajesz ślepą? – zapytała Monika.

– Och, nie! – jęknęła Ewa. – Tylko nie to! Jesteś pewna?

– Tak. Ten gnój już się przyznał. To podobno moja wina, bo za bardzo zajęłam się biznesem. On ponoć zszedł na dalszy plan.

– Ale palant! Nieudacznik jeden!

– Czuł się, biedaczek, niedoceniony, niedopieszczony, niedoszacowany. No i jeszcze dziecka nie umiał mi zrobić. Bogu niech będą dzięki. Uff – sapnęła Monika. Miała uczucie, że kamień spadł jej z serca. – No to teraz już wiesz.

– Jezu… I to ma być zemsta?

– Nie. Nie jestem suką i nie mam zamiaru nikogo krzywdzić. Ale w mojej sytuacji miło jest wiedzieć, że jeszcze komuś mogę się podobać. Że jeszcze ktoś może mnie pragnąć. Że… – Monice załamał się głos.– Rozwodzę się. Sprawa już jest na wokandzie.

– Tylko błagam cię, nie rycz, bo nie mam chusteczek.

Słowa padły o dwie sekundy za późno, bo załamana kobieta właśnie wybuchnęła głośnym płaczem. Gospodyni nie pozostawało nic innego, jak przynieść z łazienki rolkę papieru toaletowego i położyć ją na stole obok kubka z kawą. W ciągu godziny zapłakana Ruda wysmarkała ponad połowę.

ROZDZIAŁ 4

EWA DUMAŁA PRZEZ chwilę, po czym uznała, że trzeba coś z tym zrobić. Ruda wymagała pomocy, i to natychmiastowej. Tymczasem ona sama tak się rozmemłała, że nie była w stanie myśleć racjonalnie.

Boże, jak to dobrze, że nie mam faceta, stwierdziła w duchu. Same kłopoty z nimi. Jak nie urok, to sraczka, jak nie tyfus, to przemarsz wojsk. Cholerni popaprańcy!, zaklęła.

Samotność doskwierała jej tylko czasami, ale i wtedy szybko odpędzała ochotę na wtulenie się w czyjeś silne ramiona i z powrotem twardo lądowała na ziemi. Właściwie to była nawet zadowolona ze swojego życia singielki. To, że musiała się martwić wyłącznie o pracę, miało swoje dobre strony. Jej kontakty z rodziną od lat można było uznać za sporadyczne – zadawniona uraza do matki, nienawiść do ojczyma i niezmienne politowanie dla Pokurcza stanowiły taki konglomerat nieciekawych doznań, że Ewa na samą myśl o bliskich reagowała mimowolnym wzdrygnięciem. Nie miała ochoty wysłuchiwać o nieustających kłopotach finansowych i chorobach cherlawego braciszka.

Wymuszone, utrzymywane nie wiadomo w imię czego kontakty były tak sztywne, że w Boże Narodzenie Ewa wykpiła się grypą i z przyjemnością została w domu. Wigilijny wieczór spędziła na czacie z Maćkiem, który znów pływał gdzieś na końcu świata. Uwielbiała te pogawędki. Maćkowa błyskotliwość i poczucie humoru niezmiennie poprawiały jej humor, więc z żalem zakończyła długaśną konwersację, wyrzuciła opakowanie po śledziach po kaszubsku i zaliczyła tę Wigilię do jednych z najbardziej udanych w swoim życiu.

Rankiem na wspomnienie kanciastej twarzy przyjaciela doznała nagłego olśnienia.

Wyskoczyła z łóżka jak z procy i dopadła przepastnej szafy. Nie mogąc znaleźć tego, czego szukała, przekopała sporą część garderoby, aż w końcu wygrzebała z tyłu półki kolorową lnianą torebkę. Rozsunęła zameczek i wsadziła dłoń w głąb do kieszonki.

Biały kartonik był tam, gdzie go umieściła.

Zrobiła kawę, wyszorowała zęby i w szlafroku zasiadła do komputera, by za pomocą internetowego translatora przetłumaczyć kilka zdań na hiszpański. Pomna złożonej sobie wcześniej obietnicy zapisała się niedawno na kurs językowy, ale po kilku lekcjach nie było co oczekiwać cudów w komunikacji międzynarodowej w jej wykonaniu.

Była tak podekscytowana, że z trudem powstrzymała się, żeby od razu nie zadzwonić do Rudej. Chciała raz jeszcze wszystko przeanalizować na zimno. Ale emocje szalały. Chłodna kalkulacja stała się niemożliwa.

– Mam bombę! – wykrzyknęła w końcu w słuchawkę.

– Jezu, jaką?

Monika doskonale znała przyjaciółkę i jej pomysły, więc postanowiła mieć się na baczności. Na wszelki wpadek przysiadła na brzegu kanapy.

– Zajebistą bombę! Bierzesz urlop. Do czasu rozprawy rozwodowej.

– Co takiego?!

– Jedziemy do Hiszpanii.

– Pogięło cię? A co z pracą?

– Z moją czy twoją? Swoją zabiorę ze sobą, mogę pracować choćby i na Marsie, a ty w końcu pozwól rozwinąć skrzydła swojemu zastępcy. Jasne? Proste jak konstrukcja cepa!

– Ale on...

– Hej, przecież płacisz mu za to! I masz wreszcie okazję przekonać się, czy warto.

Ewa trajkotała jak katarynka, by za nic nie dopuścić przyjaciółki do głosu. Żeby Monika nie dzieliła przysłowiowego włosa na czworo, należało działać szybko i z zaskoczenia. Najlepiej było na samym wstępie przyprzeć ją do muru i nie odpuszczać, dopóki się nie zgodzi.

– Ale co to za pomylony pomysł? Odbiło ci? – padło ostrożne pytanie.

– Najlepszy. Ile potrzebujesz czasu, żeby się zebrać? Ja zarezerwuję bilety. Chatę już mam.

– Jakiś miesiąc. Może... – bąknęła Ruda, ale Ewa weszła jej w słowo.

– Grzeczna dziewczynka – pochwaliła. – Mieszkanie mamy zaklepane od połowy lutego. Jedziesz ze mną. Koniec dyskusji.

Zaskoczona Monika tylko westchnęła i ostentacyjnie wywróciła oczami.

Na Ewę nie było mocnych. Gdy sobie nabiła czymś głowę, nie spoczęła, dopóki nie dokończyła realizacji pomysłu. A ten, pomimo że wariacki, wcale nie był taki głupi. Raz, że Monika nie znosiła zimna. Dwa – nie dość, że oczekiwanie na rozwód szarpało jej nerwy i skutecznie psuło humor, to jeszcze biznes hulał jak złoto. Bogiem a prawdą ostatnio wcale nie wymagał od szefowej jakiejś wielkiej troski.

Ruda podeszła do zalanego wodą okna. Na zewnątrz wiało, deszcz ze śniegiem zacinał nieprzyjemnie. Wyjęła z barku butelkę koniaku i nalała odrobinę do kieliszka. Ogrzała płyn w dłoni, wciągnęła bogaty aromat. To wcale nie takie złe, stwierdziła, a później machinalnie przeleciała pilotem po kanałach w poszukiwaniu czegoś, co zajęłoby jej wieczór.

Odkąd pogoniła z domu niewiernego małżonka, czuła przemożną potrzebę robienia wokół siebie hałasu i zamieszania, więc telewizor był włączony na okrągło. Głos spikera świetnie udawał towarzystwo. Porozrzucane ubrania stanowiły namiastkę bałaganu, czyli erzacu utraconej normalności.

Postawiła kieliszek na brzegu wanny i odkręciła kurek z gorącą wodą. W nagrodę za ogólnie pojętą dzielność i szeroko pojęte zasługi wlała do wanny pół butelki ekskluzywnego płynu dającego filmową pianę. Zrzuciła z ramion jedwabny szlafroczek i zanurzyła się w wodzie po koniuszki uszu. Starannie umyła całe ciało naturalną gąbką z jakichś egzotycznych morskich głębin, przy okazji dokonując gospodarskiej inspekcji. Po oględzinach szybko przeleciała łydki elektrycznym depilatorem.

Względnie zadowolona z efektu stanęła przed lustrem.

Już dawno wyzbyła się kompleksów w kwestii swoich gabarytów. Uznawszy w końcu, że nic się z nimi nie da zrobić, Monika postanowiła dbać o to, czym obdarowała ją natura. A obdarowała hojnie, zwłaszcza tu i ówdzie. Ruda zdecydowanie miała na czym siedzieć i czym oddychać. A połączenie tych atutów z wąską talią i niezłymi nogami sprawiało, że była jak boginie pin-up z zamierzchłych holly-woodzkich produkcji. Gdy dodało się do tego wydatne usta, idealną cerę i burzę wspaniałych włosów, naprawdę było na czym oko zawiesić. Oczywiście Monika nie byłaby sobą, gdyby nie pragnęła nieosiągalnego, czyli na przykład mikrej sylwetki Ewy. Ta dla odmiany chętnie zamieniłaby się z przyjaciółką na biust i włosy. Nieraz przekomarzały się w kwestii tego, czego której brakuje, a i tak finalnie dochodziły do wniosku, że każdej z osobna najlepiej we własnej skórze.

Uwielbiały te przekomarzanki.

Obie różniły się skrajnie, nie tylko pod względem wyglądu. Ale ich kompletnie różne osobowości świetnie się uzupełniały, a zestawienie cech nie pozwalało im się nudzić. Ewa ciągle gdzieś gnała, czegoś szukała, wiecznie na wysokich obrotach.

Sprawiała wrażenie, że pod jej skórą wszystko aż drga w oczekiwaniu na coś niezwykłego. Pełna koncentracja i skupienie w jej wykonaniu miały miejsce wyłącznie w pracy. Gdy zasiadała nad szkicownikiem, zastygała niczym kamień. Ktoś postronny mógłby odnieść wrażenie, że nie oddycha albo nie żyje. A jednak spod ołówka tej ludzkiej rzeźby wychodziły rzeczy niebywałe, wręcz natchnione.

Tymczasem Monika, mimo wpisanego w geny szalonego temperamentu rudowłosej, stworzona została do bycia spokojną, uczuciową i zwyczajnie dobrą. Kobietą przez duże K – namiętną kochanką i oddaną domowemu ognisku westalką jednocześnie, która najchętniej pichciłaby obiadki dla licznej familii. Ale życie spłatało jej figla. Nie dość, że poszła na studia, aby zrobić przyjemność rodzicom za ich życia, nie dość, że przejęła po nich biznes, by nie zawieść ich zaufania po śmierci, to na dodatek trafiła na drania, któremu nie potrafiła dogodzić, choć tak bardzo się starała. Tu i teraz obudziła się z ręką w przysłowiowym nocniku i z rozdeptanym poczuciem własnej wartości. Przynajmniej nie musiała się martwić o finanse i ewentualny podział majątku. Wszystko formalnie należało do niej i mąż nie miał nic do gadania, zwłaszcza że zrezygnowała z orzekania o winie, by nie przedłużać procedury. Marzyła, żeby małżonek dał jej święty spokój i przeszedł do historii. Właśnie dlatego uznała, że skorzysta z propozycji przyjaciółki.

Zebrała się w sobie i w połowie stycznia, niczym huragan Kate, wparowała do własnej firmy i wezwała nowego dyrektora do spraw organizacyjnych.

– Wyjeżdżam na jakiś czas. W połowie przyszłego miesiąca przejmujesz dowodzenie. Pasuje?

– Eee... – Zaskoczony mężczyzna zrobił głupią minę, ale szybko pozbierał się i stanął na baczność.
– Tak jest!

– Czy jest coś, czego ode mnie potrzebujesz, zanim wyjadę?

– Tak. Co mam zrobić ze złodziejami? Znowu zaczęły się kradzieże na produkcji.

– Złodziejami czego?

Kradzieże zdarzały się w każdej branży, ale w przypadku piekarni wydawało się, że nie licząc bułek, nie ma czego ukraść. Nic bardziej mylnego. O ile małe złodziejstwo czy konsumpcja gotowego pieczywa na miejscu nikogo specjalnie nie dziwiły, o tyle uszycie specjalnych spodni do wynoszenia świeżych jaj zasługiwało na wzmiankę. Gdyby nie fakt, że ów przestępca racjonalizator zazwyczaj nie chodził okrakiem, zapewne nikt by go nie nakrył. Tymczasem w swoich majtach facet regularnie wynosił poza wytwórnię dziesiątki jaj, tym samym narażając firmę na straty.

– Co tym razem? Znów ktoś uszył sobie magiczne gacie? A może chodzi o drożdże?

– Gorzej. – Dyrektor poskrobał się po głowie. – Odkąd zaczęliśmy produkować pizzerinki, giną całe bloki żółtego sera.

– Też wynoszone w nogawkach? – zdziwiła się Monika.

Jakoś nie potrafiła sobie wyobrazić delikwenta z blokiem nabiału w spodniach.

– Nie wiem. Ale z ostatnich dostaw zniknęło około dwudziestu procent. Co mam robić? Ważyć ludzi przed przyjściem do pracy i przy wyjściu?

– Przecież zaraz zwalą się nam na głowę jacyś oszołomi od dyskryminacji pracowniczej! – Monika zdenerwowała się nie na żarty. – Wymyśl coś lepszego. Jak wrócę i uznam, że zdałeś egzamin, dostaniesz awans i podwyżkę. Pasuje?

Zagrywka była iście pokerowa. Zaskoczonego dyrektora omal nie zatkało na dobre. Jako jeden z nielicznych, którzy traktowali interesy szefostwa z atencją zbliżoną do tej, z jaką traktuje się sprawy własne, nie spodziewał się aż takiej propozycji. Teraz, cały w lansadach i bliski bicia pokłonów, wycofał się do drzwi.

Monika omal nie roześmiała się w głos. Dopiła kawę, wydała kilka poleceń sekretarce i wybrała w telefonie numer Ewy.

– Na kiedy dokładnie zrobiłaś tę rezerwację? – zapytała bez wstępów.

– Połowa lutego.

– To idę się pakować.

– Nie za wcześnie? – roześmiała się tamta.

– Nie. Ja tam wolę wszystko wcześniej sobie przygotować.

– Grzeczna dziewczynka!

Ewa była pewna, że zanim Ruda podjęła decyzję, musiała stoczyć sama ze sobą ciężką walkę. Skoro zdecydowała się pozostawić pracę, swoje oczko w głowie, komuś obcemu na czas bliżej nieokreślony, należała się jej porządna nagroda.

Oczywiście przed wyjazdem obie dziewczyny uznały, że koniecznie muszą uzupełnić domniemane braki w garderobie. Zaliczyły rajd po najnowszej krakowskiej galerii handlowej i załapawszy się na styczniowe wyprzedaże, z radością powitały hiszpańskie słońce w nowych ciuchach.

– No, pogoda tutaj tyłka nie urywa... – Ruda na lotnisku kłapała z zimna zębami.

– A oczekiwałaś cudów? Przecież to zima. Wzięłaś sobie coś cieplejszego niż ta bajerancka ramoneska?

– Tak, mam w walizce. – Monika zgrzytnęła zębami i na cały regulator podkręciła ogrzewanie w wypożyczonym samochodzie. Sprawnie wklepała w nawigację docelowy adres i energicznie ruszyła z parkingu.

– Wyłącz światła – mruknęła Ewa.

– Co?

– Wyłącz światła mijania. Tu się nie jeździ na światłach przed zmrokiem. Tylko w tunelach masz włączać.

– No masz, a ja myślałam, że to unijny wymysł.

– No bo to prawda. Ale tutaj słońce pada pod innym kątem i nie trzeba. Ostatnio policja goniła mnie po Barcelonie, żeby mnie o tym poinformować.

– Co kraj, to obyczaj. A co będziemy robić, skoro o plażowaniu nie ma mowy?

– Nie zrzędź. Będziemy odpoczywać. Dziś się zadomowimy, zrobimy jakieś zakupy, napijemy się dobrego winka i przekąsimy nieco lokalnego jamona. A za kilka dni dołączy do nas Maciek, więc będzie wesoło. Zobaczysz, spodoba ci się misiaczek. – Ewa roześmiała się swobodnie.

Kompletnie nie zwróciła uwagi na rzucone z ukosa badawcze spojrzenie przyjaciółki.

– Rzeczywiście taki fajny ten gość?

– Jakby nie był fajny, nie kontynuowałabym znajomości. To po prostu dobry kolega. Przyjaciel. I zero hormonów. *Paniatno?*

Ruda, zmęczona podróżą bardziej, niż się spodziewała, tylko niemrawo skinęła głową.

Urocze mieszkanko, wbrew oczekiwaniom, nie powaliło przyjaciółki na kolana. Marzyła, by dostać wszystko pod nos, jak w systemie hotelowym, a tymczasem musiała się o siebie zatroszczyć.

– Wiesz, chyba właśnie uszła ze mnie cała para – zauważyła. – Zamiast cieszyć się odmianą, naszły mnie czarne myśli. Czuję się jakaś taka beznadziejnie pusta i bez ducha. Taka byle jaka i gówno warta – jęknęła.

To było zupełnie niepodobne do Moniki. Ewa natychmiast przysiadła obok przyjaciółki.

– Nie łam się, mała. Damy radę, zobaczysz. – Poklepała ją pocieszająco po kolanie.

– Wiesz, jak mi ciężko? Staram się, jak mogę, a i tak wszystko wygląda do dupy. Cholerna czarna dupa! Jakaś pieprzona beznadzieja. To minie?

– No, też sobie znalazłaś autorytet... – skwitowała z przekąsem Ewa i przytuliła Rudą. – Ale skoro już tu jesteśmy, rusz łaskawie swoje kształtne cztery litery, bo pójdziemy coś zjeść. Pokażę ci miasteczko.

– Przecież to jakaś megadziura!

– Za to jaka urocza.

Monice wkrótce poprawił się nastrój i zrobiła się bardziej podatna na rozruszanie. Choć było z nią znacznie gorzej, niż przypuszczała Ewa, która nie mogła się wprost doczekać, kiedy wreszcie nadciągnie pomoc w postaci Maćka.

Wierzyła, że poczciwy olbrzym spodoba się Monice, ale też nie spodziewała się, że zaiskrzy między nimi aż tak szybko. Parę razy w swoim życiu widziała, jak między dwojgiem ludzi iskrzy, ale w przypadku tej dwójki już po prezentacji zauważyła coś na podobieństwo wyładowań elektrycznych.

Po kilkumiesięcznej rozłące miała nadzieję spędzić z przyjacielem nieco czasu i liczyła na świetną zabawę we troje, lecz najwyraźniej się przeliczyła. Dwie najbliższe jej osoby tak bardzo przypadły sobie do gustu, że pod koniec pierwszego wspólnego wieczoru poczuła ukłucie zazdrości. Maciek nieprzerwanie gapił się na Rudą jak cielę na malowane wrota, a ta z rozdziawionymi ustami słuchała jego barwnych opowieści. Ewa przytomnie uznała, że jej obecność jest zbędna, więc od kolejnego spotkania wykręciła się bólem głowy i pozostawiła zauroczoną sobą parę w spokoju. Pokręciła tylko głową z niedowierzaniem.

Jeszcze nigdy nie była świadkiem czegoś podobnego, więc teraz z całej siły i ze szczerego serca pozazdrościła przyjaciółce. Sama od dawna skrycie marzyła o podobnej intensywności, tymczasem, nie licząc kilku sercowych niewypałów i urojonych romansów, musiała obchodzić się smakiem.

– Jak to jest? – zapytała przy śniadaniu.

– Wspaniale! – Ruda z lubością wgryzła się w ociekającą masłem grzankę.

– Przecież ty tego nie szukałaś…

– No właśnie. Bo jak się szuka, to się nie znajduje. Chyba właśnie o to chodzi w tym całym pokichanym życiu. Że na siłę nic się nie da.

– No i bingo. Ja widać, cholera, za bardzo chcę. Chcę, chcę, chcę. I co? I guzik.

– Ech, sama nie wiem. Ale czuję, że znów latam. – Monika zrobiła głupią minę.

Po chwili obie śmiały się do rozpuku.

– Może zamiast projektowaniem zajmę się swataniem?

Ewa uściskała uszczęśliwioną przyjaciółkę i udała, że ma mnóstwo roboty. Niech mają święty spokój, pomyślała z uśmiechem. Oczywiście nie miała w tej chwili nowych pilnych zleceń, ale tuż przed wyjazdem zgłosiła akces do konkursu na projekt ośrodka wypoczynkowego dla dzieci z porażeniem mózgowym. Przesłała organizatorom swoje dossier, wpłaciła wpisowe, a teraz w końcu wypadało wziąć się za projekt. Finał zaplanowano na czerwiec, więc terminy napinały się pomału. W komputerze Ewy leżało zachomikowanych kilka gotowych projektów do zaadaptowania, ale to, co grało jej w duszy, wymagało nieco więcej zachodu niż kompilacja gotowców. Zamierzała pokazać, co potrafi naprawdę.

Z samego rana wyekspediowała towarzystwo na zakupy do Barcelony i zabrała się do pracy. Żeby zdążyć, musiała porządnie przysiąść fałdów, bo wyzwanie było niełatwe. W tak zwanym międzyczasie wykonała kilka telefonów do wskazanych przez organizatora konsultantów i przepadła w robocie.

Z zamyślenia i twórczego transu wyrwał ją popołudniowy telefon od Maćka.

– No i co, złotko? Nie umarłaś jeszcze z głodu?

– Dzięki za troskę – odparła z przekąsem. – Siedzę od świtu o litrze maślanki. Jeśli szybko czegoś nie zjem, dostanę zapaści.

– A zatem czekamy za rogiem z dużym wyborem tapas. I oczekujemy sprawozdania z dzisiejszego dnia.

– Jakiego znów sprawozdania? Tyrałam jak głupia.

– No jasne! – mruknęła zadowolona Ruda, gdy Ewa dołączyła do nich w knajpce. – Pani architekt jest tak ambitna, że musi wygrać ten konkurs choćby nie wiem co. Więc nie ma powodu, by nie wierzyć w tę jej wersję z maślanką.

Drwiła na całego, w pełni świadoma, że przyjaciółka z premedytacją udzieliła jej i Maćkowi dnia tylko dla nich.

– A jak tam niewierny Carlos? – strzelił Maciek nieopatrznie, niczym gołąb o parapet. Ugryzł się w język, dopiero gdy wymówił ostatnie słowo.

– Ten pajac? – zainteresowała się Monika.

– Nie ma o czym mówić – mruknęła Ewa, niezadowolona, że przyjaciel przywołał ten temat.

Ostatnio bywało jej lżej i myślała o oszukańczym Hiszpanie coraz rzadziej. Ale wspomnienie wciąż jeszcze trochę pobolewało.

– Przepraszam cię za niego. – Chwilę później Ruda tłumaczyła się w toalecie. – Faceci są pod tym względem jak słonie w składzie porcelany.

– No pięknie! – uśmiechnęła się Ewa. – Czyżby to zaszło już tak daleko, że czujesz się w obowiązku przepraszać za zachowanie obcego faceta?

Ruda spłoniła się po same uszy.

– To aż tak widać?

– No, raczej. – Ewa puściła oko. – Kocham cię bardziej niż siostrę, której nie mam, więc trzymam kciuki i idę do domu. Tylko bądźcie grzeczni! – Pogroziła obojgu palcem na odchodnym i radosna jak skowronek wbiegła na drugie piętro.

Wieczór był dość pogodny, więc na chwilę przysiadła na zadaszonym tarasie i zagapiła się na znikające w oddali światełka wycieczkowych statków. A gdy już ułożyła się w łóżku, przytuliła głowę do poduszki i westchnęła głęboko z poczuciem dobrze spełnionego obowiązku.

Ruda i Maciek. Układ, o jakim ona mogła tylko zamarzyć. Dwoje najbliższych jej ludzi razem. Ideał. W młodości zawsze roiły z Moniką, by kiedyś, gdy będą już dorosłe, udało im się stworzyć wraz z mężami czy partnerami fajne i zgrane towarzystwo. W tych wizjach one szykowały sałatki, a mężczyźni uwijali się przy grillu, udając, że zimne piwo służy wyłącznie do podlewania karkówki. Umorusane dzieciaki szalały po ogrodzie, uganiając się za dokazującym psem. Rozmawiały o tym nie raz i zgodnie uznawały, że nie oczekują od życia zbyt wiele.

Scenariusz sam w sobie nie stanowił nadużycia i wcale nie wydawał się niemożliwy do zrealizowania, tymczasem od dawna wszystko szło nie tak. Życie podążało dokładnie w przeciwnym kierunku i ku dokładnie odwrotnym celom niż w planach. Co z tego, że przyjaciółki realizowały się zawodowo, co z tego, że obie można było uznać za atrakcyjne? Co z tego, że przyglądając im się z boku, można było odnieść wrażenie, że są szczęśliwe i mają wszystko? Że stać je na wszystko, co dusza zapragnie, choć one same często zasypiały, mając pod powiekami łzy żalu i bezsilności. Bo mimo że chciały dobrze – i robiły dobrze – po raz enty wychodziło jak zwykle.

Niezmienne było tylko jedno – one same i ich relacja. Niezależnie od wszystkiego, od wzlotów i upadków, które dane było im przeżywać, nigdy o sobie nie zapominały i zawsze mogły na siebie liczyć. To był ich niepodważalny kapitał, którego nikt nie był w stanie im odebrać. Nawet złośliwy i nieudaczny mąż Rudej czy któryś z potencjalnych absztyfikantów Ewy. Ich babska więź była święta.

A że być może chciały zbyt mocno? Trudno.

ROZDZIAŁ 5

PO POWROCIE Z HISZPANII Ruda wreszcie nabrała wiatru w żagle. Na słonecznym, choć chłodnym wybrzeżu na jakiś czas kompletnie zapomniała o polskich kłopotach. Wdzięczna przyznała przyjaciółce rację, że wspólny wyjazd był świetnym pomysłem.

– Odżyłam trochę, wiesz? Już sam fakt, że nie widuję tego dupka, znakomicie mi robi.

– A nie mówiłam? – roześmiała się Ewa, wiedząc, że jej przyjaciółka nie cierpi tego złośliwego zapytania.

– Małpa! – Ruda cisnęła w nią serwetką i wpakowała do ust kawałek melona. Z lubością przymknęła oczy. W ostatnich tygodniach zestawienie dojrzewającej szynki z ociekającym miodowym sokiem owocem stało się jej ulubionym, delektowała się nim zatem przy każdej okazji. – Mam nadzieję, że mi to w tyłek nie pójdzie – wybełkotała z pełnymi ustami.

– Pójdzie, pójdzie. To ty nie wiesz, że wszystko, co w życiu najlepsze, jest albo niezdrowe, albo niemoralne, albo tuczące?

– Wiem, cholera. Ty umrzesz chuda, a ja będę smażyć się w piekle jako gruba, schorowana i niemoralna zdzira – parsknęła śmiechem Monika.

– No tak. Niecne myśli o Maćku...

– Niecne? Zgłupiałaś?

– A niby czemu?

– W tym przypadku słowo „niecne" to eufemizm. – Ruda rzuciła przyjaciółce roziskrzone spojrzenie i ponownie sięgnęła po melona. – On tak na mnie działa, że nawet nie chcesz wiedzieć, jakie sprośności przychodzą mi do głowy.

– No jakie? – zainteresowała się Ewa.

– Ha! A takie, że uszy by ci zwiędły. Pomijając, że mnie nie przeszłyby przez gardło. Ech, zakochałam się!

– Z tego, co widzę, to chyba z wzajemnością. – Ewa skrzywiła się zabawnie.

Wcześniej zdążyła już nieco poznać Maćka. W jej towarzystwie zachowywał się normalnie, jak kolega, ale odkąd spotkał Monikę, całkowicie zmienił styl. Zawsze był kulturalny i szarmancki, lecz nieco powściągliwy, a teraz miała wrażenie, że facet za chwilę wyjdzie z siebie, byleby tylko zadowolić lubą. Przez pierwsze dni hiszpańskiego urlopu Ruda była smutna i zamyślona, ale za sprawą Maćka znów zaczęła się śmiać. On nadskakiwał jej z atencją, ona nagle zaczęła zdradzać oznaki nieporadności. Naraz nie wiedziała, jak poradzić sobie z karafką na oliwę i jak odnaleźć drogę do hotelu. W delikatesach bezradnie stała przed szerokim regałem z winami. A później brawurowo odgrywała rolę zziębniętej mimozy, pozwalając tym samym Maćkowi wykazać się w kwestii dobrych manier. Posłusznie dawała się otulać jego marynarką. A gdy na koniec otaczał ją ramieniem, posyłała Ewie porozumiewawcze spojrzenia.

– To ja was pożegnam. – Pewnego dnia Ewa uśmiechnęła się pod nosem.

– Zaczekaj, pójdziemy z tobą! – Maciek poderwał się z miejsca.

– Nie, nie. Nie przeszkadzajcie sobie – zaprotestowała gorliwie. – Zmarzłam jak diabli. Poza tym muszę dziś jeszcze trochę popracować.

– No fakt – przyznała Ruda z uśmiechem. – Mówiłaś rano, że twoja poczta pęka w szwach od nieprzeczytanych mejli. Ile można się opierniczać?

– No właśnie. – Ewa, która od dwóch dni nie sprawdzała skrzynki odbiorczej, nie miała pojęcia, co w niej zastanie. Uśmiechnęła się w duchu i błyskawicznie pozbierała swoje rzeczy. – Tylko wróćcie o jakiejś ludzkiej porze. – Rozbawiona pogroziła palcem, ale zajęta sobą dwójka nie zauważyła tego gestu.

– Na długo teraz wyjeżdżasz? – zapytała Maćka Monika po odejściu przyjaciółki.

– Na jakieś trzy miesiące. Może cztery. Nie znoszę Morza Północnego, a w ostatnich latach często tam bywam.

– Ja tam kocham morze – oznajmiła. – Każde.

– Też je kocham, ale dopóki kojarzy mi się z urlopem albo z krótkim rejsem. A te tankowce są jak miasta. Absolutne zero morskiej magii. Jak sobie pomyślę, że znów mam gdzieś płynąć, to...

– Nie lubisz swojej pracy? – zdziwiła się Ruda, przekonana o czymś wręcz przeciwnym.

Gdy ujął jej dłoń, na moment wstrzymała oddech.

– Nie, to nie tak. Uwielbiam tę robotę, ale tę jej bardziej konstruktywną stronę. Jak mam usiąść do projektowania systemów, to normalnie aż mam ciarki na plecach. Z niczym nie da się porównać uczucia, gdy widzisz, jak powstaje taki pływający moloch, a ty masz w tym swój udział.

– Domyślam się – mruknęła, choć nie miała bladego pojęcia, o czym mówi jej towarzysz.

– Gorzej, jak trzeba płynąć w rejs na pół roku, żeby sprawdzać na miejscu, czy wszystko działa.

– A nie masz alternatywy?

– Mam. Platformy wiertnicze. Robota stacjonarna, więc więcej czasu przy komputerze. No i nie trzeba nigdzie wypływać na długo. Czasem wystarczy dolecieć śmigłowcem, choć warunki na miejscu są dalekie od ideału. Ale tak czy siak lubię moją pracę. A ty?

– Nigdy się nad tym nie zastanawiałam. Od zawsze było jasne, że będę musiała przejąć piekarnię. Tyle że to miało być kiedyś. Kiedyś, czyli w bliżej nieokreślonej przyszłości.

– I co?

– Moi rodzice zmarli przedwcześnie, więc ktoś musiał zająć się biznesem. A że mój mąż okazał się nieporadnym i nieogarniętym wałkoniem, padło na mnie. W sumie mogłam wszystko sprzedać, ale wiesz, górę wziął sentyment. Moja mama bardzo kochała piekarnię... – Monice załamał się głos. – Nie mogłam jej oddać w obce ręce. Choć niby od przedszkola wiedziałam, o co w tym chodzi, gdy weszłam głębiej, napotkałam same wnyki.

– Ale się nie poddałaś. Dzielna z ciebie dziewczyna. – Maciek przygarnął Rudą, a ona przytuliła się do niego tak, jakby to była najbardziej normalna rzecz na świecie.

– Nie miałam wyjścia i zaczęłam się szkolić. A jak już się wszystkiego nauczyłam, zaczęłam

93

eksperymentować. Przypadkiem wstrzeliłam się w niezłą koniunkturę i jakoś poszło. Teraz jestem kimś w rodzaju lokalnego potentata.

– A nie chcesz się rozwijać?

– Tu nie ma nic do chcenia. Nie mam nic do gadania. Jeśli nadal zamierzam zajmować obecne miejsce na rynku, muszę w to brnąć. I cały czas inwestować w nowe technologie, w ludzi, w nowe produkty, w marketing. Dziś klienci oczekują kompleksowej obsługi, więc jeśli piekę wyłącznie bułki, to na wejściu mogę się w nos pocałować. Konkurencja depcze mi po piętach. A gdy przystanę na chwilę, wdepcze mnie w ziemię. Wtedy cały mój trud pójdzie na marne i koło się zamknie.

– Niezła jazda.

– Zgadłeś. Istny wyścig szczurów. A dodaj do tego jeszcze zagraniczne sieciówki z nieograniczonym kapitałem na inwestycje – mruknęła Monika i oparła głowę na wielkim ramieniu.

Czuła się przy Maćku tak dobrze, tak bezpiecznie. I tak… Sama właściwie nie wiedziała jak, ale wiedziała jedno. Chciała, by to, co właśnie się dzieje, trwało długo.

O wiele dłużej.

Dni w jego towarzystwie sprawiły, że podleczyła nadwerężone rozwodem nerwy. A znajomość z nim

94

uświadomiła, że jeszcze nie wszystko stracone, choć całkiem niedawno myślała, że jako kobieta nie nadaje się już do niczego. Mąż skutecznie wpędził ją w poczucie winy za rozpad ich związku i mocno zachwiał wiarą Moniki w siebie. Humoru nie poprawiła nawet jego wyprowadzka. Mimo że poza salą sądową nie musiała go już widywać, to fizyczne odejście uświadomiło jej ostateczność pewnych zdarzeń. Choć Ewa robiła, co mogła, Ruda i tak chodziła z nosem spuszczonym na kwintę, a wyczekiwane spotkania z przyjaciółką nie przynosiły jej ukojenia. Mimo starań w niczym nie potrafiła dostrzec pozytywów. Coś przecież nieuchronnie dobiegało końca, a Monika, świadoma niepowodzenia, mimo woli wyrzucała sobie odpowiedzialność za obecny stan rzeczy. Do tego doszło jeszcze przekonanie o zmarnowanych latach.

Wracając po pracy do pustego domu, Ruda pierwsze kroki kierowała do barku. I choć wiedziała, że ma skłonności do uzależnień, coraz częściej oglądała świat przez pryzmat dna opróżnionej butelki.

Opamiętała się dopiero, gdy potrąciła rowerzystę. Nikogo nie obchodziło, że zachowała dozwoloną prędkość, a on sam wpakował jej się pod koła. Przy badaniu trzeźwości Monika dosłownie struchlała ze strachu. Tym razem los okazał się dla niej łaskawy, a zerowe wskazanie alkomatu podziałało jak solidny kopniak. Wystraszyło ją nie na żarty i sprawiło, że jeszcze tego samego dnia wylała do zlewu cały alkohol, jaki miała w domu. W zamian zapisała się na kurs doszkalający z zakresu zarządzania personelem i zabrała się do pracy.

Musiało upłynąć trochę czasu, zanim do wszystkiego przyznała się Ewie. Oczywiście już pod zbawiennym wpływem Maćka.

Kiedy jej ukochany wypłynął w rejs, obiecał codzienny kontakt. Dotrzymał słowa i gorliwie słał szczegółowe wiadomości. A Monika prawie wcale nie rozstawała się z tabletem.

– Uważaj, bo się uzależnisz od internetu – kpiła Ewa. – Jeszcze chwila, a trzeba będzie wysłać cię na odwyk.

– Sama sobie poradzę! – odburknęła Ruda i zreflektowała się natychmiast. – Przepraszam cię, to nie twoja wina. Ale niedawno omal nie wpadłam w to. – Znacząco postukała paznokciem w kieliszek hiszpańskiego wina.

– O Jezu! I co? – Ewa z niepokojem spoglądała to na Monikę, to na wino.

– No i nic. Dałam radę i zapanowałam nad tym.

– Ale dlaczego?

– Nawet nie wiesz, jak to jest, kiedy wszystko, co robisz, traktowane jest z pogardą. Kiedy każde twoje staranie przechodzi bez echa, a do każdej zasługi dołączany jest złośliwy komentarz umniejszający jej wagę. Kiedy spoglądasz w lustro i za każdym razem zastanawiasz się, czego ci brakuje. Co ma tamta, czego nie masz ty? Co zrobiłaś źle i czym tak bardzo skrzywdziłaś swojego faceta, że zdecydował się wymienić cię na inny model?

– Matko...

– Na każdym kroku doszukiwałam się swojej winy. Od analizowania rzeczywistości zaczęło mieszać mi się w głowie. A to... – brodą wskazała na szkło – świetnie mnie rozgrzeszało.

– Ale dlaczego nic mi nie powiedziałaś? Przecież wiesz, że możesz mi ufać.

– Wiem. Ale nie chciałam zwalać ci tego na głowę. Dość miałaś pracy i z doktoratem, i z tym nieszczęsnym Hiszpanem w komplecie.

Gdy ich pobyt na Costa Brava dobiegał końca, przyjaciółki pocieszały się tym, że uroczy apartamencik, który Ewa ku uciesze Maćka postanowiła kupić, już zawsze będzie czekać na wizytę nowej właścicielki i jej przyjaciół. Przezorna Monika próbowała doszukać się minusów przedsięwzięcia, ale nie natrafiła na nic, co mogłaby wytoczyć jako ciężkie działo. Sentyment oraz fakt, że lokum urzekło ją niemal natychmiast, były bezcenne. Poza tym mieszkanie w takiej lokalizacji samo w sobie stanowiło znakomitą lokatę kapitału. W przyszłości na pewno będzie wymagać remontu, bo cena zakupu była nadzwyczaj atrakcyjna, ale Ewa nie zastanawiała się wiele.

Sprzedająca z sympatii do nowej lokatorki zgodziła się dbać o mieszkanie podczas jej nieobecności. A Ruda nie byłaby sobą, gdyby nie spróbowała ubić przy okazji interesu. Któregoś wieczoru wpadła na pomysł, by jeszcze przed remontem wynająć apartament turystom. Idea bardzo przypadła Ewie do gustu, zwłaszcza że rata kredytu, którym musiała się wspomóc przy zakupie, mocno obciążała jej comiesięczny budżet. Do pilnowania spraw związanych z wynajmem zatrudniła poprzednią właścicielkę i niezwłocznie podpisała umowę z biurem podróży. Zadowolona zatarła ręce z radości, bo szczęśliwym zrządzeniem losu udało się jej upiec dwie pieczenie na jednym ogniu: z jednej strony poczyniła niezłą inwestycję, która w dobrym układzie mogła spłacać się sama, z drugiej zyskała nowe miejsce na ziemi, z którego mogła skorzystać w każdej chwili. Wystarczyło jedynie uprzedzić o tym biuro podróży.

Układ był ze wszech miar komfortowy.

W zamian za podsunięcie świetnego pomysłu i nieocenioną pomoc w realizacji postanowiła jakoś zrewanżować się przyjaciółce.

– Masz wybrać sobie termin, kiedy chcesz skorzystać z hiszpańskiego mieszkania – powiedziała.

– Czas nieograniczony.

– No co ty? Zwariowałaś?

– Nie, to mój prezent dla ciebie. Bez twojej pomocy nic by z tego nie wyszło. Przecież wiesz, jaka ze mnie biznesowa ofiara. – Ewa się roześmiała, szczęśliwa, że wszystko poszło tak gładko.

– E tam. – Ruda zrobiła skromną minę. – Lepiej zaproponuj to Maćkowi. W końcu to on był spiritus movens.

– Już to zrobiłam. – Ewa spuściła głowę, by ukryć rozbawienie.

Już wcześniej rozmawiała z Maćkiem na czacie, bo znów wojażował gdzieś daleko. Oczywiście strasznie się ucieszył na wiadomość, że transakcja doszła do skutku. Nie ukrywał zainteresowania Moniką i wyraźnie dawał do zrozumienia, że po powrocie chętnie wybrałby się z nią gdzieś tylko we dwoje.

Ewa była wniebowzięta.

Od początku nie lubiła męża przyjaciółki, a teraz pojawiła się realna szansa, że Ruda na stałe zwiąże się z kimś normalnym. Nie mogła sobie wymarzyć lepszej partii dla sponiewieranej uczuciowo kobiety niż ten zwalisty poczciwiec.

Sama również czuła się świetnie. Przez całe to zamieszanie i upływ czasu całkowicie zapomniała o istnieniu Carlosa i dopiero niedawno uświadomiła sobie, że tak naprawdę to wszystko stało się przez niego. To zadziwiające, jak bardzo ludzkim życiem rządzi przypadek, myślała. Przecież gdybym nie złamała mu nogi na parkingu, nie poznałabym go bliżej i nie zadurzyłabym się w nim. Nie złożyłabym mu nieoczekiwanej wizyty i nie poznałabym Maćka. A tak nie dość, że sama zostałam prawie Hiszpanką i zaczęłam uczyć się nowego języka, to jeszcze przez przypadek podleczyłam skołatane serce Rudej. A gdy dodać do tego ukończenie ważnego projektu i realne widoki na prestiżową nagrodę, mam powody do radości. Branża spekuluje głośno o czołówce, wymieniając przy tym także moje nazwisko.

Natomiast Monika, dzięki nieobecności w pracy, odkryła u swojego zastępcy ukryte talenty. Wystarczyło pozwolić mu na trochę samodzielności, a młody menedżer nareszcie swobodnie rozwinął skrzydła. Świetnie poradził sobie z zarządzaniem produkcją, a przy okazji usprawnił dystrybucję gotowych wyrobów. Pozyskał kilku nowych klientów i jako wisienkę na torcie przedstawił szefowej szczegółowy raport z oszczędności, jakie poczynił, ukrócając w firmie kolejny złodziejski proceder. Tym razem zmowę kierowców i magazynierów, którzy korzystając z braku nadzoru, kradli z magazynu cukier workami.

Ruda była wniebowzięta.

– Adaś, ozłocę cię kiedyś! – oznajmiła, podnosząc wzrok znad raportu.

– Nie mam nic przeciwko temu. – Menedżer uśmiechnął się skromnie.

– No, może trochę przesadziłam z tym ozłoceniem... Ale co powiesz na awans?

– I podwyżkę? – Adam posłał szefowej szałowy uśmiech.

Monika przytaknęła.

Wyszedł, a ona zadumała się nad sprawami firmy i dalszą karierą prężnego pracownika. Miała już pewność, że ten energiczny człowiek to świetny nabytek, ale nie miała zamiaru zbyt go rozpieszczać.

– Co ty byś zrobił na moim miejscu? – zagadnęła Maćka na obowiązkowym cowieczornym czacie.

Każdego dnia niecierpliwie odliczała godziny do osiemnastej, dziękując Bogu, że oboje znajdują się w tej samej strefie czasowej i żadnego nie limituje pora. Ponadto wielkimi krokami zbliżał się jego powrót do Polski. Nie mogli się wprost doczekać ponownego spotkania. Monika dosłownie liczyła godziny i nie wiedziała, jak wytrzyma do jego przyjazdu.

– Dałbym mu dużo marchewki – odpisał, okraszając zdanie roześmianą emotikonką.

– Zwariowałeś? Jakiej znowu marchewki? Na cholerę gościowi marchewka?

– Nie słyszałaś o kiju i marchewce? Niech ma świadomość niewielkiego kijaszka, ale i przyszłej nagrody. Ma własny gabinet?

– Nie ma.

– To mu go daj. Dorzuć jakiś budżet, niech sam się urządzi. Do tego podwyżka, ale nie za duża. Powiedzmy, że na razie do dziesięciu procent.

– Sensowne – zgodziła się Monika. – I obiecam mu kolejną podwyżkę, jak będzie grzeczny.

– No widzisz? Brzmi dobrze. A może kiedyś zaproponujesz mu udziały? Powiedzmy za jakieś dwa lata. Niech ma chłopak perspektywę. Będzie miał czas się wykazać, a ty obiektywnie go ocenić.

– Już mu zaproponowałam, choć na razie udział w zyskach od zwiększonych obrotów. Na spółkę chyba faktycznie jeszcze za wcześnie.

– Wszystko zależy od konstrukcji umowy między wami. Ale skoro z kolesia taki pistolet, to może warto się zastanowić?

– Megapistolet. Jak sobie przypomnę tych wszystkich nieudaczników z aspiracjami na dyrektorów, to mi normalnie śmiać się chce. Adama wygrałam jak na loterii. Możliwe, że to jakiś bonus za dobre sprawowanie albo coś. – Monika wstawiła na końcu zdania uśmiechniętą buźkę.

– A co u Ewy?

– Rozmawiałam z nią wczoraj. Wychodziła właśnie na galę odebrać tę swoją nagrodę. Była bardzo podekscytowana.

– A dziwisz się? To dla niej duża rzecz.

– Wiem, wiem.

– Tylko dziwi mnie trochę, że nie dała znać, jak było.

– Pewnie odsypia – stwierdziła domyślnie Ruda. – Jak ją znam, to niedługo się odezwie, by zdać relację. Choć pewnie jest wściekła na konkurencję. Ta cała Marzena wkurza ją od lat. Jest jak wrzód na dupie. Ale z drugiej strony podnosi poprzeczkę, co tylko wychodzi wszystkim na dobre.

Ziewnęła szeroko i rozmasowała ścierpnięty kark. Spojrzała na zegarek. Dochodziła dwudziesta druga. Znów nie zauważyła, jak przeleciały godziny spędzone na pogaduszkach z Maćkiem. Wyraźnie czuła, że łączy ich coraz więcej. Z dnia na dzień więź stawała się silniejsza i rosła tęsknota. Ze wszystkich sił Monika chciała, by wreszcie przyjechał, ale jej drugie, to bardziej przewrotne, ja wolało marzyć i odczuwać wręcz perwersyjną przyjemność z czekania na nieuniknione. Już niedługo.

Otrząsnęła się z zamyślenia i nalała sobie mleka. Spróbowała połączyć się z Ewą na czacie, ale ta aktualnie była niedostępna. Jeszcze nie było zbyt późno na telefon, więc wybrała numer w komórce. W słuchawce odezwał się sygnał, ale po chwili włączyła się poczta głosowa. Ruda wiedziała, że Ewa bardzo nie lubi odsłuchiwać wiadomości, więc przerwała połączenie.

Przekonana, że przyjaciółka oddzwoni w najbardziej nieodpowiednim momencie, zabrała ze sobą komórkę do łazienki i weszła pod prysznic. Natarła rozgrzane ciało specjalnym olejem kokosowym i czekając, aż kosmetyk się wchłonie, naga stanęła przed lustrem. Do kompleksów mi daleko, stwierdziła po raz kolejny. Owszem, była duża, ale ciało miała zwarte i jędrne, prawie pozbawione cellulitu nękającego ostatnio kobiety w każdym wieku. Pod tym względem była szczęściarą, choć przez całe życie narzekała na wyimaginowaną otyłość i nigdy nie była do końca zadowolona.

Przekleństwo prowincjonalnego rudzielca nawet w dorosłym wieku dawało się jej we znaki, więc gdy tylko na włosach pojawiał się choć minimalny odrost, natychmiast biegła do fryzjera, by ten starł z powierzchni ziemi znienawidzony odcień. Brąz z kasztanowymi refleksami tyleż dodawał Monice stylu, ile skutecznie maskował nieposkromiony i szalony charakter ognistowłosej kobiety, która od dziecka przejawiała cechy z piekła rodem, później nieco przytępione nadmiarem zgryzot i obowiązków. Jednak uważny obserwator i tak z łatwością zauważał kipiący niepohamowany temperament, który tylko patrzy, by pokonać narzucone ograniczenia, wykipieć i rozlać się na wszystko wokół.

Monika zakończyła toaletę i usadowiła się w fotelu. Jej głowa zwiesiła się bezwładnie.

Maciek delikatnie odsunął ją od siebie i wsunął dłonie pod jej bluzkę. Zapięcie przy staniku strzeliło delikatnie, bujne piersi w jednej chwili znalazły się w ciepłych męskich dłoniach. Monika westchnęła w zachwycie i z zapartym tchem oczekiwała ciągu dalszego.

Dźwięk domofonu sprawił, że podskoczyła na fotelu i stanęła na równe nogi. Znienacka wyrwana z sennych rojeń, wstając, musiała przytrzymać się stołu, by uspokoić błędnik.

Otrząsnęła się z resztek snu. Był tak sugestywny, że dopiero kilka głębszych oddechów pomogło Monice wrócić na ziemię. Czuła, że jej puls szaleje. Ożeż w mordeczkę, uuu! Nieźle nawywijałam!, pomyślała i złorzecząc wściekle, poczłapała do drzwi. Włączyła głośnik domofonu.

– Kto tam? – warknęła.

Odpowiedziała jej cisza.

No tak, kolejny głupi kawał, pokiwała głową.

Odkąd po sąsiedzku uruchomiono bar dla wielbicieli futbolu, w dni piłkarskich rozgrywek Monika często była niepokojona po nocy. Zresztą nie tylko ona. Okoliczni mieszkańcy powoli zaczynali mieć już dość pijackich ryków i wymachiwania szalikami. Niestety, nawet doniesienia na policję w tematcie zakłócania porządku na nic się nie zdały. Znajomość i bliskie relacje między właścicielem pubu a komendantem posterunku skutecznie ukręcały łeb wszystkim zgłoszeniom. Mieszkańcy byli bezradni.

Ruda od jakiegoś czasu marzyła o zmianie lokalizacji. Dom, w którym do niedawna mieszkała wraz z mężem, przywoływał niechciane wspomnienia. A do tego męczące sąsiedztwo skutecznie nakłoniło ją do rozważenia kwestii przeprowadzki.

Teraz miarka się przebrała.

Ruda wstała i telefonem zrobiła zdjęcia ogrodu. Po zmroku efektownie oświetlone otoczenie prezentowało się bardzo atrakcyjnie. Syn sąsiadów właśnie skosił trawnik, który chwilowo wyglądał jak z czasopisma dla ogrodników. Zadowolona skopiowała zdjęcia do komputera i przeszła się po domu. W niektórych pomieszczeniach panował bałagan, ale ograniczyła się do przesunięcia porozrzucanych rzeczy tak, by nie wchodziły w kadr, i obfotografowała wszystko. Dodatkowe ujęcia z zewnątrz musiały poczekać do rana, ale chwilowo machnęła na nie ręką i z entuzjazmem zamieściła ogłoszenie w branżowym serwisie. Tuż przed zaśnięciem, leżąc już w łóżku, spróbowała wyobrazić sobie swoje nowe miejsce na ziemi, ale mimo wysiłków obraz pozostawał mglisty. Nie dość, że jej wyobraźnia właśnie odmówiła posłuszeństwa, to jeszcze tak naprawdę Monika nie wiedziała, czego chce. To znaczy wiedziała: chciała Maćka. I na chwilę obecną było to jedyne, czego naprawdę pragnęła. Dom mógł zaczekać, ona już nie.

Rzuciła okiem na zegarek.

– O matko, już jest jutro! – mruknęła w poduszkę i zapadła w sen, wyobrażając sobie, że wtula się w muskularne ramiona.

ROZDZIAŁ 6

ZZA UCHYLONEJ SZYBY srebrnego sedana ulatniał się szary papierosowy dym.

Spowity ciemnością mężczyzna zaciągnął się mocno. Ponownie wydmuchał dym, po czym z wprawą pstryknął niedopałkiem za okno; wraz z uderzeniem o chodnik posypało się kilka iskier. Roztarł zesztywniały od bezruchu kark i z ulgą stwierdził, że w końcu dłonie przestały mu drżeć. Po raz kolejny przeanalizował swój plan i po raz kolejny uznał, że nie ma wyjścia. Choć jeszcze nigdy w życiu nikogo nie porwał, teraz czuł, że to żadna filozofia, choć nieco obawiał się konsekwencji. Owszem, wiódł dotąd życie burzliwe, żeby nie rzec awanturnicze, ale to, co właśnie zamierzał zrobić, miało być jego debiutem. Daleki od entuzjazmu podjął się wykonania zadania. Był komuś coś winien i w imię paru kwestii musiał w końcu wygrzebać z kłopotów siebie i innych. Wraz z ostatnią inwestycją skutecznie pogrzebał czyjeś marzenia i naraził na szwank relację bliskich mu osób. Nie żeby jakoś specjalnie zależało mu na cudzym szczęściu – w końcu nie był jakimś cholernym świętym – ale tym razem wiedział, że przesadził, więc zgodził się, choć niechętnie.

Był już gotowy. Wcześniej poczynił stosowne przygotowania. Na potrzeby akcji udało mu się nawet ukraść samochód. Najbardziej nijaki i najbardziej wtapiający się w tło, jaki można sobie tylko wyobrazić. Oczywiście po wszystkim zamierzał go oddać, ale na razie wykorzystał świeżo nabyte umiejętności w uruchamianiu zapłonu na krótko i teraz z satysfakcją wsłuchiwał się w nierówny dźwięk mocno przechodzonego silnika.

– Tylko się nie zepsuj, złomie – wyszeptał i machinalnie spojrzał we wsteczne lusterko.

Kobieta maszerowała energicznie. Stukot jej obcasów odbijał się od ścian kamienic równym echem. Mężczyzna z przerażeniem zauważył, że spociły mu się dłonie, ale spróbował nie stracić zimnej krwi. Sięgnął do stojącego na siedzeniu obok pojemnika, wyjął zeń szmaciany tampon i energicznie wysiadł w chwili, gdy kobieta zrównała się z autem.

– Przepraszam, masz ogień? – zapytał, w pełni świadomy, że to tekst z taniego kryminału.

109

Niczego lepszego nie wymyślił.

– Nie palę. – Zaskoczona kobieta odruchowo odsunęła się o krok i spróbowała wyminąć natręta.

Ten chwycił ją w pasie i mocno przyciągnął do siebie, co przy jej drobnej sylwetce i jego potężnej posturze nie sprawiło najmniejszego kłopotu. Zanim zdążyła pisnąć, przytknął jej do twarzy wilgotny gałgan i odczekał chwilę, aż jej ciało zwiotczeje. Zadowolony, że tak łatwo poszło, bez zwłoki umieścił swoją ofiarę na tylnym siedzeniu i ruszył z kopyta.

No, jest dobrze. Dwie minuty. Jak na nowicjusza całkiem nieźle, motywował się w duchu, choć wcześniej zapomniał sprawdzić, jak długo kobieta powinna być nieprzytomna. Miał nadzieję dowieźć ją w jakim takim stanie do miejsca przeznaczenia, ale na wszelki wypadek wepchnął jej jeszcze do ust pokruszoną tabletkę nasenną. Skrępował dłonie taśmą klejącą i ułożył bezwładne ciało na boku. Czekały go jakieś dwie godziny jazdy, może półtorej, więc przypiął je pasami bezpieczeństwa i ruszył przed siebie.

Ewa często wracała do domu po ciemku. Jako osoba świadoma zagrożeń czyhających w mieście na samotną kobietę, na pewnym etapie życia postanowiła zatroszczyć się o siebie i zapisała się na kurs samoobrony. Wiedziała, że wygląda niewinnie jak aniołek, co niewątpliwie działało na jej korzyść, nikt bowiem, a w szczególności potencjalny napastnik, nie spodziewał się po niej raczej celnego ciosu w splot słoneczny czy kopniaka w jaja. Na kursie radziła sobie świetnie, później nabyła nawet gaz pieprzowy. Oczywiście zawsze nosiła go w torebce.

Ale dzisiaj to nie była ta torebka.

Na finałową galę konkursu na najlepszy projekt ośrodka wypoczynkowego zabrała jedynie małą torebeczkę, która mieściła co najwyżej puderniczkę i chusteczki higieniczne. Na gaz nie było miejsca. Poza tym uznała, że przecież nikt nie zaatakuje jej właśnie dziś, bo niby dlaczego? Podjechała taksówką prawie pod samą bramę, do przejścia miała jedynie kilkadziesiąt metrów. Ulica od niedawna została objęta miejskim monitoringiem, więc nic nie miało prawa się stać.

No właśnie.

Po uroczystej gali Ewę rozpierała radość. Już wcześniej w branżowych mediach pojawiały się spekulacje odnośnie do zwycięzców; w dedykowanych artykułach niezmiennie zestawiano obok siebie kilku faworytów. To właśnie z internetowych doniesień dowiedziała się, że trafiła do grona laureatów, ale nie spodziewała się aż tak wysokiej noty. Trzecie miejsce w konkursie to nie byle co, a fakt, że jej projekt przegrał jedynie z propozycjami przedstawionymi przez dwa wielkie studia projektowe, napawał ją dumą. Wprawdzie Ewa nie załapała się na pamiątkową statuetkę i nagrodę pieniężną, ale i tak poczuła się usatysfakcjonowana. Uczestnictwo w tego typu przedsięwzięciach podnosiło jej zawodowy prestiż, a nowy dyplom świadczył, że jednak jest niezła w swoim fachu.

Oczywiście i tym razem wygrała Marzena Kornacka. Cholerna suka, która od pierwszego dnia studiów niezmiennie psuła Ewie humor. Pochodząca z ustosunkowanej rodziny dziewczyna od samego początku wspólnej edukacji postanowiła pokazać koleżance, kto tu rządzi. Rozkapryszona jak królewna, opływająca w materialne dostatki, rozpuszczona do granic Marzena nie uznawała konkurencji. O ile pod względem fizjonomii bardzo przypominała Ewę, o tyle w środku kryła prawdziwy talent, ale też niezmierzone pokłady prawdziwej podłości. Kiedy tylko mogła, rywalizowała z nie mniej zdolną koleżanką. Brylowała w towarzystwie, zgarniała nagrody w plebiscytach na miss studentek, kolekcjonowała najlepsze stopnie, najprzystojniejszych chłopaków. I na każdym kroku okazywała Ewie daleko idącą pogardę. Trudno było w tej sytuacji oczekiwać jakiejkolwiek nici sympatii między nimi, acz z wiekiem obie trochę okrzepły. Ewę w końcu przestała zżerać ambicja, a Marzena już tak bardzo porosła w piórka, że przestała przejmować się konkurencją w postaci koleżanki. Jej idealna posiadłość, idealna rodzina, idealny mąż i dwójka idealnych wymuskanych dzieciaczków oraz idealne relacje zawodowe sprawiały, że ostatnio zajęła się niemal wyłącznie sobą i wpadła w stan bliski samouwielbieniu. Pracując w firmie prowadzonej przez ojca, na wejściu zyskała status gwiazdy. I nawet nie musiała za bardzo się starać, by go utrzymać.

Ewa już dawno przestała czuć się gorsza i pozbyła się kompleksu niższości, ale gdy nadarzała się sposobność, nie mogła sobie nie podarować złośliwego komentarza. Oto Marzena wystąpiła na gali w kreacji, w której była widziana już wcześniej. Strzał był celny.

– Głupia pinda! – mruknęła pod nosem i wetknęła pod pachę teczkę z dyplomem.

Nazajutrz miała zamiar go zeskanować i zlecić informatykowi umieszczenie informacji o nagrodzie na stronie internetowej jej studia. Właśnie się zastanawiała, w którym miejscu będzie się prezentować najlepiej, gdy znienacka tuż przed jej nosem otworzyły się drzwiczki od auta. Nie spodziewała się niczego podobnego na pustej ulicy, więc odskoczyła jak oparzona. Zapytana o ogień odpowiedziała coś odruchowo i otaksowała rosłego brodacza. Ostatnią rzeczą, jaką zapamiętała, był szybki ruch, kiedy on przytknął jej do twarzy coś wilgotnego, i mdła woń, którą wciągnęła wraz z wdechem. Zakręciło jej się w głowie, spróbowała zwalczyć słabość. Nic z tego. Odgłosy z zewnątrz jakby oddaliły się nieco, a jej ciało nagle stało się lekkie i bezwładne. Ostatkiem świadomości Ewa spróbowała ochronić dyplom przed pognieceniem, ale teczka wysunęła się z wiotkich palców i poszybowała wprost pod zaparkowanego srebrnego sedana.

Boże, ja umieram..., zdążyła jeszcze pomyśleć, zanim środek usypiający pokonał ją ostatecznie. Poległa, bezskutecznie walcząc z otaczającą ją lepką materią, krępującą jej ruchy i myśli.

Popadła w dziwny niebyt. Widziała biały tunel, miała retrospekcje swojego życia. Bała się, że właśnie podróżuje po raz ostatni. Widziała ojczyma i Pokurcza, którzy w tym stanie nie zdawali się jej niemili, ale rozhisteryzowana matka wciąż działała jej na nerwy. Ewa ze wszystkich sił próbowała skierować myśli na jakieś bardziej przyjemne tematy, ale przykre upiory nie chciały jej opuścić: a to pochylał się nad nią Carlos, pokazując jej jakieś niemowlę, a to Marzena odbierała jej dyplom i szczerzyła do niej poczerniałe zęby, co teraz nawet nieco ucieszyło

Ewę, by ustąpić miejsca wiarołomnemu mężowi Rudej, który właśnie postanowił wyznać Ewie miłość.

Walczyła z ogarniającą ją niemocą ze wszystkich sił. Chwilami miała wrażenie, że ktoś ją niesie, może kołysze. Aż w końcu pewna, że już nie żyje, kompletnie straciła świadomość i osunęła się w ciemność.

Nie wiedziała, jak długo była nieprzytomna, niemniej z niejaką ulgą powitała fakt, że pozostała przy życiu. Do jej otępiałego umysłu pomału docierały jakieś bodźce, świadczące o tym, że z nieznanych przyczyn urwał się jej film. Na początku uświadomiła sobie, że oddycha, ale nic nie widzi. Spróbowała sobie przypomnieć, cóż takiego nastąpiło, ale jedyne, co w tej chwili do niej docierało, to niemiłosierny ból głowy i okropna suchość w ustach.

Ewa zacisnęła powieki i na wszelki wypadek delikatnie poruszyła palcami u rąk. Żyła, naprawdę. Odetchnęła z ulgą i spróbowała poruszyć nogami. Wszystko było w porządku. Poza potwornym pulsowaniem wewnątrz czaszki i pragnieniem jak u pustynnego wędrowca nic jej nie dolegało. Usiadła z jękiem i walcząc z mdłościami, wbiła niewidzące oczy w mrok. Pomału przyzwyczaiła się do panujących ciemności i zaczęła rozróżniać zarysy otaczających ją sprzętów. Zauważyła łóżko, krzesło i biurko. Walcząc z zawrotami głowy, wstała z niemałym trudem

115

i ciężko dysząc, oparła się o ścianę. Nadal niczego nie rozumiejąc, przesunęła się w stronę drzwi i nacisnęła na klamkę. Były zamknięte na klucz.

Udało się jej namacać przy framudze wyłącznik. W pomieszczeniu niemrawo zamrugała słaba energooszczędna żarówka.

– Boże święty, gdzie ja jestem? – wyszeptała przerażona i ostrożnie podeszła do okna.

Klamka ustąpiła bez oporu, ale nigdzie nie było widać mechanizmu, który mógłby rozsunąć antywłamaniową roletę.

Ewa nieśpiesznie zwiedziła lokum. Znalazłszy na stoliku termos z gorącą kawą i kanapki, uznała, że chyba temu, kto jej to zrobił, nie zależy na jej śmierci. W połączonej z pokojem łazience ktoś postawił podstawowe przybory toaletowe, więc skorzystała z toalety i spojrzała w lustro.

– O matko święta! – Wzdrygnęła się na widok własnego odbicia.

Wieczorowy makijaż rozmazał się właśnie i zjechał w okolice brody, a misterna fryzura wyglądała tak, jakby ktoś potraktował ją grabiami.

Ewa wyjęła metalowe wsuwki i rozpuściła włosy. Korzystając z rolki papierowych ręczników, usunęła z oblicza rozmazane kosmetyki i usiadła na sedesie. Później raz jeszcze nacisnęła na klamkę drzwi wejściowych i po raz kolejny dokonała inspekcji pomieszczenia, przeznaczonego najwyraźniej na tymczasowe więzienie.

Z chwilą gdy do niej wreszcie dotarło, że została uprowadzona, krew odpłynęła jej z twarzy. O mdłej woni i usypiającym działaniu chloroformu czytała przecież nie raz, w wielu książkach, ale nigdy nie przypuszczała, że ktoś użyje go, by uśpić właśnie ją. No bo niby po co? Zwyczajna kobieta, niespecjalnie majętna i niespecjalnie ustosunkowana. Owszem, całkiem atrakcyjna. Ale żeby zaraz ją porywać?

Nieee, cholera, to jakiś zły sen!, dumała. To nie może być prawda. Przecież jakby gość chciał mnie zabić, to już by mnie dawno zaszlachtował, a tak ten ktoś naszykował mi kawę i żarcie. Nieee, chyba nie ma zamiaru mnie zabić. Boże! Tylko nie to!, myślała z przestrachem.

Na wspomnienie niedawnej rozmowy z Rudą o kidnapingu i handlu organami niemal osunęła się na podłogę. O ile wcześniej wysnuwane przez nią wnioski były względnie logiczne, a sytuacja wyglądała na nie najgorszą, o tyle teraz Ewa wpadła w panikę. Międląc w ustach kęs kanapki, jak szalona rzuciła się z powrotem do łazienki.

– Ożeż, ja pierdzielę! – Ukryła twarz w dłoniach i osunęła się po drzwiach. Bezwiednie naciągnęła skórę pod oczami. – Że też, u diabła, to właśnie ja na każdym kroku muszę spotykać jakichś popaprańców! – powiedziała do siebie i wspięła się na sedes.

Sięgnęła wyżej, by dostać się do lufcika.

Okno w łazience również chroniła zewnętrzna roleta. Odpadała kolejna droga ucieczki.

Spanikowana Ewa powiodła rozbieganym wzrokiem po suficie i spróbowała pozbierać myśli.

– Cholera jasna, jak oni kręcą te filmy, że bohater ucieka przez kratkę wentylacyjną? Tutaj może kota dałoby się wcisnąć. Szlag! – burcząc wściekle, przysiadła na desce sedesowej.

Dotarło do niej, że po prostu została uwięziona na amen. Najnormalniej w świecie porwano ją, choć jeszcze nie wiedziała, kto to zrobił i po co.

Pierwszą paniczną myślą było wezwanie pomocy. Tylko jak? Ewa cudem opanowała przypływ przerażenia. Wróciła do pokoju i zwinęła się na łóżku. Sięgnęła po kanapkę, uznawszy, że z dwojga złego będzie lepiej jednak się najeść. W takiej sytuacji nigdy nic nie wiadomo.

O matko, co robić? A jak mnie zgwałcą albo sprzedadzą do burdelu? Diabli wiedzą, co jeszcze porywaczowi przyjdzie do głowy. Ewą aż wstrząsnęło na myśl o ćwiartowaniu i ukrywaniu jej doczesnych szczątków w lodówce. Ze zdenerwowania żołądek zwinął się w supeł, a przełknięcie kilku kęsów przyszło jej z trudem. Wciąż walczyła z mdłościami, ale miała nadzieję, że to minie.

Podeszła do zamkniętych drzwi i przyłożyła do nich ucho.

Wszędzie panowała niezmącona niczym cisza.

Znudzona oczekiwaniem nie wiadomo na co, postanowiła się zdrzemnąć. Gdy się ocknęła, ból głowy i nudności minęły, ale strachu przybyło. Pomieszczenie nie zdradzało śladów jakiejkolwiek ludzkiej bytności w międzyczasie.

Ewa na dobre straciła poczucie czasu. Co ja właściwie mam robić?, pomyślała. Zdjęła wysokie czarne szpilki i podwinęła stopy pod siebie, wdzięczna losowi, że tego wieczoru nie założyła kusej małej czarnej, lecz elastyczne eleganckie spodnium. Mimo to zadrżała z zimna. Sięgnęła po koc i owinąwszy się nim szczelnie, wygodnie ułożyła się do snu. Wcześniej zgasiła światło i wetknęła pod materac metalowe wsuwki do włosów. Pozostawiając je, porywacz wykazał się niefrasobliwością. Wprawdzie Ewa nie potrafiła ani otwierać drzwi drutem, ani też dźgać nim prosto w serce, niemniej świadomość, że właśnie zyskała niespodziewany oręż, podziałała pokrzepiająco. Leżąc bez ruchu, wsłuchiwała się w bicie własnego serca.

Wszędzie wokół było cicho jak makiem zasiał, acz przez chwilę miała wrażenie, że słyszy zza ściany głosy. Wytężyła słuch. Rzeczywiście przy drzwiach dało się słyszeć jakiś ruch. Klucz w zamku zazgrzytał nieprzyjemnie.

Zacisnęła powieki i wstrzymała oddech w chwili, gdy przez szparę do pokoju wdarła się smuga światła. Zastygła, próbując za wszelką cenę wyrównać oddech. Na razie, dopóki nie wiedziała, na czym stoi, postanowiła udawać, że śpi.

Przez rzęsy dostrzegła rosłą sylwetkę.

Mężczyzna nie zapalał światła. Po cichutku zbliżył się do stołu i postawił na nim nowy talerz z jedzeniem.

O Boże, Boże, jest dobrze! On niczego ode mnie nie chce! O matko!, powtarzała w duchu Ewa.

Jej dozorca przystanął na chwilę, posłuchał, czy porwana oddycha. Wychodząc, zabrał ze sobą termos, w zamian pozostawiając butelkę wody mineralnej.

Szlag by go trafił!, zaklęła w duchu, poniewczasie orientując się, że mogła metalową tubą termosu przywalić napastnikowi, ale szybko się zreflektowała, że to jednak głupi pomysł. Niezależnie od okoliczności powinna w miarę możliwości najpierw zorientować się w sytuacji i dopiero później podejmować jakiekolwiek działania. Pochopne mogłyby okazać się zgubne. Na razie wiedziała tylko tyle, że mężczyzna dba o jej podstawowe potrzeby i jak dotąd nie wyrządził jej żadnej krzywdy. Ale przecież napastników mogło być więcej. Głosy zza ściany mogły należeć do całej zgrai bandziorów, miała jednak nadzieję, że to tylko dźwięki z telewizora.

Bała się, to fakt. Potwornie się bała, ale jako urodzona optymistka uznała, że przecież mogło być gorzej. Dużo gorzej. Teraz, nawet sparaliżowana strachem i niepewnością, próbowała być dzielna i zachować zimną krew. Przynajmniej dopóki nie dowie się, co tu jest grane.

Ponownie szczęknął przekręcony w zamku klucz.

Po odgłosie stuknięcia o blat stołu można było poznać, że termos jest teraz dużo cięższy niż przedtem. Najwyraźniej Ewie dostarczono nową kawę.

Gdy strażnik, wychodząc, znalazł się w plamie światła, kątem oka dostrzegła dorodny zarost.

– I co robi? – usłyszała obcy głos w drugim pomieszczeniu.

– Śpi – padła lakoniczna odpowiedź.

– Cały czas? Jesteś pewien, że żyje?

– Jestem. Przecież jakby nie żyła, toby nie zjadła kanapek. Pewnie jest ostro zamroczona po tych wszystkich nasennych syfach. Więc śpi.

– No i dobrze. Na razie niech jeszcze chwilę sobie z tobą posiedzi. Dajmy im czas. Niech się najpierw zorientują, że znikła. Niech przez parę dni skruszeją. A jak skruszeją, zrobisz, co trzeba.

– Stary, przecież jak coś wyjdzie nie tak, to obaj pójdziemy siedzieć…

– A co może być nie tak? Oddałeś to auto?

– Jasne. Wszystko pod kontrolą.

– To świetnie. Widzę, że jednak masz jaja. A zresztą teraz i tak nie masz wyjścia. To musi się udać. Tylko uważaj i nie daj dupy! No i regularnie sprawdzaj okolicę.

Tomasz starannie zamknął za sobą drzwi i energicznie przejechał dłońmi po udach. Po raz kolejny spociły mu się dłonie. Niegdyś nawykły do stresujących sytuacji, najwyraźniej wyszedł z wprawy. Czasy, gdy jego nerwy były jak postronki, a twarz zawodowego pokerzysty nie zdradzała żadnych uczuć, minęły już dawno.

Odkąd sięgał pamięcią, zapowiadał się na znakomitego analityka, a studia w tym kierunku dodatkowo rozwinęły ten talent. Był na tyle dobry i na tyle dobrze rokował, że jeszcze przed obroną pracy magisterskiej upomniało się o niego kilka firm. Nieprzeciętnie inteligentny i doskonale wykształcony przebierał w ofertach pracy jak w ulęgałkach, aż w końcu zdecydował się na to, o czym marzył. Zwłaszcza że w tamtych czasach praca maklera giełdowego wszystkim kojarzyła się z fortuną i prestiżem. Nic dziwnego, że oferta z domu maklerskiego zdeklasowała inne propozycje.

Tomasz zaliczył konieczne szkolenia, kupił dwa garnitury i jak głodny młody wilczek wkroczył pewnym krokiem na giełdowy parkiet. Talent talentem, ale trzeba przyznać, że dodatkowo miał nosa. Jego inwestycje zwracały się szybko, ale on postanowił zarabiać więcej. Dużo więcej niż pensja i zyski z obrotu własnym kapitałem. Po niedługim czasie zaczął na boku doradzać klientom, dzięki czemu wzbogacił się szybko.

Dobra passa trwała dwa lata.

Wieść o zdolnym doradcy i młodym maklerze rozchodziła się pocztą pantoflową błyskawicznie. Tomasz stanął na nogi. Ubierał się wyłącznie u Bossa, jadał w najlepszych restauracjach, a jego nowy apartament na krakowskim Kazimierzu wzbudzał zachwyt od progu. Każda kobieta, a miał ich wtedy na pęczki, zasypywała gospodarza wyrazami uznania i finalnie widziała się już panią na przestronnych pokojach. On uwielbiał im imponować, choć uczucia, jakimi je darzył, dalekie były od uczciwości. Nie dość, że kobiet, z którymi się spotykał, było kilka jednocześnie, to opowieści o jego aktywach odbiegały nieco od stanu faktycznego. Owszem, miał pieniądze, ale nie aż takie, jak by chciał, więc na razie musiał snuć wyssane z palca opowieści o rezydencjach i jachtach na Lazurowym Wybrzeżu. Wyimaginowane znajomości z rosyjskimi oligarchami, światowej sławy aktorami i biznesmenami niezmiennie robiły na płci pięknej odpowiednie wrażenie. Tomasz wykorzystywał ten mechanizm z radością, a gdy któraś kolejna zdobycz zaczynała powoli widzieć się w bikini w Cannes, wymyślał jakąś historyjkę, która miała na celu odstraszyć potencjalną łowczynię pokaźnego majątku. Raz była to choroba psychiczna, innym razem podejrzenie wirusa HIV. Świetnie sprawdzały się także schizofrenia i zaburzenia dwubiegunowe. Bez pudła działała obawa o choroby weneryczne, a najlepiej ze wszystkiego działało bankructwo. Niby nie robiło wrażenia, ale zazwyczaj po tygodniu od dnia, w którym załamany oznajmiał hiobową wieść, białogłowa ulatniała się bezpowrotnie.

System funkcjonował bez zarzutu. Oczywiście do czasu, gdy w końcu Tomasz wpadł we własne sidła.

Laurę poznał na bankiecie, gdzie pracowała jako hostessa dla jednego ze sponsorów. Ubrana w obcisły srebrny kombinezon roznosiła wśród gości darmowe papierosy w wersji light. Czarnowłosa bogini słała szerokie uśmiechy na prawo i lewo, namawiając do degustacji nowej marki.

Na jej widok Tomaszowi z wrażenia odjęło mowę. Z całej imprezy nie zapamiętał niczego poza długimi nogami Laury i jej pokaźnym biustem. Z przyjęcia wyszli razem.

Tamtego dnia słynny bawidamek przepadł z kretesem. Wystarczyło zaledwie kilka dni, by zakochał się na zabój i robił wszystko, żeby dziewczynie przychylić nieba. Odprawił z kwitkiem pozostałe dotychczasowe towarzyszki i zgłupiał kompletnie.

A Laura była bystra. Doskonale zdawała sobie sprawę, że Tomasz poszedłby za nią w ogień, więc sukcesywnie podnosiła finansową poprzeczkę. Robiła to na tyle sprytnie, że on zupełnie nie zorientował się, w czym rzecz. Nie wiedzieć kiedy zaczął inwestować z przekroczeniem poziomu dopuszczalnego ryzyka. Kilka razy zaliczył udany strzał i poczuł się jak władca świata. Klienci wpadli w zachwyt, a co najważniejsze zachwycona była również Laura. Nic dziwnego – w końcu futro z jenotów niejednej młodej dziewczynie przewróciłoby w głowie. A mały sportowy mercedes tylko dopełnił szczęścia.

Wszystko kręciło się jak dobrze naoliwiona karuzela do dnia, w którym się zawaliło.

Już poniedziałkowe notowania powinny były dać Tomkowi do myślenia, ale właśnie wybierał się z Laurą do kina na premierę nowego filmu i nie miał czasu dokładnie prześledzić rynkowych doniesień. Niepokoje zdarzały się co jakiś czas, więc i tym razem nie przejął się nimi. Szczegółową analizę odłożył do poranka.

Przyjęcie po premierze było wspaniałe, a gdy godzinę później, w drodze do domu, Laura oznajmiła mu, że jest przy nadziei, Tomasz kompletnie oszalał z radości. Tego wieczoru odwiózł ukochaną do matki, a sam z radości, że zostanie ojcem, upił się w drebiezgi.

Niestety, świtu po upojnej nocy nie mógł zaliczyć do udanych. Uporczywy ból chciał rozerwać mu czerep, a mdłości jak przy morskiej chorobie w pierwszej kolejności doprowadziły go do toalety, a w drugiej do telefonu. Jego stan wykluczał stawienie się na posterunku.

– Cholera, no! – klął niecierpliwie, bo za nic nie mógł dodzwonić się do szefa.

Było to o tyle dziwne, że tamten zazwyczaj sypiał z komórką. A odkąd niedawno przygruchał sobie kochankę, chadzał z telefonem nawet do toalety.

Do rozpoczęcia pracy pozostawała zaledwie godzina, tymczasem na poczcie głosowej przełożonego brakowało już miejsca na nagrania. Do Tomka też ktoś dzwonił przez cały czas, ale ponieważ ten nie nadawał się do rozmowy, wyciszył dzwonek i zignorował przychodzące połączenia.

W końcu jakoś dotoczył się do łazienki i wziął zimny prysznic. Kilof w mózgu wciąż rozłupywał mu czaszkę. Tomasz wyglądał jak z krzyża zdjęty, ale przynajmniej był czysty.

Telefon ponownie zaterkotał na umywalce.

Dzwonił szef.

– Stary, dzięki, że dzwonisz! – wychrypiał nie swoim głosem Tomasz. – Umieram i nie przyjdę dziś do pracy.

– Pojebało cię, palancie?! – ryknął przełożony w słuchawkę.

– Mam kaca giganta...

– To ty nie wiesz, co tu się, kurwa, dzieje? Notowania poleciały w pizdu! Wszyscy szaleją, na rynku panika. Oesy na wszystkich spółkach!

– Ale jak? Co? – Nieprzytomny Tomek nie miał pojęcia, co się dzieje.

– Jak to: co? Generalne dymanie! Współczynniki padły na pysk! Sajgon! A ty mi, durniu, pieprzysz o kacu?!

– Szefie... – spróbował Tomasz, ale mężczyzna po drugiej stronie ani myślał dopuścić go do słowa.

127

– Masz tu być w pięć minut, bo albo zastrzelę cię ja, albo nasi klienci! – wrzasnął.

– Ale...

– Włącz telewizor, kretynie! – Poziom decybeli w słuchawce podskoczył i połączenie zostało przerwane.

Zdezorientowany Tomek bezradnie rozejrzał się za pilotem, który jak na złość gdzieś przepadł. Na dodatek wycudowany telewizor w wersji smart właśnie się zepsuł i przestał reagować na głos właściciela. Odbiornik był wymysłem Laury, która jak zwykle uparła się nań z wdziękiem. Ogłuchła na tłumaczenie, że na głos to reaguje pies, a nie telewizor. Wieczorem, wykręciwszy się w łóżku bólem głowy, postawiła na swoim.

Tomasz odpalił laptopa, rzucił okiem na prezentowane notowania i wytrzeźwiał w jednej sekundzie. Otworzył usta ze zdumienia, po czym błyskawicznie wskoczył w garnitur. Nie miał czasu zawiązać krawata, więc wetknął go do kieszeni marynarki, wezwał taksówkę i podał adres. Najwyraźniej zorientowany kierowca od razu potwierdził tragiczne doniesienia z giełdowego parkietu i spojrzał na pasażera jakoś dziwnie.

– A po co pan tam jedzie? Przecież tam nawet nie da się wejść.

Przed domem maklerskim Tomasz zrozumiał dlaczego.

Na chodniku kłębił się rozwścieczony tłum. Zewsząd słyszało się krzyki, przekleństwa i płacz. Pod gradem najwymyślniejszych epitetów, pod adresem swoim i sobie podobnych, Tomek jakoś przedarł się do bramy, a strażnik z wezwanej na wszelki wypadek firmy ochroniarskiej wpuścił go do środka. Za kwadrans otwierano firmę, a w taki dzień mogło zdarzyć się wszystko.

Wściekli inwestorzy dopadli maklerów jak wygłodniałe psy, żądając natychmiastowej sprzedaży swoich aktywów. Kompletnie nie rozumieli, że przy wstrzymaniu operacji jest to zwyczajnie niemożliwe. Zrozpaczeni oczekiwali wyrównania strat. Jeszcze mieli nadzieję, że to możliwe.

Trudno powiedzieć, czy to właśnie był początek końca. Tak czy inaczej dla wielu był to koniec absolutny. Nieodwracalny i ostateczny.

W ciągu kilku dni wiele mniejszych fortun zostało zmiecionych z powierzchni ziemi. Jak to zwykle bywa, straciły płotki, by mogły się wzbogacić rekiny. Te największe i najbardziej drapieżne, kosztem inwestorów z pakietu Tomasza. Również i jego samego.

Tamtego dnia władca świata upił się ponownie, planując, co dalej. Co gorsza rokowania nie wyglądały optymistycznie. Zainwestowane przez niego oszczędności właśnie wyparowały jak kropla wody na gorącej patelni, a trzymiesięczna odprawa z domu maklerskiego wystarczała na co najwyżej chwilę skromnego życia. Trzeba będzie pożegnać się z kupionym na kredyt wygodnym apartamentem i zamieszkać w tańszym lokum, dumał Tomasz. Szczęśliwie rodzice Laury mieli sporą willę, więc młodym nie groziło skończenie pod mostem.

Tak czy siak przyszłość nie rysowała się różowo. Ale przecież Tomek miał dwie zdrowe ręce i głowę na karku. No i Laurę. Do rozwiązania pozostawało jeszcze ponad pół roku, a do tego czasu coś powinno się wyklarować w sprawie pracy. Mimo wszystko był dobrej myśli.

Lecz gdy tylko oznajmił o swoich planach ukochanej, pękła kolejna mydlana bańka. Laura urządziła mu dziką awanturę i kategorycznie sprzeciwiła się pomysłowi, by zamieszkać u rodziców. Uznała, że skoro Tomasz został całkiem goły, nie jest godzien jej ręki.

– Ona chce krezusa, nie gołodupca – pożalił się bratu Tomek następnego dnia.

– A pokaż mi kogoś, kto lubi mieć gorzej, niż miał. Może przynajmniej mercedesa jej zostaw?

– Nie ma mowy. Należy do banku, a ja nie mam na spłaty rat.

– Wiesz, że Laura się wścieknie?

– Jeszcze bardziej? To już chyba niemożliwe – westchnął zdruzgotany Tomek.

Skąd miał niby wiedzieć, jaką histerią zareaguje kobieta, której odbiera się luksusowe zabawki?

Na razie postanowił przemilczeć fakt, że również i pieniądze brata poleciały w kosmos wraz z resztą przestrzelonych inwestycji. Chciał mu oszczędzić tych wątpliwych rewelacji. Świadomy, że tą wiadomością zrujnowałby mu życie, z trudem przełknął gorzką pigułkę kolejnej porażki. Nie dość, że brat zainwestował ostatnie pieniądze i posłał dzieci do prywatnej szkoły, to na dokładkę okazało się, że jego żona jest w bliźniaczej ciąży i fatalnie znosi odmienny stan. Tomek nigdy nie lubił bratowej, ale miał tyle przyzwoitości, żeby jej nie denerwować. Był pewien, że jakoś zdoła odzyskać pieniądze. Miał nadzieję, że po krachu rynek w niedługim czasie stanie na nogi, choć na razie nic tego nie zwiastowało.

Kłótnie z Laurą trwały nieprzerwanie przez kilka tygodni. Bez przerwy płakała, na przemian odgrywając rolę obrażonej królewny. Foch gonił focha. A gdy Tomasz w końcu zdecydował się ustawić ją do pionu, dowiedział się, że dziecko nie jest jego. Wykrzyczała mu to prosto w twarz, okraszając tę rewelację paroma określeniami odnoszącymi się do faktu, jaki to z niego życiowy nieudacznik.

Tego już było za wiele. Tomek, zdruzgotany porażką na całej linii, załamał się kompletnie. Przez kilka dni próbował utopić tę totalną degrengoladę w alkoholu, ale skończyło się tym, że w efekcie czuł się gorzej. Gdy nie spał, martwił się jeszcze bardziej. Przegrana i zranione uczucia całkowicie odebrały mu chęć do życia. Nie znosił poczucia klęski, więc nachodziły go myśli samobójcze.

Ale w dniu, w którym komornik odebrał mu klucze od mieszkania, Tomasz po prostu się wściekł. Młody, niegłupi i przystojny mężczyzna, który z definicji miał mieć świat u swoich stóp, teraz osiągnął dno. O jego upadku świadczył stary dom letniskowy po dziadkach i mocno podrdzewiała honda, której nie szło uruchomić.

Upadki, jak wiadomo, bolą zawsze, zwłaszcza te z wysoka. A z pracą dla skompromitowanego giełdowego hochsztaplera nie jest łatwo, więc z pocałowaniem przyjął ofertę zostania analitykiem w banku spółdzielczym.

Wysokość nowego wynagrodzenia mocno raniła jego rozpieszczone i nawykłe do luksusu ego, ale gdy tylko uświadomił sobie, że to jego jedyne przychody, potraktował je z należytym szacunkiem. Zgiął karnie plecy i pokornie robił swoje. Przełom nastąpił w dniu, w którym jego karta płatnicza odmówiła współpracy.

– Przykro mi, transakcja odrzucona – powiedziała sprzedawczyni w osiedlowym sklepie.

– To niemożliwe! – zaprotestował, boleśnie świadomy pełnych zrozumienia spojrzeń innych klientów tłoczących się tuż za nim. – Może pani spróbować jeszcze raz?

– Nie ma sprawy. Niech pan jeszcze raz wklepie PIN – westchnęła kasjerka i machinalnie sięgnęła pod ladę, skąd wydobyła podniszczony zeszyt w sztywnej okładce. – Nadal odmowa. Wpisać na zeszyt?

– Tak. Za chwilę doniosę pani gotówkę. To musi być problem z łączem albo z systemem bankowym. Wie pani, jak to jest… – tłumaczył się głupio Tomasz, choć wiedział doskonale, że jego konto jest puste jak murzyński bęben.

Tamtego wieczoru zaczął grać. Znalazł w internecie miejsce, gdzie można było dołączyć do pokera online. Wystarczyło kilka prostych kalkulacji i obliczeń, by zakończyć partyjkę z niewielką wygraną. W sam raz na pokrycie tygodniowych zakupów. Z dnia na dzień hazard wkręcał go coraz bardziej, aż wreszcie Tomek uznał, że jest gotowy do gry o wyższe stawki. Po czasach świetności pozostało mu trochę markowych ubrań i kilka par ekskluzywnych butów, więc założył elegancką koszulę i przymierzył garnitur. Schudł ostatnio, ubranie trochę na nim wisiało, ale dociągnął skórzany pasek do kolejnej dziurki i wyprostował się przed lustrem. Jego zazwyczaj lśniącą, ogoloną na łyso czaszkę teraz pokrywał postrzępiony i sterczący we wszystkich kierunkach jasny odrost. Na czubku głowy jak zawsze widniało spore łyse kółko.

Rozebrał się, chwycił za elektryczną maszynkę do golenia i doprowadził się do porządku.

– No, cacy! – mruknął z uznaniem dla własnego wyglądu i uznał, że jest gotowy na Casino di Venezia.

Jeszcze tego samego dnia spakował się do podróży. Lubił wyzwania, zatem i tym razem cieszył się na czekające go zmiany.

System oszukiwania przy karaibskiej odmianie pokera dość szybko zaczął przynosić wymierne finansowe efekty. Wkrótce Tomasz mógł zrezygnować z namiotu na kempingu w Lido di Jesolo i przenieść się do taniego motelu bliżej miasta. Oczywiście planował w niedalekiej przyszłości przeprowadzkę w prestiżową okolicę placu Świętego Marka, ale na razie musiał zadowolić się tańszą lokalizacją. W rachubę wchodziło jeszcze poderwanie jakiejś zamożnej białogłowy i pomieszkiwanie na koszt kochanki, ale po ostatnich przejściach z Laurą jakoś stracił ochotę na romanse. Każdego dnia przemierzał zatem fragment morza i kanałów wodnym tramwajem, a resztę drogi pokonywał piechotą. Mijając ginące pod wodą urokliwe budowle, nieraz zastanawiał się, skąd pomysł, by wybudować w takim miejscu cokolwiek.

Ale Wenecja, jedyne takie miasto na świecie, o każdej porze roku powalała urokiem i tchnieniem tajemnicy. Tomasz uwielbiał wieczorne spacery nad kanałami po wyjściu z kasyna. Z dnia na dzień los sprzyjał mu coraz bardziej, co oczywiście nie uszło uwagi kierownictwa i ochrony najstarszego na świecie przybytku hazardu. Wyćwiczone sprytne palce osiągnęły perfekcję godną iluzjonisty. Ale jak to zwykle bywa, łatwe wygrane nieco przytępiły czujność i przekonany o własnej niezawodności Tomek nawet nie zauważył, kiedy przeholował.

Rutyna nie jest wskazana w żadnym zawodzie, a już na pewno nie w zawodzie szulera.

Od zarania dziejów nikt nie lubił tych, którzy wygrywają, a w szczególności nie lubili ich właściciele domów gry. Połamane palce u obu dłoni miały być solidną nauczką dla polskiego cwaniaczka, któremu zamarzyło się zostanie świetnym kanciarzem i wykiwanie najlepszych w tym fachu.

Tomasz, zakończywszy rehabilitację pogruchotanych palców, znów był bez grosza przy duszy. Ze zwieszoną głową pokornie wrócił na pole namiotowe. Tam co chwila spoglądał na zesztywniałe palce i bliski płaczu ćwiczył wytrwale. Tyle że po tygodniu zdał sobie sprawę, że przywrócenie im dawnej sprawności jest rzeczą niemożliwą. Drzwi do kasyna zamknęły się dla niego bezpowrotnie.

Choć pozostały organizowane pokątnie pokerowe ustawki.

Tu już nikt nie stawiał na blichtr, maniery i konwenanse. Tutaj liczył się wyłącznie szmal. A każdy, kto podskakiwał, w najlepszym razie tracił zęby. Siłowe porachunki nie należały do rzadkości.

Kłóciło się to nieco z oczekiwaniami Tomasza co do jego dalszej kariery i finansowej przyszłości. Miał nadzieję, że pomimo niezbyt sprawnych dłoni okaże się na tyle dobry, by odkuć się po raz kolejny, ale jego oczekiwania znów spaliły na panewce. W hazardowym półświatku dominowały inne wartości niż te, do których przywykł, a odegranie się i odrobienie strat stało się z czasem jedynie marzeniem ściętej głowy. Mocno pobity i skutecznie sprowadzony do parteru przez lepszych od siebie, wrócił do Polski jak pies z podkulonym ogonem. I w końcu wyznał bratu prawdę o stratach, w jakie go wpakował, podczas gdy ten chciał akurat wycofać kapitał, by w końcu rozruszać nowo powstałą firmę. Narodziny bliźniaków, edukacja starszych dzieci i kredyt na dom dostatecznie dawały mu się we znaki i zastrzyk gotówki będącej dziełem brata cudotwórcy uzdrowiłby sytuację. Nawet w najgorszych koszmarach nie spodziewał się, podobnie jak dziewięćdziesiąt procent przegranych giełdowych graczy, że któregoś ranka obudzi się w finansowej czarnej dziurze, bo zaufał za bardzo. Miał własne priorytety, to jego rodzina była najważniejsza, a szemrane układy braciszka nie interesowały go kompletnie. Obchodziła go wyłącznie gotówka.

Obmyślił zatem plan. Plan doskonały, który nie dość, że miał przynieść obu braciom konkretne korzyści finansowe, to jeszcze rozsławić w mediach raczkującą firmę. Był przekonany, że przy udziale Tomasza, któremu mniej, ale jednak ufał, i który już jadał chleb z niejednego pieca, w końcu będzie miał swoje pięć minut i zapewni bliskim stabilny byt. Teraz potrzebował właśnie tego.

I potrzebował odpowiedniej ofiary.

W tym drugim przypadku nieoceniona okazała się znajomość z pewną kobietą, która absolutnie nieświadomie mogła zapewnić mu dotarcie do samego źródła i dostarczenie potrzebnych informacji.

Zachwycony własnym pomysłem brat lekko przycisnął Tomasza. A ten, w poczuciu winy, zgodził się na wszystko.

ROZDZIAŁ 7

EWA Z JĘKIEM rozprostowała ścierpnięte ciało i przetarła opuchnięte powieki.

Przed udaniem się na spoczynek nie zmyła zbyt dokładnie makijażu, który zadziałał jak klej. Nie miała pojęcia, jak długo spała, ale musiała zapaść w naprawdę mocny sen, skoro umknął jej moment, w którym ktoś przyniósł pączki i nową wodę mineralną.

Zgłodniała, więc z rozkoszą wbiła zęby w lukrową polewę, mając jednocześnie nadzieję, że pączki nie są zatrute. Na krześle znalazła nowiutki biały podkoszulek i tanie majtki z napisem „wtorek", co dało jej nikłe poczucie kontroli nad upływającym czasem. Zakładając, że tego typu bieliznę kupuje się w zestawach na cały tydzień, a porwano ją w niedzielę wieczorem, przypuszczała, że właśnie nastał wtorkowy poranek.

– Gorliwiec się znalazł! Szajbus pieprzony! – prychnęła wkurzona, ale z przyjemnością skorzystała z łazienki.

Zmieniła bieliznę i zrobiła małą przepierkę. W łazience znalazła flizelinowe kapcie z orbisowskiego hotelu w Warszawie. Były za duże o kilka rozmiarów, ale w zaistniałych okolicznościach i tak lepsze niż jedenastocentymetrowe szpilki. W za dużych jednorazowych kapciach plątały jej się nogi, ale przecież i tak nigdzie się nie wybierała.

Najadła się do syta i ponownie przeanalizowała swoje położenie.

Sytuacja wyglądała zgoła nieciekawie, ale zważywszy na to, że zadbano o jej żołądek i higienę osobistą, można było przypuszczać, że niebawem dowie się, na czym stoi. Zarówno do nierządu, jak i na dawczynię organów jestem już chyba nieco za stara, pomyślała optymistycznie.

Była dość ładną kobietą, ale uznała, że szejk z Dubaju pewnie i tak by się za nią nie obejrzał. Była za chuda jak na ewentualne arabskie gusta i za mało cycata jak na europejskie upodobania. Za stara do domu publicznego i zbyt schorowana w temacie kamicy nerkowej, by stać się dostawcą nerki albo dwóch. Ale jako dostarczycielka rogówek? O Boże!

Żołądek Ewy ścisnął strach.

139

Podeszła do okna i raz jeszcze sprawdziła zabezpieczenie, ale antywłamaniowa roleta niezmiennie pozostawała szczelnie zasunięta. Przytknęła do niej ucho w nadziei, że usłyszy jakieś znajome dźwięki, ale dobiegły ją tylko odgłosy ptaków i szum drzew. Nic poza tym. Żadnych oznak cywilizacji, warkotu samochodowych silników czy gwaru przechodniów. Muszę znajdować się poza miastem, doszła do wniosku.

Mocno naparła na aluminiowe panele rolety, ale te solidnie tkwiły w prowadnicach.

Zrezygnowana zamknęła okno. I w tej samej chwili w zamku zazgrzytał klucz.

Nie miała czasu, by wrócić do łóżka i udawać, że śpi. Konfrontacja była nieunikniona.

Na widok postawnego brodacza wstrzymała oddech.

Sylwetka mężczyzny wypełniała niemal całą framugę. Za jego plecami dawało się zauważyć zadbane wnętrze.

– Co to ma znaczyć? – zaatakowała. – Zostałam porwana?

– Jaka domyślna! – zabrzmiał tubalny głos.

Mężczyzna postąpił krok do przodu, a Ewa odruchowo cofnęła się i opadła na kanapę.

– Proszę mnie natychmiast wypuścić!

Jej podszyty strachem głos zabrzmiał nieco piskliwie, ale starała się nie tracić rezonu. Wiedziała, że jakakolwiek przepychanka nie wchodzi w rachubę. Przeciwnik zmiażdżyłby ją małym palcem.

– Mowy nie ma. Jesteś zbyt dużo warta.

– Zbyt dużo czego? – Poczuła, że krew odpływa jej z twarzy.

– Pieniędzy, kotku. Pieniędzy. Twoja rodzinka już pewnie cię szuka. Ale dajmy im jeszcze kilka dni.

– Że co? – Zdumiona Ewa wytrzeszczyła oczy.

– To, co słyszysz. Damy im jeszcze trochę czasu, niech na razie tkwią sobie w strachu i niepewności. Łatwiej im pójdzie z okupem.

– Moja rodzina?! – Zdziwienie Ewy sięgnęło zenitu. Całymi tygodniami nie utrzymywała kontaktu z matką, ale jakoś nie wierzyła w jej nagłe wzbogacenie się. A przynajmniej nie do poziomu, który gwarantowałby sensowny okup. To niedorzeczne. To jakieś nieporozumienie!, myślała w panice. – Proszę mnie wypuścić! – zażądała. – Przecież moja rodzina nie ma pieniędzy. I nawet nie za bardzo mnie lubi.
– Hardo wysunęła brodę do przodu i podeszła do brodacza. – Pójdziesz siedzieć jak nic! – wysyczała.

On tylko się roześmiał i wyszedł.

– Jak nic porypało gościa. Szurnięty Rumcajs! – powiedziała na głos i z całej siły przywaliła pięścią w drzwi. Syknęła z bólu. – Wypuść mnie, do jasnej cholery! To wszystko nie tak! Moja rodzina ma mnie w dupie i przymiera głodem! Nic ci nie zapłacą! – wrzasnęła histerycznie.

Pod powiekami poczuła łzy bezsilności. Przysiadła na kanapie i obronnym gestem objęła się ramionami. Z trudem powstrzymała łkanie.

– Nie drzyj się. – W drzwiach ponownie pojawił się brodacz. W ręku trzymał książkę. – Masz, żeby ci się nie nudziło. A jak będziesz grzeczna, to później cię wypuszczę z tego pokoju.

Jego wcześniejszy ton nabrał nieco cieplejszych odcieni.

W sercu Ewy znów zabłysła nadzieja, ale porywacz jakby czytał w jej myślach.

– Nawet nie myśl o ucieczce. Cały dom jest zabezpieczony. Nie wyjdziesz stąd – uprzedził i poskrobał się po głowie.

Niby zwykły gest, ale uwadze Ewy nie uszło, że przekrzywiły mu się włosy.

Ha! Bujna czupryna musi być peruką, a dorodny zarost pewnie jest sztuczny, stwierdziła. No tak, charakteryzacja na potrzeby przestępstwa.

Niedbałym ruchem sięgnęła po książkę.

– Dzięki za lekturę – wyszeptała potulnie. – To kiedy mnie stąd wypuścisz? Strasznie tu nieciekawie w tych czterech ścianach. – Postawiła na bezradność i wbiła wzrok w jego oczy.

Były wręcz niespotykanie niebieskie. Tak intensywnie, że nasuwały skojarzenia z tęczówkami u niemowląt.

– Zastanowię się – odburknął pod nosem i skrzywił się z niesmakiem na widok resztek błota, które posypało mu się z butów.

Odwrócił się na pięcie i dosłownie po chwili wrócił z szufelką i zmiotką. Obrzucił pokój spojrzeniem, kilkoma ruchami starannie pozamiatał podłogę. Następnie równo ustawił przewrócone czółenka na szpilce i wyszedł.

Ewa patrzyła w osłupieniu.

Książka zwróciła jej uwagę dopiero po chwili. Opasłe romansidło było jej jedyną rozrywką, więc nie mając nic lepszego do roboty, zabrała się do czytania. Łzawa i naciągana fabuła trochę ją nużyła, ale w końcu akcja nabrała tempa. Historia kobiety po przejściach, która porzuca wielkomiejskie życie i przeprowadza się na wieś, gdzie poznaje przystojnego gajowego, była oklepana i do bólu przewidywalna, ale na razie musiała wystarczyć.

Rozpraszało ją wszystko, a już najbardziej oczekiwanie, kiedy brodacz wreszcie wypuści ją z pokoju. Istniała szansa, że poruszając się po całym domu, odkryje jakąś drogę ucieczki albo przynajmniej dowie się, gdzie jest.

Była skazana sama na siebie, pewna, że nikt z rodziny nie będzie jej szukał, o wpłaceniu okupu nie wspominając. Oczami wyobraźni zobaczyła minę ojczyma, który dowiaduje się, że oto musi wytrzasnąć choćby i spod ziemi pieniądze na wykupienie pasierbicy z rąk porywaczy. Na samą myśl Ewa parsknęła śmiechem, choć sytuacja wcale nie sprzyjała rozbawieniu. Nie dostrzegała w swoim otoczeniu nikogo, kto dysponowałby odpowiednią sumą na okup, niemały, jak się spodziewała.

Gdyby chociaż miała przy sobie telefon, może ktoś zlokalizowałby ją po sygnale GPS. Ale telefon leżał sobie bezużytecznie w jej mieszkaniu. Jak pech, to pech, stwierdziła w duchu. Zawsze nosiła komórkę przy sobie, ale akurat tego wieczoru zostawiła ją w domu, bo aparat zwyczajnie nie mieścił się w maleńkiej torebeczce.

No to jestem ujajona, pomyślała. Szlag by to trafił!, westchnęła i pochłonęła ostatniego pączka.

Przy kolejnym rozdziale, w którym główna bohaterka na myśliwskiej ambonie uprawiała dziki seks z gajowym, Ewa poczuła senność. Wciąż nie wiedziała, która godzina i czy to dzień, czy noc, ale postanowiła zdać się na zegar biologiczny. Dobrze, że miała do dyspozycji podstawowe przybory toaletowe.

Już sam fakt niemycia się przez trzy dni i ewentualny brak czystej bielizny niejednego pognębiłby skutecznie. Do takich właśnie jednostek zaliczała się Ewa. W dalekiej podróży potrafiła zapłacić za dobę hotelową i ruszyć dalej po skorzystaniu wyłącznie z prysznica. Miała takiego fioła na punkcie higieny osobistej, że Ruda nie raz i nie dwa ostrzegała ją przed częstymi kąpielami. Na nic jednak zdawały się argumenty o chroniącej skórę, odnawiającej się co dwanaście godzin powłoce lipidowej. Ewa miała ową powłokę w nosie. Stawiała na kilogramy różnego rodzaju mazideł, bezskutecznie walcząc z podstępnym cellulitem.

***

– I jak leci? – zabrzmiał znajomy głos.

– Spokojnie i wszystko zgodnie z planem – odparł Tomasz, choć do spokoju było mu daleko.

Cała ta sytuacja kosztowała go masę nerwów i marzył, by już było po wszystkim. Niejedno miał w życiu na sumieniu i nieraz mijał się z prawem, ale porwanie było debiutem absolutnym. Na domiar złego kobieta, którą przyszło mu więzić, wydawała się całkiem sympatyczna. Nie wyobrażał sobie, by mógł wyrządzić jej jakąś krzywdę. Jeszcze nigdy w życiu nie uderzył przedstawicielki płci pięknej.

– Jak ona to znosi?

– Nie wygląda na histeryczkę, ale założę się, że się boi. Na razie na mnie nakrzyczała. I powiedziała, że nikt za nią nie zapłaci, bo jej rodzina to zgraja gołodupców – roześmiał się Tomasz. – Uwierzysz?

– Jasne. Każdy porwany tak mówi. Nie słyszałeś tego nigdy w filmach?

– Racja. To kiedy przechodzimy do kolejnego punktu programu? Może by już wypadało docisnąć? Jak tam media? Mówią już coś? Jakieś policyjne komunikaty o zaginięciu?

– Nic.

– A jak ta jej rodzinka?

– Spokojnie, stary. Jak dotąd cisza w eterze, ale pewnie już odchodzi od zmysłów. Jak nadejdzie odpowiednia pora, zadzwonisz na telefon domowy i przedstawisz żądania.

– Ale kiedy? Czas leci. Przecież jutro już środa.

– Tak. – Znajomy głos przycichł konspiracyjnie. – Masz już ten stary aparat?

– Jasne. Wszystko gra. A ja zwarty i gotowy.

Tomasz podejrzliwie łypnął na najstarszą chyba komórkę w cyfrowym świecie. I na chwilę zadumał się nad telekomunikacyjnym postępem ludzkości, gdzie kolosalne zmiany następowały po prostu z dnia na dzień. Ale każdy kij ma dwa końce – z jednej strony owa ludzkość ułatwiała sobie życie, by z drugiej, na własne życzenie, stawać się łatwym obiektem wszelkiej inwigilacji. Począwszy od internetowych serwisów, poprzez reklamową sieczkę, po podanie się na tacy wszelkim możliwym organom ścigania. Wystarczyło mieć przy sobie telefon komórkowy, by zostać namierzonym z dokładnością do jednego metra. A przecież dziś prawie każdy go miał i nie wyobrażał sobie bez niego życia.

Wyczulony w tej materii, wcześniej dokładnie obszukał nieprzytomną zakładniczkę, ale nie znalazł przy niej komórki. Nieco zdziwiony tym faktem dwukrotnie sprawdził jej kieszenie i torebkę. Nic z tego. Możliwe, że upuściła telefon w trakcie krótkiej szamotaniny przy samochodzie, ale zakładał, że wtedy zapewne usłyszałby odgłos upadającego przedmiotu. Tymczasem sprawa została załatwiona praktycznie bezszelestnie.

W duchu pogratulował sobie dobrze wykonanej kidnaperskiej roboty. W życiu tak się nie denerwował, ale liczył na fart nowicjusza.

Prawidłowość zadziałała bez pudła.

Teraz postanowił wypróbować archaiczny telefon, więc zadzwonił po pizzę. Niestety, dostawa nie docierała aż tak daleko. Znudzony nieco samotnością Tomasz wyjął z szuflady dwie zafoliowane talie kart, rozpakował je z namaszczeniem i przekręcił klucz w zamku.

– Chcesz grać ze mną w karty? – zdziwiła się wypuszczona z pokoju Ewa, przeczesując palcami rozpuszczone włosy.

– A ty nie chcesz? Jak ci się nie podoba pomysł, mogę cię znowu zamknąć.

– Nie, nie! To ja już wolę te karty. Bo ta książka, co mi ją dałeś, to straszny gniot. Normalnie nie da się czytać – trajkotała, przy okazji dokładnie lustrując otoczenie. W domu było więcej niż schludnie. Wszystko dosłownie lśniło czystością. – Mogę? – Sięgnęła do koszyka z owocami po banana.

– Jasne.

Ze smakiem wgryzła się w miękki miąższ i po chwili przełykała ostatni kęs. Przy okazji policzyła okna, sprawdziła, gdzie są drzwi. Wydało się jej, że przez jedno z okien wpada nieco światła, więc podeszła i sięgnęła, by rozsunąć kotarę.

– Nawet o tym nie myśl! – Na dźwięk głosu Ewa podskoczyła jak oparzona. Pisnęła i upuściła na podłogę żółtą skórkę. – Do mnie! – Tomasz chwycił ją za ramię i bezceremonialnie usadził na krześle. Nawet się nie zorientowała, kiedy jednym ruchem kajdankami przykuł ją do podłokietnika. Widać było, że ma w tym wprawę.

– To na wszelki wypadek – oznajmił. – Jakby jakieś głupoty chciały przyjść ci do głowy. Umiesz grać w remika?

– Nie umiem – żachnęła się urażona. Poruszyła metalowymi bransoletkami. – Kajdanki? A w ogóle to masz jakieś imię? Głupio tak nie wiedzieć, z kim gra się w karty.

– Mów mi John.

– John? John Doe? Nie jesteś zbyt oryginalny! – prychnęła.

– Niech będzie. Może być i Doe.

– To w takim razie ty mów do mnie Mary. Skoro już tak bardzo chcesz, żeby było po amerykańsku.

– Okej. No to słuchaj… – Tomasz zwięźle wytłumaczył zasady gry, po czym z dużą wprawą potasował karty.

Ewa jak zahipnotyzowana wpatrywała się w długie palce, które robiły z kartami, co chciały.

To fantastyczne! David Copperfield czy co?, pomyślała i odegnała od siebie wizję, w której te palce przebiegały nie po talii kart, a po jej ciele. Idiotka!

To wszystko przez stres, ofuknęła się w duchu i zebrała ze stołu swoją kupkę.

Po chwili całkowicie pochłonęło ją liczenie punktów i kompletowanie sekwensu.

Pierwsze trzy rozdania przegrała z kretesem, co zniecierpliwiło nieco jej towarzysza, który najwyraźniej podchodził do rozrywki bardzo serio.

– Skup się, co? Nie odwalaj lipy. Albo gramy, albo nie – upomniał ją i znacząco spojrzał w stronę przedpokoju za jej plecami.

– Czego chcesz? Przecież dopiero się uczę. A ty wyglądasz, jakbyś przez całe życie nic innego nie robił, tylko grał – usprawiedliwiła się niezdarnie.

Choć nigdy nie umiała się podlizywać, komplement najwyraźniej sprawił Johnowi przyjemność.

– Chcesz piwo? – Wstał od stołu i spojrzał w stronę lodówki.

– Mogę chcieć – odparła bez entuzjazmu.

Nie przepadała za piwem, ale od kilku dni była jedynie o wodzie mineralnej i kawie. Dla odmiany chętnie napiłaby się czegoś innego. Poza tym liczyła, że wspólna konsumpcja alkoholu pomoże jej w jakiś sposób zintegrować się z Johnem i być może dzięki temu potraktuje ją łagodniej. Nie żeby narzekała na złe traktowanie, ale porwanie i uwięzienie przerażały ją nie na żarty. Poza tym nie miała pojęcia, co będzie dalej. A zważywszy na to, że zapewne nikt nie zechce wpłacić okupu, musiała brać pod uwagę najgorsze.

– Muszę do toalety – powiedziała. – Odepniesz to? – Wskazała brodą na kajdanki.

– Nie.

– Mam iść na siusiu z krzesłem?! Zwariowałeś chyba! Tobie pewnie by to nie przeszkadzało, ale mnie i owszem. Przecież nic się nie stanie, obiecuję. – Ewa skuliła drobne ramiona, przybierając najbardziej niewinną pozę na świecie.

– No dobra, idź już. – Tomasz wysupłał z kieszeni kluczyk.

Odnotowawszy skrzętnie, w której kieszeni John go chowa, rozmasowała nadgarstek i znikła w łazience.

Po powrocie zastała na stoliku szklankę z piwem na specjalnym kartoniku, który miał zapobiegać mokrym kółkom na blacie. Szklanka była czysta i co ciekawe, odwrócona nadrukowanym napisem w jej stronę. Ewa doceniła skrupulatność gospodarza, który na jej widok wstał i ponownie przypiął ją kajdankami.

– Czy to konieczne? – zapytała.

– Tak – odparł oschle.

– Nie wygłupiaj się! Przecież nie ucieknę, bo się nie da.

– Nie gadaj tyle, tylko graj – napomniał ją szorstko i znów, niczym czarodziej, po mistrzowsku potasował karty. – No graj!

Ewa ocknęła się z zamyślenia i pozbierała karty ze stołu. Nieudolnie poukładała je we względnie równy wachlarz i skupiła się na grze.

Nie wiedziała, jak długo trwała rozgrywka, ale po jakimś czasie zaczęła ziewać jak smok. Obawiała się, że szczęka zaraz wyskoczy jej z zawiasów.

– Chcę spać – powiedziała. – Wypnij mnie z tego.

– Ale przecież nieźle ci idzie… – John był wyraźnie zawiedziony.

– I co z tego? Zaraz tu padnę i wiele nie pogramy. – Ziewnęła potężnie i potrząsnęła ręką.

Metalowe bransoletki znów niemiło zabrzęczały o poręcz krzesła. Brodacz wstał niechętnie i odprawił ją z powrotem do kanciapy.

Idąc w ślad za nią, z uznaniem taksował zgrabne pośladki. Nie dość, że lubił drobne kobiety, to jeszcze, na nieszczęście, jego ofiara zaczynała mu imponować. Nie panikowała, zachowywała się racjonalnie, a do tego nieźle grała w karty i nie była gadułą. Co z tego, skoro on nie mógł się z tym ujawnić? Zamierzał doprowadzić plan do końca, sfinalizować wymianę porwanej w zamian za okup, oddać długi i po wszystkim zacząć nowe życie. Miał już nawet pomysł na biznes i wprost nie mógł się doczekać, by wreszcie przystąpić do działania. Zgodnie z planem nazajutrz miał skontaktować się z rodziną ofiary i ustalić warunki przekazania pieniędzy. Dalszy ciąg uzależniał od przebiegu rozmowy i postawy bliskich. Choć miał w zanadrzu kilka scenariuszy, wolał, żeby ziścił się ten najprostszy plan.

Piwo i stres zmordowały Ewę tak skutecznie, że padła na łóżko. Obiecała sobie, że za chwilę wstanie umyć zęby, ale po minucie spała już jak suseł.

Obudziła się kompletnie zziębnięta, więc kłapiąc zębami, naciągnęła na siebie wełniany pled. Wciąż nie miała pojęcia, jaka jest pora dnia, ale właściwie było to bez znaczenia. Pragnęła jak najszybciej zakończyć ten koszmarny epizod w swoim życiu. Nie potrafiła pojąć, jakim cudem przy jej spokojnej i w sumie dość skromnej egzystencji wpadła w tak poważne tarapaty. Przecież nie epatowała bogactwem, nikomu nie wchodziła w drogę, a znajomych, z którymi utrzymywała kontakty, miała tylu co kot napłakał. Jej zawodowa rywalizacja z Marzeną Kornacką raczej nie mogła być powodem porwania. W końcu to tamta wygrała w ostatecznej rozgrywce.

W zamku zazgrzytał klucz.

– Wychodź. Możesz zjeść w kuchni.

– O, dzięki, ludzki panie! A co dzisiaj? Pączki z budyniem, dla odmiany?

– Nie dyskutuj, bo znów cię zamknę. Wszystko masz w lodówce.

– No dobra, dzięki – mruknęła Ewa.

Odwracając się, niechcący zahaczyła ramieniem o stojący przy przejściu bukiet suchych kwiatów. Żółty pyłek posypał się na błyszczącą powierzchnię podłogi, co nie uszło uwagi gospodarza.

Tomasz z trudem powstrzymał syknięcie i wyciągnął ze schowka odkurzacz.

Tymczasem Ewa ponownie zwietrzyła szansę na ucieczkę. Miała nadzieję, że szykując posiłek, znajdzie jakieś sztućce, którymi mogłaby spróbować otworzyć okno w kanciapie czy ewentualnie sterroryzować Johna, ale nic z tego. W kuchni były wyłącznie jednorazowe widelce i łyżeczki. O plastikowych nożykach można było zapomnieć. Nawiasem mówiąc, jakoś nie potrafiła sobie wyobrazić siebie atakującej postawnego faceta narzędziem, którym nie daje się porządnie pokroić nawet parówki.

Jedyne, co jej wyszło, to ustalenie, że jest środa rano.

Gdy jadła, John znowu przypiął ją do krzesła. Po ich wieczornym posiedzeniu przy kartach nie było już śladu. Stół został starannie wyczyszczony, kuchnia lśniła czystością. Najwyraźniej gospodarz pedantycznie dbał o porządek, bo przejechał po blacie dłonią, zgarniając wyimaginowane okruchy.

– Długo zamierzasz mnie jeszcze trzymać? – rzuciła od niechcenia Ewa pomiędzy kęsami kanapki.

– A coś ty taka ciekawa? – zarechotał rubasznie i znów nerwowo podrapał się po głowie.

– A ty na moim miejscu byś nie był? Siedzę tu zamknięta, nie wiedząc dlaczego i po co.

– Bądźże cicho! Teraz wszystko zależy od twojego starego. Na ile szybko skołuje forsę.

– Jakiego znowu starego? – zdziwiła się Ewa.

– No, męża.

– Czyjego męża? – nadal nie rozumiała, o co chodzi.

– Przestań, powiedziałem! – John prychnął nerwowo. – Skasowałaś przecież kupę siana za nagrodę! A wiesz... – Zrobił znaczącą pauzę. – Z bliźnimi należy się dzielić.

– Co ty wygadujesz? Ja nie dostałam żadnych pieniędzy! Brałam udział w konkursie, fakt, ale moją nagrodą jest gwarancja realizacji projektu. Kasę z tego zobaczę pewnie za kilka lat.

– Nie kłam. Masz mnie za idiotę? – John wyraźnie się zezłościł. – Masz kasę.

– Nie śmierdzę groszem – ciągnęła Ewa. – Wszystko, co miałam, wydałam niedawno na mieszkanie w Hiszpanii. I jeszcze musiałam wziąć kredyt. Nawet jakbym jakimś cudem znalazła kupca na mieszkanie, i tak nie zobaczę pieniędzy, bo pójdą na spłatę hipoteki!

John roześmiał się w głos.

– Cwana jesteś, ale nie ze mną takie numery! – oświadczył. – Nieźle to sobie wykombinowałaś. No, no, trzeba przyznać, że masz jaja. Mąż, dzieci, kariera. A ty sobie drwisz.

– Eee… – Ewie na moment odebrało mowę. – Jakie znowu dzieci? Ja nie mam żadnych dzieci!

– Zamknij się wreszcie! Dość tego! – John warknął nieprzyjemnie.

– Ale… – Spróbowała jakoś się usprawiedliwić, lecz on wściekł się na całego.

Zerwał się na równe nogi. Tocząc przysłowiową pianę z ust i sapiąc jak parowóz, energicznie zrobił krok w stronę Ewy. Ponieważ wyglądał na wkurzonego nie na żarty, skuliła się przestraszona. Jak sowa wtuliła głowę w ramiona i w obawie przed ciosem mocno zacisnęła powieki.

– Nie rób mi krzywdy, proszę. Oddam ci wszystko, co mam – powiedziała cichutko.

– Aaa! Szlag by to! – wrzasnął John i naraz jak długi runął na podłogę.

Upadkowi towarzyszyło głuche łupnięcie i brzdęk tłuczonego szkła.

Przerażona Ewa, o ile to w ogóle było możliwe, jeszcze bardziej skuliła się na krześle.

Teraz była już pewna, że jej prześladowcy puściły nerwy. I że ich względnie dobra komitywa właśnie przeszła do przeszłości.

ROZDZIAŁ 8

– CHCĘ CI coś powiedzieć… – Speszona Ruda ściszyła głos, a Maciek ciekawie nadstawił ucha.

Widok Moniki w turkusowej kiecce dosłownie zwalił go z nóg. Gdyby to zależało od niego, kochałby się z nią natychmiast, bez zbędnych wstępów. Choć właśnie wracali z lotniska, a pobocze autostrady nie było do tego odpowiednim miejscem.

– Bardzo mi ciebie brakowało – powiedziała i jakby bojąc się jego reakcji, wbiła wzrok w drogę. Bezwiednie zacisnęła dłonie na kierownicy tak mocno, że aż zbielały jej kłykcie.

Maciek zerknął z ukosa. Dotychczas wydawało się, że auto ma raczej przestronne wnętrze, tymczasem on zdawał się wypełniać je całym sobą.

– Ja też bardzo tęskniłem. – Pogładził Monikę po dłoni, a ona wstrzymała oddech. – Nawet nie wiesz, jak bardzo. Akurat ten pobyt był wyjątkowo długi i nudny. Kompletnie nic się nie działo. Na takiej platformie raczej nie ma zbyt wielu rozrywek. Nie licząc towarzystwa sfrustrowanej obsługi.

– Słyszałam, że praca tam to jedno z najbardziej niebezpiecznych zajęć na świecie. – Ruda ze wszystkich sił próbowała zapanować nad drżeniem głosu.

– W rzeczy samej. Co nie zmienia faktu, że zdołałem przeczytać tam wszystko, co było do przeczytania. Jakby mieli wszystkie tomy *Dzieł* Lenina, też pewnie dałbym radę – roześmiał się Maciek. – Muszę kupić sobie czytnik e-booków, przestanę płacić za nadbagaż – dodał.

– To gdzie mam cię zawieźć? – zapytała.

Zbliżali się właśnie do jednego ze zjazdów z autostrady.

– Do mnie. Skręć w prawo.

Monika wolała, żeby to Maciek podjął decyzję, czy jadą do niego, czy do niej. Było jej wszystko jedno, byle blisko ukochanego. Poza tym czuła przemożną chęć, by w końcu ktoś zdecydował za nią. Przyzwyczajona do wydawania poleceń, pragnęła poczuć się wreszcie jak bezradna sierotka. Chciała, żeby Maciek się o nią troszczył, zabiegał i dbał. Marzyła, by ją rozpieszczał i jej nadskakiwał. Pragnęła być mała i bezbronna, a jednocześnie bezpieczna i szczęśliwa jak nigdy.

Patrz na drogę, napomniała się w duchu na dźwięk klaksonu, gdy zamyślona nie zauważyła, że zjeżdża na przeciwległy pas. Oprzytomniała w jednej sekundzie, a jednocześnie zdała sobie sprawę, że Maciek nie przestaje do niej mówić. Przywołała się do porządku i uśmiechnęła szeroko.

Gdy w końcu zajechali na miejsce, serce Moniki załomotało ze wszystkich sił. Miała wrażenie, że z jej piersi dochodzi głuche dudnienie.

– To tutaj. – Maciek wskazał na jedyną wolną przestrzeń przy krawężniku.

Nie potrafiła ukryć rozczarowania, gdy zdawkowo cmoknął ją w policzek i podziękował za podwózkę.

Rozczarowana, aż zatrzęsła się z oburzenia.

Wsiadła z powrotem do auta i obrzuciła wzrokiem nieciekawą okolicę. Kurczę, co jest grane? I co ja tu robię? Następny skończony dupek?, myślała. Nie potrafiła uwierzyć, że Maciek tak po prostu sobie poszedł, ale w końcu uruchomiła silnik i odjechała w swoją stronę.

Czuła się jak skończona idiotka. Jak zadurzona kretynka, która była skłonna oddać siebie i wszystko bez reszty, a została wzgardzona i potraktowana jak jakieś nic niewarte zero. Wściekła wcisnęła gaz do dechy. Do jej oczu napłynęły łzy złości, ale bała się rozpłakać na dobre w obawie, że przesłonią jej drogę. Otarła je i wyprzedziła kolejny samochód, kompletnie nie zdając sobie sprawy, że to nieoznakowany radiowóz drogówki.

– Kurwa! – warknęła na widok niebieskich migających diod i posłusznie zjechała na pobocze. – Niech to szlag jasny trafi! – Ze złości rąbnęła dłońmi w kierownicę.

Gdy policjant podszedł do samochodu, jak na złość rozdzwoniła się komórka.

– Dzień dobry. Kontrola drogowa. Starszy aspi...

– Zaraz! – Monika przerwała mu w pół słowa.

Dzwonił Maciek, więc odebrała natychmiast.

Na dźwięk jego głosu łzy obeschły natychmiast. A gdy nieśmiało zapytał, czy może wieczorem przyjechać i zabrać ją na kolację, Ruda kompletnie zapomniała o sterczącym obok samochodu funkcjonariuszu.

– Dokumenty poproszę! – nie wytrzymał policjant.

Jego wzrok nie zwiastował niczego dobrego.

– Zaraz! Przecież pan widzi, że rozmawiam. – Monika posłała mu szeroki uśmiech i dokończyła rozmowę.

Podała Maćkowi adres i radosna jak szczygiełek ochoczo poddała się kontroli.

Kontrast pomiędzy tą radością a kompletnie rozmazanym makijażem nieco zdziwił przedstawicieli prawa.

– Dobra, piszcie panowie ten mandat. Tylko szybciutko, bo się śpieszę – zaszczebiotała beztrosko Ruda.

Mężczyźni spojrzeli po sobie porozumiewawczo.

– Czy pani wie, dlaczego ją zatrzymaliśmy?

– No pewnie, że wiem! Ma mnie pan za idiotkę? – zapytała oburzona Monika. – Ile?

– Pięćset złotych i dziesięć punktów karnych.

– Okej, niech będzie. Tylko piorunem.

– Czy coś się stało? – zainteresował się starszy aspirant.

– To najszczęśliwszy dzień mojego życia – odparła bez zastanowienia.

– I zamierza go pani zakończyć w kostnicy?

– Nie, w łóżku. – Ruda parsknęła śmiechem.

Najwyraźniej rozbawiła stróżów prawa, bo zrezygnowali z wlepienia jej mandatu i poprzestali na pouczeniu. Udało im się wymóc na Monice obietnicę zmniejszenia prędkości. Na odchodnym pogrozili jej palcem.

– Dlaczego nie od razu? – mruknęła wieczorem, gdy Maciek wreszcie ujął jej dłoń.

– Bo bałem się, że mi odmówisz.

– Dlaczego miałabym odmawiać?

– Różnie to bywa. Może i zachowałem się jak idiota, ale uznałem, że wolę dostać kosza przez telefon, a nie prosto w oczy.

– Wariat! – Monika nachyliła się nad stolikiem i pocałowała go prosto w usta. – Widać na tych platformach faceci dziczeją do reszty.

– Może coś zamówimy? Coś czuję, że jesteś głodna. – Zmienił temat.

Mrugnął porozumiewawczo i wręczył jej kartę.

Grecka knajpka, utrzymana w biało-niebieskiej kolorystyce, sprawiała niezwykle przytulne wrażenie. A morskie dekoracje zdecydowanie przydawały jej klimatu. Menu wyglądało tak zachęcająco, że obojgu ciężko było się zdecydować na coś konkretnego, więc za namową kelnerki zamówili gotowe zestawy degustacyjne.

Pomysł z serwowanym na ogromnym półmisku mnóstwem dań, za to w małych ilościach, okazał się strzałem w dziesiątkę. Nie licząc, oczywiście, tzatzików i doskonałego greckiego wina.

Ruda była zachwycona. Miała naturalnie świadomość, że przez cały wieczór szczebiocze jak najęta, ale była tak szczęśliwa, że machnęła ręką na własne zachowanie. Zwłaszcza że Maciek również nie pozostawał jej dłużny. Gdy w końcu przesiadł się i zajął u jej boku miejsce na ławie, z trudem utrzymywał ręce przy sobie. Taka kobieta w bezpośredniej bliskości działała na niego jak magnes. Przysunął się bliżej. Wystarczająco blisko, by poczuć ciepło jej ciała. Objął ją delikatnie i równie delikatnie pocałował za uchem. Monika zadrżała i prawie rozchlapała wino. W tej chwili myślała wyłącznie o jednym.

Maciek w końcu poprosił o rachunek. Na do widzenia dostał upominek od szefa kuchni w postaci butelki *vino de la casa*.

Jednak kawalerskie mieszkanie faceta, którego na dodatek prawie nigdy nie ma w domu, chwilowo nie nadawało się do zapraszania kogokolwiek.

– Trzeba będzie coś z tym zrobić. – Maciek wskazał palcem na butelkę. Ruda odpowiedziała uśmiechem i nadstawiła usta do pocałunku. – Ale jest pewien problem...

– Jaki znowu problem?

– Nie mam kieliszków.

– Ale ja mam! – roześmiała się Monika. – Tylko zanim stąd ruszymy, chciałabym zajrzeć na moment do Ewy. To zaledwie dwie przecznice stąd. Odrobina ruchu dobrze nam zrobi.

– Załatwione. Wszystko u niej dobrze? – Maciek podał jej zwiewną narzutkę.

– No właśnie nie wiem, bo cały czas milczy. Najpierw nie odbierała telefonu, a teraz nawet poczta głosowa w jej telefonie jest pełna. Myślę, że ta ofiara zgubiła gdzieś komórkę. Pewnie ma już nową.

– I nie zadzwoniła? – zdziwił się.

– A myślisz, że zna mój numer? Szczerze wątpię. Ja, odkąd zapisuję numery w telefonie, nie znam na pamięć ani jednego. Pod tym względem jesteśmy podobne. Poza tym ten numer mam dopiero od niedawna. – Ruda uśmiechnęła się na myśl o przyjaciółce.

– Coś to pokręcone. – Maciek odruchowo rozmasował szyję. Zmarszczył czoło.

– Niby jak?

– A tak, że w pięć sekund mogła odszukać w internecie numer do twojej firmy i dać znać. A tego nie zrobiła.

– Chodźmy. Tylko nie tak szybko, bo wiesz… Obcasy. – Monika wzięła go pod rękę i przysunęła się bliżej.

– Wiem. – Uśmiechnął się i czule pocałował ją w czubek głowy.

Drzwi windy rozsunęły się z cichym szmerem. Na piętrze panowała niczym niezmącona cisza.

Ruda ostrożnie podeszła do drzwi. Wyglądały normalnie. Nacisnęła biały przycisk dzwonka. Wewnątrz rozległo się charakterystyczne pianie koguta.

– Jezu, co za odgłos! – roześmiał się Maciek. – Koszmar! A może ona jest tam teraz z jakimś facetem, a my się jej wtarabanimy w nieodpowiednim momencie?

– I ja o tym nie wiem? Nie ma takiej opcji. – Ruda natychmiast wyprowadziła go z błędu. – Zobacz, czy pod wycieraczką jest klucz.

– Ona trzyma klucz pod wycieraczką? Chyba upadła na głowę! – Zbulwersowany Maciek otworzył zamek.

– Twierdzi, że u niej nie ma czego ukraść. A że ciągle coś gubi, akurat klucz woli mieć w pewnym miejscu. – Ruda nacisnęła na klamkę i przekręciła wyłącznik światła. – Ewa! Jesteś tu? – zawołała.

W mieszkaniu wszystko wyglądało normalnie.

Lecz nagle Monika przystanęła w pół kroku. Bacznie przyjrzała się wnętrzu. Nie potrafiła sobie uzmysłowić, co ją zaniepokoiło.

– Zaraz... – powiedziała do siebie.

Sprzęty znajdowały się na swoich miejscach. Tylko kwiatek w pokoju jakby nieco przywiądł.

– Ewa! – zawołał Maciek.

– Kurczę, nie ma jej. Tak myślałam.

– Może gdzieś wyjechała?

– Zaraz sprawdzimy – mruknęła pod nosem Ruda i zanurkowała w szafie.

166

Dwie torby podróżne, bez których Ewa nie ruszała się nigdzie, spokojnie leżały na dnie. Zaniepokojona sprawdziła łazienkę i sypialnię. Pusto.

– Bingo! – doznała olśnienia.

– Co jest? – zainteresował się Maciek.

– Czujesz to? – głośno wciągnęła nosem powietrze.

– Niby co? Ja nic nie czuję – odparł rozczarowany i bezradnie rozejrzał się dokoła.

– Zaduch. Taki typowy dla niewietrzonych latem pomieszczeń.

Ewa zawsze na potęgę wietrzyła miejsca, w których przebywała, nieważne, czy na zewnątrz było plus trzydzieści, czy minus dwadzieścia stopni. Latem dodatkowo namiętnie robiła przeciągi, na co jej przyjaciółka dostawała szału, bo od razu reagowała anginą. Teraz była pewna, że Ewy już od jakiegoś czasu nie ma w domu. Ale gdzie się podziała?

– Matko, gdzie ona jest? – myślała na głos.

Było prawie niemożliwe, że wyjechała, nie mówiąc jej o tym. Zwykle kontaktowały się tak często, że wzajemnie mogły odtworzyć dzienny grafik każdej z dokładnością do kwadransa. Fakt poznania nowych znajomych czy też nowego obiektu miłosnych zainteresowań także nie przeszedłby niezauważony.

Nowe zlecenie w pracy, nawet pilne i wymagające czasu, również.

– Nie denerwuj się. – Maciek przysiadł na kanapie i przygarnął Rudą do siebie.

Też martwił się o Ewę, ale robił wszystko, żeby tego nie okazać. Zdążył poznać ją wystarczająco dobrze, by zniknięcie wydało się mu dziwne.

– Może jest coś, o czym po prostu nie wiesz?

– Nie wiem. Może. Oby.

– Proponuję na razie niczego tutaj nie dotykać. Podlejemy tylko tego biednego badyla i zbieramy się stąd. Na wszelki wypadek możemy obdzwonić wszystkie szpitale. – Maciek wstał i przeszedł do kuchni w poszukiwaniu jakiegoś naczynia.

– Jezus Maria...

Przerażona nie na żarty Monika ukryła twarz w dłoniach. A gdy za chwilę Maciek zawołał ją do kuchni, przeraziła się jeszcze bardziej.

– Czy to jej komórka? – Wskazał na leżący na lodówce telefon w pomarańczowym pokrowcu.

– Boże, tak!

– Dzwoń po policję – zarządził. – Znasz wszystkie jej dane?

– Tak! – chlipnęła Ruda. – Zrób mi kawy, bo chyba wiele dziś nie pośpimy – poprosiła.

Właśnie dochodziła dwudziesta druga.

Zanim ekipa dochodzeniowa przeczesała mieszkanie w poszukiwaniu jakichkolwiek poszlak i spisała zeznania, zrobiła się trzecia w nocy. Monika, mimo niepokoju, z uwagą przyglądała się pracy śledczych. Liczyła na jakiś ślad, ale nawet pies tropiący nie poradził sobie z zadaniem. Jeśli wierzyć wyszkolonemu czworonogowi, trop urywał się na ulicy, jakieś pięćdziesiąt metrów od wejścia do domu Ewy.

Tknięta przeczuciem Ruda w ostatniej chwili skojarzyła fakty i kazała sprawdzić szafę z ubraniami. Doskonale znała zawartość garderoby przyjaciółki, więc teraz, pełna najgorszych obaw, nerwowo przesuwała wieszaki.

Nigdzie nie było czarnego wieczorowego spodnium. Czarnych szpilek na niebotycznych obcasach również nie. Maleńka czarna torebeczka, prezent od niej na ostatnie urodziny, również znikła bez śladu.

– Ostatni raz była tu w niedzielę po południu. Wieczorem już nie wróciła – oznajmiła Monika.

– Nie myślała pani o zmianie pracy? – zapytał funkcjonariusz, zaskoczony trafnością dedukcji.

– Nie – odburknęła i po raz czwarty przygotowała kawę dla wszystkich. – Co z nagraniami z ulicznego monitoringu?

– Nic. – Mężczyzna wzruszył ramionami.

– Jako to: nic?

– Normalnie. Jeszcze nie został podłączony.

– Aha.

Mieszkanie Ewy opustoszało dopiero nad ranem.

Monika i Maciek byli tak wykończeni i niewyspani, że wcześniejsze myśli o miłosnych figlach wyparowały z nich jak woda z kałuży w upalny dzień. W rezultacie Maciek odwiózł Rudą do domu i wrócił do siebie. Czekał go ciężki dzień – w południe miał się stawić w siedzibie zleceniodawcy i złożyć raport z wyjazdu. Poprzedniej nocy w podróży prawie nie spał, następne godziny dostarczyły mu ekstremalnych wrażeń, a te najbliższe nie zapowiadały się spokojnie. Nie licząc spraw zawodowych, musiał przecież wspierać Monikę, która z obawy o przyjaciółkę rozkleiła się kompletnie.

Pomimo wyczerpania Ruda nie mogła zmrużyć oka. Przewracała się z boku na bok, aż w końcu uznała, że to bezcelowe. Wstała, nastawiła wodę na herbatę i ciężko poczłapała pod prysznic. Dochodziła szósta.

Planowała obdzwonić wszystkie okoliczne szpitale, licząc, że może w którymś z nich znajdzie Ewę. Z jednej strony chciała poznać prawdę, z drugiej strony obawiała się najgorszego. W głowie miała kompletny mętlik i sama już nie wiedziała, co gorsze. Co prawda policjanci zapewnili ją, że sprawdzą placówki służby zdrowia we własnym zakresie, ale Monika wolała zrobić to osobiście. Nie lubiła siedzieć z założonymi rękami, wolała choćby udawać, że coś się dzieje.

Wrażenie względnego panowania nad sytuacją pozwalało jej nie wpaść w panikę.

Po godzinie bezowocnych poszukiwań podłączyła komórkę do ładowarki. Zadzwoniła już wszędzie. I nic. Do sprawdzenia pozostało tylko jedno miejsce – kostnica.

Drżącymi rękami wybrała numer.

Ewy nie było i tam.

Odetchnęła głęboko i otarła z policzków łzy. Spróbowała przełknąć choć parę łyków owocowej maślanki, ale zamiast żołądka miała ciasny supeł. W fatalnym nastroju byle jak uprzątnęła kuchnię i uspokoiła się nieco dopiero po telefonie od Maćka. Jej facet był już w połowie drogi do Warszawy i również umierał z niepokoju.

– Nic z tego nie rozumiem – powiedział. – Jak można tak po prostu zniknąć?

– To wszystko jest bardzo dziwne. Nigdzie jej nie ma. Sprawdziłam wszystkie miejsca, gdzie mogłaby trafić, gdyby coś jej się stało.

– Niepotrzebnie robiłaś sobie kłopot. Przecież policja ustala takie rzeczy w kilka minut.

171

– A cholera wie. Mam nadzieję, że zrobi w tym kierunku cokolwiek.

– Zrobi, zrobi. – Maciek próbował jakoś podnieść Rudą na duchu. – W końcu od tego jest.

– A niby co jeszcze może zrobić? – upierała się.

– Przecież to wypadałoby jakoś nagłośnić, dać jakieś ogłoszenia czy coś.

– To wynajmijmy detektywa.

– O! To jest myśl! – Monika podskoczyła, jakby ją ktoś ukłuł w siedzenie. – Chyba nawet jednego znam. Pa!

Natychmiast przypomniała sobie o dawnym znajomym Adriana, którego poznała jakiś czas temu, a którego nazwiska nie mogła sobie teraz za nic przypomnieć. Za namową Ewy usunęła jego numer telefonu. Pamiętała jedynie, że jego znajomy dał jej swoją wizytówkę, a ona skwitowała to pobłażliwym uśmiechem. Wcześniej nigdy nie korzystała z takich usług i nawet nie próbowała wyobrazić sobie sytuacji, w której mogłaby być do tego zmuszona. Aż do dziś, kiedy pomysł Maćka zmobilizował ją do działania.

– Cholera jasna, jakże mu tam było? Wojtek, Dariusz, Tomek, Marek? – mamrotała pod nosem, przeglądając jednocześnie listę lokalnych agencji detektywistycznych.

Była pewna, że gdy zobaczy jego imię i nazwisko, od razu skojarzy, że to ten, którego szuka. Przy okazji zapoznała się z zakresem branżowych usług, wynotowała kilka kontaktów i od razu zadzwoniła w kilka miejsc.

W poszukiwaniach prześladował ją niefart, trafiła bowiem na jednostki kompletnie nieprofesjonalne. Owszem, była w stanie przeznaczyć na poszukiwania przyjaciółki okrągłą sumę, ale spodziewała się czegoś więcej niż tylko pytań o budżet i zaliczkę.

Zrezygnowana przetrząsnęła wszystkie torebki, ale w końcu znalazła to, czego szukała. Szary kartonik tkwił sobie spokojnie w niewielkiej kieszonce ulubionej skórzanej kurtki.

– No, mam cię! – ucieszyła się jak dziecko.

Świadomość, że sprawą zajmie się ktoś, kogo zna choć trochę, dodała jej skrzydeł. Od razu przystąpiła do działania, zwłaszcza że detektyw był gotów spotkać się z nią w każdej chwili. Po drodze do niego raz jeszcze wstąpiła do mieszkania Ewy i wyjęła z albumu kilka jej aktualnych zdjęć. Zanim odjechała, sprawdziła jeszcze pobliski parking, na którym zwykle przyjaciółka parkowała samochód. Aż dziwne, że wcześniej nikt, włącznie z policją, na to nie wpadł, pokiwała głową.

Auto Ewy stało tam, gdzie zawsze. Ruda okrążyła je i zerknęła do wnętrza. Nie zauważyła niczego
dziwnego, za to zauważył ją parkingowy, który wy-
rósł jak spod ziemi.

– Mogę w czymś pomóc? – zapytał, taksując Monikę wzrokiem.

– Matko! Ależ mnie pan wystraszył! – Przycis-
nęła pięści do piersi.

– Nie miałem zamiaru, ale muszę pilnować samochodów. W końcu za to ludzie mi płacą.

– Jestem przyjaciółką właścicielki tego wozu. Ewa
właśnie zaginęła. Szuka jej policja.

– Pani Ewa? O mój ty Boże! – Mężczyzna wyraźnie się zmartwił. – Taka miła osoba! I nic nie
wiadomo? Może wyjechała?

– Na razie jeszcze nic. A nie wie pan przypadkiem, kiedy ostatnio korzystała z samochodu?

– Wiem. Zaraz sprawdzę w grafiku. – Ochoczo
skierował się do budki. Przez chwilę wertował opas-
ły notes. – W sobotę rano.

– Dziękuję panu.

– Jest jeszcze sprawa opłaty za następny miesiąc
– powiedział do pleców Moniki parkingowy. – Wczoraj minął termin…

– Zapłacę. Ile? – Sięgnęła po portfel.

Przez sekundę przemknęło jej przez myśl, czy nie przeparkować gdzie indziej, ale zrezygnowała. Na parkingu samochód był bezpieczny. A poza tym gdy Ewa się odnajdzie – bo znajdzie się na pewno – przestraszy się, że ktoś ukradł jej auto.

Na spotkaniu z detektywem wreszcie powiało optymizmem. Początkowo Monika podejrzliwie zerkała na zabałaganioną klitkę, która miała być siedzibą agencji, ale złe pierwsze wrażenie ulotniło się po chwili.

Dariusz rozpoznał Rudą natychmiast i powitał ją jak co najmniej starą znajomą. Z uwagą wysłuchał relacji i skrzętnie zanotował fakty. Zadał sporo sensownych pytań i od razu wykonał kilka telefonów. Miał w głowie gotowy plan działania i sypał pomysłami jak z rękawa. Był w swoim żywiole.

– Jeśli po tym wszystkim, co planujesz, Ewa się nie znajdzie, to znaczy, że po prostu wyparowała. Albo porwało ją UFO. – Monika nie kryła entuzjazmu.

– Za godzinę będę mieć więcej informacji. Zadzwonię i ustalimy co i jak. – Detektyw starał się zachować profesjonalizm, choć ukrycie uśmieszku satysfakcji przyszło mu z trudem.

– W porządku.

– Miałaś szczęście. Właśnie zakończyłem dwa duże zlecenia i mam trochę czasu. Ostro ruszamy z kopyta.

– Świetnie. Teraz muszę na trochę wpaść do firmy, ale generalnie jestem do dyspozycji – zapewniła gorliwie.

– Bądź, bądź. Na wieczór planuję konferencję prasową, więc musisz być gotowa.

– Co takiego?! – Ruda omal nie spadła z krzesła.

– Nic. Wystąpisz przed kamerami i pogadasz do mikrofonu.

– Jezu...

– Spokojnie. Napiszę ci oświadczenie do odczytania, ale pismaki mogą ci zadać jeszcze jakieś inne pytania. Jak nie będziesz wiedziała, co powiedzieć, zawsze możesz się zasłonić dobrem śledztwa. Generalnie mów prawdę. Aha, i załatw, żeby jej matka też przyszła.

– Ale ona o niczym nie wie!

– To się dowie. I chyba lepiej będzie, jeśli dowie się od ciebie, a nie z telewizji – Dariusz uciął temat. Wstał od biurka, czym dał wyraźny sygnał, że spotkanie dobiegło końca. – I ubierzcie się skromnie. Jakieś szarobure kolory będą w sam raz pasować do naszych okoliczności. Jeśli Ewa rzeczywiście została porwana, trzeba jakoś wpłynąć na porywacza.

Może się ujawni? A wtedy będziemy wiedzieli, co robić.

– Myślisz, że skromny strój wzbudzi jego litość?

– Nie. Myślę, że wzbudzi litość telewidzów. Widok zbolałych twarzy i drżące głosy sprawiają, że ludzie zaczynają szerzej otwierać oczy. To normalne – powiedział Dariusz tonem fachowca.

Za wszelką cenę chciał zrobić dobre wrażenie.

– Okej – odparła potulnie i uścisnęła mu dłoń.

– I żadnych wzorków na ciuchach. Źle wychodzą przed kamerą.

– Matko święta... – wyszeptała przerażona Ruda i na miękkich nogach opuściła zagraconą kanciapę.

Tymczasem Dariusz nie posiadał się z radości. Po wyjściu nowej klientki wygodnie rozparł się w obrotowym krześle.

– No i cacy – powiedział do siebie i jednocześnie przeciągnął się, stękając głośno.

Jego jednoosobowa firemka przeżywała totalny kryzys. Zleceń było jak na lekarstwo, a konkurencja mnożyła się jak grzyby po deszczu. Od dłuższego czasu praktycznie nie zarabiał, a zlecenie poszukiwania rasowego owczarka i dwa zlecenia na niewiernych mężów nie załatwiały sprawy. Przy tak znikomych obrotach nie było go stać na żadne sensowne działania reklamowe.

Tu koło się zamykało.

– Bez kasy nie ma kasy – mruknął i zatarłszy ręce z uciechy, od razu zabrał się do roboty.

Zlecenie od Moniki było jak manna z nieba. Pomimo że Dariusz znał Ewę osobiście, w nosie miał jej niepewny los. Ważne było, że przyjaciółka zaginionej była skłonna wyasygnować na jej odnalezienie okrągłą sumkę, co w sytuacji permanentnej budżetowej dziury i niedawnych finansowych strat było nie do przecenienia.

Do tego wraz z tą sprawą dostał szansę, by wreszcie wypłynąć na szersze wody i w końcu pozyskać nowych klientów. Oto właśnie zyskał pretekst, by w naturalny sposób zareklamować się w mediach i narobić wokół siebie sporo szumu. I to w dodatku za cudze pieniądze. Publiczne poszukiwania względnie atrakcyjnej kobiety, w odróżnieniu od szukania jakiegoś tam psa, muszą wzbudzić w ludziach emocje i mnóstwo spekulacji. Niestety, dotychczas raczej nie miał sposobności, by jakkolwiek zaistnieć w mediach. A to w jego branży popłacało jak nic innego. Nawet odnalezienie nie było tak ważne jak samo szukanie. Odnalezienie kończyło sprawę, a szukanie podkręcało emocje i koniunkturę.

Tak, zdecydowanie poszukiwania opłacały się bardziej.

– Ha! – Dariusz położył nogi na biurku wzorem filmowych kolegów po fachu i wzniósł toast butelką taniej brandy.

Internet i komórka poszły w ruch.

ROZDZIAŁ 9

MONIKA WYSZŁA OD detektywa tak oszołomiona, że musiała posiedzieć w samochodzie jeszcze przez dłuższą chwilę. I ochłonąć.

To, co od wczoraj wyprawiało się w jej względnie poukładanym życiu, zwyczajnie nie mieściło się w głowie. Absolutnie nie mogła narzekać na brak wrażeń: Maciek, Ewa, Dariusz, policja, emocje, miłość, pożądanie, niepewność i strach. Jak na jedną osobę i niecałe dwie doby to stanowczo za dużo, pomyślała.

Czekały ją intensywne długie godziny. Musiała spotkać się z matką Ewy, której nigdy specjalnie nie lubiła. Z wzajemnością, nawiasem mówiąc. Ruda początkowo chciała do niej tylko zadzwonić, ale uznała, że jednak lepiej będzie, jeśli hiobową wieść przekaże osobiście. A perspektywa występu przed kamerami także zdenerwowała ją nie na żarty.

Nie znosiła publicznych wystąpień do tego stopnia, że nawet deklamowanie wierszyków na szkolnych akademiach wspominała źle. Trema paraliżowała ją od zawsze, choć jej wychowawczyni próbowała terapii. Twierdziła, że trening czyni mistrza. Ale cóż, w przypadku Rudej ta zasada się nie sprawdziła. Wręcz przeciwnie, przymus jeszcze bardziej pogłębił strach i dyskomfort. W pracy Monika jak ognia unikała wszelkich przemów do pracowników. Dobrze, że jej nowy dyrektor był w tym świetny i wyręczał ją z przyjemnością.

– Za jakie grzechy? – jęknęła i ruszyła z parkingu.

Matka Ewy ze zdziwieniem zareagowała na propozycję spotkania. I z jeszcze większym zdziwieniem przyjęła wiadomość o przypuszczalnym uprowadzeniu córki.

– Porwana? A po co?

– A tego nie wiem – warknęła podenerwowana Ruda. – Ale zarówno policja, jak i prywatny detektyw biorą taką opcję pod uwagę. Skoro nie ma jej w żadnym szpitalu ani w kostnicy… I jeśli założyć, że nigdzie nie wyjechała, należy skupić się na kidnapingu.

– A jeśli coś jej odbiło i zapragnęła zniknąć? – powiedziała matka.

– To teraz ja zapytam: a po co?

– No, ja nie wiem. Tak tylko gdybam.

– To bez sensu. Ona właśnie odniosła sukces. A poza tym musiałoby zdrowo jej odbić, żeby znikać na takich wysokich szpilkach i w wieczorowym spodnium – wyartykułowała Ruda z nieubłaganą logiką, nieco już zniecierpliwiona tą bezsensowną rozmową.

– Faktycznie. To ma sens – stwierdziła matka Ewy.

I niemal natychmiast podeszła do szafy, by poszukać odpowiedniego ubrania na występ.

Ruda podziwiała stoicki spokój, z jakim wyjmowała ciemne bluzki. Sama aż trzęsła się z nerwów. Teraz już nawet nie wiedziała, co stresuje ją bardziej: obawa o los przyjaciółki, wystąpienie przed kamerami czy postawa kobiety, która na wieść, że jej córka właśnie przepadła jak kamień w wodę, skupiła się na przymierzaniu ciuchów.

– Czarna może być? – zapytała tamta beztrosko.

– Nie! – prychnęła Monika. – To nie pogrzeb. Szara wystarczy. Będę po panią o siedemnastej.

W piekarni, jak na złość, rozpruł się worek z problemami. Cóż, prawo Murphy'ego, czy też, jak kto woli, prawo serii, zadziałało i tym razem. Jeden z nowych pracowników źle zaprogramował piece i przypalił całą partię bagietek. Do tego pomylił proporcje przy pączkach i cały wypiek poszedł do kosza. Sekretarce zebrało się na oznajmienie szefowej, że jest w ciąży i wybiera się na zwolnienie lekarskie, a kadrowa zwichnęła kostkę.

Normanie jakaś czarna seria.

Nie, Ruda się nie poddała. Uruchomiła swoje znajomości, ubłagała klientów, żeby zaczekali na spóźnione dostawy, i wpisała w straty dzisiejsze pomyłki personelu.

Tego dnia i tak nie uporam się ze wszystkim, pomyślała przytomnie. Żeby rozładować ten cały produkcyjny zator, trzeba jeszcze co najmniej dwunastu godzin. Grunt, że cudem udało się uratować dostawę i dobre imię firmy.

Wykończona, ostatkiem sił dotarła do domu, żeby się przebrać. I łamiąc wszystkie ograniczenia prędkości, pognała z powrotem po matkę Ewy. Jeśli chciały zameldować się na miejscu o czasie, musiały się pośpieszyć.

W myśl zasady: „Jeśli boli cię ząb, złam rękę", Ruda chwilowo zapomniała o strachu przed kamerą. Przypomniał jej o tym dopiero widok mikrofonów i obiektywów. Ostrożnie lawirując między dziesiątkami kabli i rozgadanym tłumkiem, odszukała Dariusza.

– Rany boskie, co tak późno? – usłyszała. – Masz tu i czytaj! Mamuśka jest? – zapytał przejęty.

– Jest. – Dłonią wskazała kierunek. – Naprawdę muszę to czytać? Może lepiej matka? Bo kim ja niby jestem?

– To jest myśl! Tylko czy da radę? – zaniepokoił się detektyw, najwyraźniej nie zdając sobie sprawy, że Ruda wolałaby chyba umrzeć, niż to czytać, natomiast matce Ewy takie coś nie sprawi najmniejszego kłopotu.

– Chodźmy zapytać.

Tak jak myślała Monika, matka Ewy aż pokraśniała z zadowolenia. Dumna, że zaimponuje koleżankom z klubu czytelniczego, z aktorską wprawą wygłosiła apel do porywacza i współczujących obywateli. W sytuacji, w której nic nie było wiadomo, każda, nawet najmniejsza informacja mogła pomóc trafić na właściwy ślad.

Głos zabrał również Dariusz.

– Genialnie wyszło! – Był wniebowzięty.

Pod koniec dnia Ruda poczuła się, jakby właśnie uszła z niej cała para. Energia ulotniła się jak powietrze z przekłutego balonika. Mimo że nie musiała odzywać się na wizji, do dobicia jej wystarczył sam udział w konferencji prasowej.

Dopiero gdy gruchnęła na łóżko i przyłożyła głowę do poduszki, znalazła minutkę, by spokojnie pomyśleć o Maćku. Przez cały dzień chciała z nim pogadać, ale w natłoku wrażeń i zajęć zdołała tylko pochwycić, że jego pobyt w centrali firmy w Warszawie przeciągnie się do kilku dni. A teraz była tak zmordowana, że nie miała siły wstać po telefon.

Cóż, szkoda, westchnęła, zasypiając z uczuciem bolesnej tęsknoty.

Pragnęła Maćka tak bardzo jak jeszcze nigdy nikogo. Przy nim czuła się bezpiecznie, seksownie i kobieco. Widziała, z jaką uwagą chłonie każde jej słowo, każdy gest. Czuła, że to jej odnaleziona przypadkiem druga połówka. Cały czas podświadomie myślała o nim, ale dopiero teraz zdała sobie sprawę, że chyba go kocha. Już dawno zapomniała, jakie to uczucie.

Odpłynęła z uśmiechem na ustach.

Koszmary dręczyły ją przez całą noc. Nie potrafiła sobie przypomnieć, o czym śniła, ale nawet pomimo braku konkretów czuła przy porannej toalecie wyraźny niepokój.

– Matko, Ewka! Gdzie ty, dziewczyno, jesteś? – wyszeptała smutno, aczkolwiek miała irracjonalne przeczucie, że przyjaciółce nie przytrafiło się nic złego. Łączyła je silna więź. Dlatego też była pewna, że gdyby doszło do tragedii, wiedziałaby o tym. Czułaby to przez skórę.

– Wszystko będzie dobrze – westchnęła i rozpoczęła nowy dzień.

ROZDZIAŁ 10

– JOHN? – zapytała cicho Ewa.

Chwilę trwało, zanim dotarło do niej, co się stało, i wietrząc jakiś podstęp, ostrożnie podeszła bliżej. Gospodarz rozciągnięty jak długi leżał na dywanie. Ewa przysunęła się jeszcze bliżej. W jednej ręce trzymała przykute do nadgarstka metalowe krzesło, drugą lekko szarpnęła go za ramię.

– John, czy jak ci tam na imię, psiamać! – podniosła głos.

Nic. Żadnej reakcji.

Sprawczynię zamieszania, czyli skórkę od banana, zauważyła, gdy przeszukiwała kieszenie mężczyzny w poszukiwaniu klucza do kajdanek. Kto wie, czy ona nie uratowała mi życia?, pomyślała przelotnie. John musiał nie zauważyć jej przy sprzątaniu, a teraz wyciął na niej popisowego orła i przy okazji efektownie wyrżnął głową o kant stołu.

– Ale jaja – mruknęła do siebie.

Nie licząc kluczyka, dzięki któremu odzyskała swobodę, natrafiła też na sterującego roletami pilota. W pośpiechu naciskała wszystkie guziki po kolei, aż wreszcie odkryła właściwy.

Do wnętrza wpadły jasne promienie zachodzącego słońca i dom przestał wreszcie przypominać kazamaty. Ewa zmrużyła oczy.

Nadszedł czas, by sprawdzić, jaki jest dzień tygodnia i która godzina.

Pobiegła do kuchni, znalazła tam archaiczną komórkę i trochę drobnych. Zgarnęła pieniądze w dłoń i pochwyciła z poręczy swój wieczorowy żakiet. Nie przestając czujnie zerkać w stronę leżącego mężczyzny, capnęła z podłogi drogie szpilki. Była trochę głodna, ale uznała, że taka okazja może się już nie przytrafić, więc darowała sobie jedzenie. Nie oglądając się dłużej za siebie, rozsunęła przeszklone tarasowe drzwi.

Na zewnątrz głęboko wciągnęła przesycone wilgocią powietrze i bez zwłoki podbiegła do bramy. Niestety, w żaden sposób nie mogła jej otworzyć. Furtka również nie chciała ustąpić.

Ewa przetarła odwykłe od słońca oczy.

– Niech to cholera! – zaklęła.

Owszem, wydostała się z domu, ale jak opuścić teren posesji? W ogrodzie miała szansę się ukryć, ale przecież nie może nie wiadomo ile siedzieć w jakichś krzakach. Poczuła nagły przypływ paniki i biegiem rzuciła się w przeciwnym kierunku. Za duże hotelowe kapcie utrudniały sprint, ale nie dawała za wygraną.

W oddali, pomiędzy drzewami, dostrzegła szarą taflę wody.

Przecież tam musi być jakieś wyjście!, pomyślała. I jacyś ludzie. Może ktoś spaceruje z psem albo jakaś zakochana parka bzyka się na brzegu?, kombinowała intensywnie.

Pochylone nad wodą wybujałe drzewa zbliżały się z każdym krokiem. Już miała niemal wrażenie, że dosłownie za moment dotknie płatków dzikich róż rosnących za płotem, ale nadzieja i tym razem okazała się płonna. Znów napotkała przeszkodę. W ogrodzeniu wprawdzie zamontowano furtkę, ale zabezpieczono ją kodem dostępu.

Ewa, kiedyś całkiem niezła w przeskakiwaniu przez płoty, w panice obrzuciła wzrokiem górną część ogrodzenia. No tak, drut kolczasty, westchnęła ciężko. Ostrożnie dotknęła drucianej siatki w obawie, że być może ogrodzenie jest pod napięciem, ale nie poczuła niczego. Gdybym miała przy sobie choć kombinerki, poradziłabym sobie bez trudu, pożałowała. Przez chwilę przemknęło jej przez głowę, by zawrócić do domu i poszukać narzędzi, ale uznała, że to zbyt wielkie ryzyko.

– Ech! – sapnęła wściekle. – Niech to diabli!

Zrezygnowana przysiadła za krzakiem, na wypadek gdyby kamery domowego monitoringu sięgały aż tutaj. Przyszło jej do głowy, że powinna zawiadomić policję, ale po pierwsze nie miała bladego pojęcia, gdzie się znajduje, a po drugie nie miała telefonu. Wzięła kilka głębokich oddechów, żeby nieco ochłonąć, i w głowie zaświtała jej pewna myśl.

Wstała i podeszła do furtki. Przez chwilę dumała nad klawiaturą. Nie, to beznadziejne, stwierdziła. Przecież możliwych kombinacji są setki.

Mimo zniechęcenia wstukała cztery jedynki. I o dziwo, przy zamku rozległo się typowe pstryknięcie.

Elektromagnes puścił.

Ewa była wolna.

– Jezu, dzięki! – wyszeptała zachwycona, wybiegając wprost na wąską plażę.

Przez chwilę gnała na oślep, byle jak najdalej od domu porywacza. W końcu zatrzymała się zdyszana.

Nigdzie nie zauważyła żywego ducha. Słońce już zaszło, ale było jeszcze całkiem ciepło. Niestety, Ewa nie miała pojęcia, w którą ma pójść stronę.

Nie wiedziała, gdzie jest. Przeszła jeszcze kilkaset metrów i dała sobie spokój. Zrezygnowana przysiadła pod drzewem.

Przed sobą miała rozległy zalew, ze wszystkich stron otoczony lasem. Żadnych zabudowań, żadnego szczekania psa w oddali. Przez krótką chwilę wydawało się jej, że słyszy odgłos spalinowego silnika, ale dźwięk ustał, zanim Ewa zdołała porządnie nadstawić ucha, by zlokalizować kierunek, z którego doszedł. Wysiliła pamięć, ale za nic nie potrafiła sobie przypomnieć, czy w okolicy Krakowa znajduje się podobny akwen. A wydawało mi się, że znam pod miastem każdy kąt, westchnęła w duchu.

Zastanowiła się przez chwilę i doszła do wniosku, że otumanioną chloroformem można ją było wywieźć dosłownie wszędzie. Miała tylko nadzieję, że znajduje się gdzieś w Polsce. Albo przynajmniej na terenie Unii Europejskiej. Nagle zdała sobie sprawę, że bez dokumentów daleko nie zajedzie.

Otaczająca ją przyroda wyglądała dość znajomo, istniała zatem nadzieja, że porywacz nie wywiózł jej nie wiadomo jak daleko, co nie zmieniało faktu, że musiała jak najszybciej znaleźć jakichś ludzi i poprosić o pomoc. Najlepiej jeszcze przed zmrokiem.

Przeszła jeszcze kawałek i upewniwszy się, że nikt jej nie goni, przysiadła na pniaku, by pozbierać myśli. Dopiero teraz zauważyła, że cała drży z emocji. Odetchnęła pełną piersią. Cichy plusk wody o brzeg podziałał na nią uspokajająco. Zagapiona w zmarszczoną drobnymi falami toń jeziora uznała, że nie pamięta, kiedy ostatnio widziała tak ładne miejsce. Przez życie pędziła jak szalona, niewiele z niego mając. Liczyła się wyłącznie kariera, sukcesy, praca. A było dla kogo żyć. Ewa od dawna marzyła o dziecku, o chwilach świętego spokoju, o psie, świętach z choinką, wytchnieniu, tymczasem nawet nie miała chwili, żeby o tym porządnie pomyśleć. Dopiero tutaj, na jasnym piasku niewielkiej plaży dotarło do niej, że gdyby nie wydarzenia ostatnich dni, zapewne długo jeszcze okłamywałaby samą siebie, że przecież jest zbyt zajęta i nie może zwolnić. Uderzyła ją przewrotność losu – im bardziej szukała miłości, im bardziej łapczywie rzucała się na każdą szansę na szczęście, tym bardziej cierpiała. Im bardziej pragnęła, tym gorszych dokonywała wyborów. Była gotowa na każdy kompromis, byleby tylko być jak inni. Mieć dla kogo żyć i do kogo wracać. By mieć na kogo czekać z kolacją i żeby ktoś budził ją co rano zapachem kawy i ciepłych grzanek.

Ewa wciągnęła powietrze i poczuła wyraźny swąd spalenizny i palonego drewna. Uznała, że woń oznacza ognisko, wstała zatem i szybkim krokiem ruszyła w kierunku, z którego powiał wiatr. Pełna nadziei wbiegła na wąziutką ścieżkę, ledwie widoczną wśród wybujałych paproci.

– Bożeee! Goreee! Ludzieee, ratujcie! – Naraz doszedł ją paniczny krzyk. Teraz już była pewna, że gdzieś nieopodal coś się pali, i sądząc po dobiegających odgłosach, raczej nie było to ognisko. Ewa przyśpieszyła kroku. Po chwili las się skończył, a jej oczom ukazał się przerażający widok: niewielki drewniany dom lizały płomienie. Po podwórku miotała się przerażona, na oko sześćdziesięcioletnia kobieta. Z jej oczu wyzierał obłęd, twarz miała umazaną sadzą i zmierzwione włosy. W niewielkiej odległości od domu, za krzakiem porzeczek kuliło się dwoje wystraszonych dzieciaków. Ewa, widząc, że starsza pani zamierza wejść do płonącego budynku, w ostatniej chwili zastąpiła jej drogę.

– Zwariowałaś, kobieto? Życie ci niemiłe?

– Ja muszę! Ja muszę... – wyszeptała tamta jak w transie. – On tam jest!

– Kto?

– Tornado. Mój pies.

Jakby na potwierdzenie jej słów z wnętrza dobiegł skowyt przerażonego zwierzęcia.

– Zostań tutaj! – rozkazała Ewa. Rozejrzała się wokół i podniosła spory kamień. Bez wahania wybiła okno na parterze i gwizdnęła, ale przestraszone stworzenie nie ruszyło się z miejsca. Psisko wcisnęło się w kąt pokoju i ani myślało wyjść. – Cholera! – mruknęła i upewniwszy się, że jest to względnie bezpieczne, wspięła się na parapet. Nie zważając, że rozbite szkło boleśnie rani jej bose stopy, nachyliła się po zwierzę. – No, wyłaźże! – warknęła, ale bez skutku.

Huk szalejących płomieni narastał z każdą chwilą. Szparą pod drzwiami sączył się gęsty dym. Ewa, która pamiętała ze szkoły, że dostęp powietrza tylko rozniecia ogień, bezradnie rozejrzała się dokoła. Pies wciąż tkwił w kącie i trząsł się jak galareta, więc błyskawicznie podjęła decyzję. Wzięła solidny zamach i z całej siły przywaliła zwierzakowi kijem od miotły. Pisnął zaskoczony i z podkulonym ogonem rzucił się w stronę okna. Wystarczył jeden sus, by zwierzak stał się bezpieczny. Ewa, jeszcze zanim podążyła w jego ślady, wyrzuciła na zewnątrz dwie stojące przy łóżku spore walizki.

– Strażacy już jadą?! – wrzasnęła pytająco do spanikowanej kobiety.

– Nie!

– Bo co? Cholera! – Ponownie wzięła zamach i cisnęła pościel z łóżka oraz koce.

– Nie znam numeru – wykrztusiła pomiędzy spazmami kobiecina.

– Kobieto! Sto dwanaście! – ryknęła co sił w płucach Ewa, posyłając w ślad za kocem dwa tapicerowane zydle. – Już! Czy jeszcze ktoś jest w środku?!

– Nie ma nikogo!

Na zewnątrz wylądowały ubrania z szafy, jeszcze dwa krzesła z oparciem i miednica. Na koniec Ewa wspięła się na mały taborecik i z wysiłkiem przeszła przez rozbite okno.

– Boże… – stęknęła. – Jadą już?

– Nie wiem, nie umiem się dodzwonić! – rozpłakała się kobieta i bezradnym gestem podała Ewie komórkę.

Ta, nie czekając na nic, natychmiast wybrała numer alarmowy.

– Gdzie my jesteśmy?

– Nad jeziorem.

– Boże! Kobieto, oprzytomniej wreszcie! Co to za miejscowość?! – gromko zmobilizowała przerażoną niewiastę, licząc, że tamta poda wreszcie konkrety.

– Podgórki Dolne. Wjazd od strony mleczarni.

Teraz wszystko potoczyło się w okamgnieniu. Na interwencję straży nie trzeba było długo czekać, ale, niestety, nie było już czego ratować. Drewniany dom spłonął jak pochodnia; przetrwały wyłącznie ubrania suszące się na sznurze w lesie i to, co Ewa w pośpiechu wyrzuciła przez okno. Nie była panikarą i zazwyczaj w sytuacjach kryzysowych potrafiła jak mało kto zachowywać zimną krew. Dopiero po fakcie, gdy emocje opadały już nieco, puszczały jej nerwy. Zatem i teraz, gdy tylko upewniła się, że sytuacja została opanowana, w jednej chwili roztrzęsła się jak galareta. Była bliska płaczu, gdy podeszły do niej dzieci. Ostatkiem woli wzięła się w garść.

– To wasza babcia? – zapytała.

– Tak, opiekuje się nami. Nasza mama pracuje w Irlandii – oznajmiła rezolutnie siedmioletnia na oko dziewczynka. Co dziwne, teraz już wcale nie wyglądała na wystraszoną.

– Jak masz na imię?

– Mariolka. A to mój brat. Wojtuś to jeszcze smarkacz – dodała i z wyrazem najwyższej pogardy dłonią wskazała na przedszkolaka, który ze łzami w oczach bez słowa rzucił się Ewie na szyję. Ta, zaskoczona, niemal upadła pod tym impetem i odruchowo przygarnęła malca do piersi. – Spokojnie, mały, już po wszystkim – uspokajała. – A gdzie wasza babcia?

– Siedzi tam i płacze. – Mariolka machnęła w kierunku wozu strażackiego.

Strażacy sprawnie dogaszali zwęglone zgliszcza. Jeden z nich usiłował wydobyć od kobiety jakieś zeznania, ale była w takim szoku, że nie potrafiła wykrztusić słowa.

– Macie gdzie się podziać? – zapytał Ewy.

– Tak – odparła bez namysłu i posłała mu niewinny uśmiech.

Pożar przepełnił czarę. Dopiero teraz, w tak kuriozalnych okolicznościach, cały ten pokręcony John i jego dziwaczna akcja dotarły do niej wyraźnie. Owszem, porywacz nieźle ją wystraszył, ale w sumie nie zrobił jej żadnej krzywdy. Nie tknął jej nawet palcem. Ewa była prawie pewna, że John potrzebuje fachowej pierwszej pomocy, a strażacy mogli okazać się w tej kwestii niezastąpieni. W takiej sytuacji kobieta z dzieciakami również nie miała chwilowo gdzie się podziać, więc wszyscy mogli pomóc sobie nawzajem. W sekundę podjęła decyzję i nie zastanawiając się nad konsekwencjami, energicznie wstała z trawnika. – Ale musicie iść ze mną, bo sama sobie z tym wszystkim nie poradzę. Pomożecie mi? Tam można usiąść w spokoju, spiszecie protokoły. Zbieramy się – zadysponowała.

Kto żyw ruszył do pakowania skromnego dobytku, który udało się uratować.

– To gdzie teraz? – zapytał spocony strażak.

Ewa ruszyła przed siebie. Było już prawie całkiem ciemno, więc wytężyła wzrok. Wokół oprócz nich nie było żywego ducha. Drżała z zimna, toteż przyśpieszyła kroku.

Po kwadransie znów wystukała na klawiaturze cztery jedynki.

– Tędy. – Wskazała wąską ścieżkę prowadzącą do drzwi wejściowych, a sama skierowała się przez trawnik w stronę tarasu.

Hotelowe kapcie były w strzępach, więc zrzuciła z nóg zakrwawione resztki brudnej flizeliny i boso przecięła rozległy trawnik.

– Łaaa! Jezus Maria! – wrzasnęła, gdy z kilku stron dosięgły ją strugi lodowatej wody.

Skąd mogła wiedzieć, że właśnie na tę porę zaprogramowano ogrodowe zraszacze?

Zanim opuściła pole rażenia lodowatej fontanny, była kompletnie przemoczona. Nie zważając na to, że wygląda niczym zmokła kura, jak burza wparowała do salonu.

John wciąż leżał bez ruchu w tym samym miejscu, w którym go zostawiła. Na jego czole widniał okazały guz.

– Tylko mi tu nie umieraj, bo nie mam teraz czasu! Mam na głowie pożar, strażaków i przerażoną babcię z bachorami – powiedziała i szturchnęła go mocno. – No już! Budź się! – Wymierzyła mu siarczysty policzek.

Niestety, bez skutku. Nie namyślając się wiele, capnęła go za brodę i jednym szarpnięciem odkleiła sztuczny zarost. Jeszcze raz z całej siły zdzieliła mężczyznę w twarz.

– Ała! – jęknęła z bólu i potarła obitą dłoń.

John nadal nie zdradzał oznak życia.

Z kursu pierwszej pomocy zapamiętała, jak zbadać puls, więc teraz odnalazła odpowiednie miejsce na szyi. Wyczuła wyraźne tętno.

– No dobra, skarbeczku – mruknęła. – Nie chcesz po dobroci, to załatwimy to inaczej.

– Co z nim? – zainteresował się któryś ze strażaków.

– Nic. Chyba żyje.

Strażak powiódł wokół zdziwionym spojrzeniem. Jego uwagę przez chwilę przykuły dyndające na krześle kajdanki, ale napotkał na twardy wzrok umorusanej Ewy i zwrócił się ku nieprzytomnemu.

Bez namysłu wybiegła na taras i sięgnęła po metalowe wiaderko z deszczówką. Bardzo zimną deszczówką.

– Co pani wyprawia? – zdziwił się mężczyzna.

– Cucę nieprzytomnego. Na bok z nim, co?

– Tak... Chyba tak.

Z trudem udało się przetoczyć bezwładne ciało do pozycji ustalonej, po czym Ewa, ku uciesze dzieciaków, chlusnęła nieprzytomnemu Johnowi zawartością wiaderka prosto w twarz. Mężczyzna wciągnął trochę wody nosem i ocknął się, parskając na wszystkie strony.

– Co...? Ja tonę! Ratunku! – wykrztusił. – Co to ma znaczyć? – mamrotał, gramoląc się nieporadnie na czworaka. – Mój dywan...

– A chrzanić dywan! Dobrze, że się nie zabiłeś.

– Ale jak? – John kompletnie nie wiedział, o co chodzi. – Gdzie moja broda?

– Idiota! – warknęła Ewa. – Ruszaj się szybciej, bo potrzebujemy twojej pomocy – poleciła.

– Ale... – Niezdarnie pogładził ogoloną na łyso czaszkę. – A włosy?

– Migiem! – huknęła. – Masz tu te swoje żałosne włosy. – Bez ceregieli cisnęła w jego stronę ociekającą wodą rudą peruką.

Kątem oka złowiła minę strażaka. Facet patrzył z rozdziawionymi ustami to na kajdanki, to na sztuczny zarost i perukę.

– Nic nie jarzę... – Wyglądał na cokolwiek zaskoczonego okolicznościami.

– Nie słyszałeś nigdy o rozbójniku Rumcajsie? – zapytała go Ewa. – To taka bajka, wiesz? Dorośli czasem lubią pofiglować jako postaci z bajki. – Mrugnęła porozumiewawczo.

Strażak, jak na zawołanie, spłonił się niczym średniowieczna dziewica.

– No, ruszajże się wreszcie!

Ewa podeszła do Johna i spróbowała pomóc mu wstać. Podniósł się z niemałym wysiłkiem i z jękiem chwycił się za głowę.

– No, jazda! Nie będziesz się chyba cackać z jakimś głupim guzem, nie? Taki duży chłop, a taki cienias – Ewa dworowała sobie na całego. – Wiesz, zawsze lubiłam łysych. Uważam, że łysina jest całkiem sexy. To jak, skarbie? Może jednak wyrzucimy w cholerę te rude kłaki?

– Ale co się stało? – Ogłuszony John obmacywał obitą twarz.

Jeszcze nie do końca kojarzył wszystkie fakty.

– Poślizgnąłeś się na skórce od banana i przywaliłeś głową w stół. Straciłeś przytomność, a ja nie miałam cię jak ocucić, więc dostałeś po gębie. Dwa razy.

– Nic z tego nie rozumiem. Dlaczego nie uciekłaś? I co to za ludzie?

– To pogorzelcy z sąsiedztwa – odparła rzeczowo.

– Kto taki? – Zamroczony gospodarz zdecydowanie miał kłopoty z kojarzeniem faktów.

Jako ostatnią zapamiętał awanturę z porwaną.
Później urwał mu się film, a teraz ocknął się w jakiejś innej bajce.

– Po sąsiedzku spalił się dom – wyjaśniła Ewa
i podziękowała strażakowi za pomoc.

Jej nowa znajoma, babcia Halina, chwilowo nie
była skłonna do rozmowy o pożarze, więc obecność
na miejscu funkcjonariusza okazała się zbędna. Kobieta była zbyt roztrzęsiona i zszokowana, by myśleć
racjonalnie. Siedziała na sofie w milczeniu, tuląc do
siebie zmęczone wnuczęta, które jak na komendę
zaczęły ziewać jak małe smoki.

– Gdzie masz pościel?

– Pościel?

– Jeeezu! – Ewa wymownie wywróciła oczami. –
Nie widzisz, że dzieci są śpiące? Jesteście głodni? –
zwróciła się do gości, ale wszyscy zgodnie pokręcili
głowami.

John niechętnie poczłapał do sypialni. Z przepastnej skrzyni wygrzebał potrzebne rzeczy i przy-
szykował poszkodowanej trójce miejsce do spania
w wolnym pokoju. Ból głowy rozsadzał mu czaszkę
i utrudniał zrozumienie sytuacji. Dlaczego, do licha,
Mary nie skorzystała z okazji do ucieczki? Dlaczego,

zamiast go zostawić i wziąć nogi za pas, nie dość, że wróciła do domu, to jeszcze na dodatek sprowadziła tu jakichś ludzi? I to ze swobodą gospodyni na włościach?

Wymęczeni emocjami przybysze posnęli w ciągu kilku minut. Nawet babcia Halina przełożyła na rano swoje cowieczorne modły.

John przysiadł na podłodze z workiem lodu w dłoni i plecami wspartymi o ścianę.

Ewa z hukiem przegrzebała zawartość lodówki.

– Masz jeszcze jakieś piwo? – zapytała. – Muszę napić się czegoś, co nie jest wodą.

– Tak. W składziku za łazienką jest druga lodówka. I weź jedno dla mnie – odparł odruchowo mężczyzna i nagle uświadomił sobie, że misterny plan właśnie rozsypał się jak domek z kart. Przez jeden głupi incydent wszystko runęło. Przez głupi przypadek. Przez głupią skórkę od banana.

– Dlaczego nie zwiałaś? – zadał nurtujące go pytanie i pociągnął długi łyk.

Lód na rozbitej głowie zaczynał się roztapiać.

Ewa nie zdążyła się jeszcze umyć i ubrudzonymi sadzą dłońmi odbezpieczyła puszkę tyskiego. Pociągnęła spory łyk i z niemałym trudem przełknęła mocno gazowane piwo. Przetarła spocone czoło, przy okazji pozostawiając na nim czarną smugę. Szok chyba mijał, bo odezwały się poranione stopy. Dopiero teraz poczuła nadwerężone mięśnie rąk i pleców.

– Masz apteczkę? – zapytała.

– Tak. Zaczekaj.

John wstał i już po chwili pochylał się nad przeciętą piętą. Delikatnie ujął w dłonie stopę Ewy.

– Aaa! Zostaw! – syknęła z bólu.

– Chyba uratowałaś mi życie. Jestem ci coś winien.

– E tam. Prędzej czy później sam byś się ocknął.

– Teraz już wiesz, jak wyglądam naprawdę.

– No właśnie. Teraz będziesz musiał zabić nas wszystkich. Nie wiem, co zrobi wówczas ta zarobiona mamuśka z Irlandii, ale zaręczam ci, że po mnie niewielu zapłacze, więc to bez sensu – trajkotała jak nakręcona.

Ewa nie czuła przed Johnem najmniejszego respektu, bała się natomiast własnej reakcji na jego dotyk.

– A mąż?

– Jaki znów mąż? Ja nie mam żadnego męża! Nikogo, do cholery, nie mam.

– Jak to: nie masz? A dzieci?

– Pogięło cię, John? Jakie dzieci? Ała! Możesz trochę delikatniej? – jęknęła ponownie.

Niestety, rana okazała się głębsza, niż początkowo sądziła.

– Nie masz dzieci?

Zaskoczony mężczyzna robił coraz większe oczy. Wciąż bolała go głowa i był nieco zamroczony, ale nie wierzył, że oberwał aż tak mocno, żeby stracić pamięć i zdolność logicznego kojarzenia.

– Nie mam.

– To kim ty, do diabła, jesteś?

– Architektem. – Ewa wzruszyła ramionami i znów siorbnęła z puszki.

Niedbałym gestem odgarnęła z czoła posklejane brudne kosmyki.

– To wiem. Ale jak się, do cholery, nazywasz, Mary? To znaczy Marzeno.

– Coś ci się popieprzyło. Nie jestem Marzena, jestem Ewa. Ewa Kondracka, bardzo mi miło. Jeżeli komukolwiek może być miło w takich okolicznościach – dodała, dla hecy wyciągając dłoń do prezentacji. – A ty, Johnie Doe?

– Tomek.

Westchnął zrezygnowany i chwycił się za głowę.

Jezus Maria!, pomyślał w panice.

Nagle, jeden po drugim, zaczęły do niego docierać poszczególne fakty. Pokręcił głową z niedowierzaniem. Przecież nie mógł pomylić się aż tak bardzo. Przecież tak starannie do wszystkiego się przygotował. Przecież setki razy oglądał zdjęcia Marzeny z różnych imprez. Owszem, często pozowała w towarzystwie podobnej do siebie drobnej blondynki. Matko! Kondracka, Kornacka... Piorun by strzelił! Różnica niby drobna, a znaczenie kolosalne!

– Nie! – wrzasnął znienacka i rycząc jak ranne zwierzę, wybiegł do ogrodu.

– Bądź cicho! Pobudzisz dzieci! – ofuknęła go Ewa, ale on już nie słyszał.

Dopiła zatem piwo i poszła się wykąpać. Była wykończona.

ROZDZIAŁ 11

– CHŁOPIE! ŻE CO? Jaja sobie robisz?!

– No, nie – mruknął Tomasz do telefonu. – Po prostu się pomyliłem – powiedział i wzruszył ramionami.

– Pomyliłeś się?! Czy ty słyszysz, co mówisz, idioto? Przecież to niemożliwe! – Wrzask po drugiej stronie był tak głośny, że Tomek aż odsunął słuchawkę od ucha.

Wiedział, że skrewił, ale przecież nigdy nie ukrywał, że jest amatorem. Owszem, nie był święty i swego czasu bawił się w różne szwindle, ale na porywaniu nie znał się zupełnie. Na potrzeby uprowadzenia Marzeny obejrzał chyba ze dwadzieścia filmów o kidnapingu, ale na tym zakończyła się jego edukacja w tym zakresie.

– Jak widać możliwe – powiedział. – Moglibyśmy sobie czekać w nieskończoność, aż przerażona rodzinka się o nią upomni i zechce zapłacić cokolwiek.

– Ale stary! Jakim cudem? Dałeś ciała po całości! – wydzierał się głos.

– Nie wiem. Wiem natomiast, że zamiast Marzeny Kornackiej porwałem przez przypadek Ewę Kondracką. Nazwiska podobne, kobiety podobne, obie dostały nagrody za ten sam projekt, o którym mówiłeś.

– Że jak się nazywa? – Głos po drugiej stronie telefonu przerwał mu w pół słowa.

– Kto?

– No ta baba, którą masz u siebie. Skup się, do jasnej cholery!

– Już ci mówiłem, Ewa Kondracka. Samotna i do tego goła jak święty turecki. Wszystko zainwestowała w jakieś mieszkanie za granicą. Ale nawet gdyby je sprzedała, to i tak bank trzyma łapę na hipotece. Dupa blada. Niczego z niej nie wyciśniemy.

– Stary! Ty jednak jesteś wielki w tej swojej głupocie! – Wkurzony mężczyzna po drugiej stronie poweselał wyraźnie.

– Czy mógłbyś jaśniej?

Dariusz pokrótce wyłuszczył sklecony naprędce plan awaryjny, który wymagał od Tomka przetrzymania Ewy możliwie jak najdłużej. W sytuacji, w której wspólnik został zdemaskowany, należało postępować po dobroci, działać szybko i wycisnąć z tej historii możliwie jak najwięcej korzyści. Jeszcze nie wszystko było stracone. Po prostu w scenariuszu zaszły zmiany i tyle. A że zmiany były znaczne, trudno. Teraz trzeba było improwizować i opracować nowy.

Rankiem Tomasz przekartkował notes i na czystej stronie zanotował listę sprawunków. Srebrny sedan ukradziony na potrzeby całej akcji już dawno powrócił do właściciela, chwilowo do dyspozycji pozostawał wyłącznie rower. Tomek upewnił się, że wszyscy jeszcze śpią, i raźno popedałował do sklepu po sprawunki na śniadanie i obiad. Nie miał pojęcia, czym odżywiają się małe dzieci, ale z reklam pamiętał, że płatki kukurydziane, masło orzechowe i nutella powinny trafić w gusta maluchów. Do tego dorzucił jeszcze sporą ilość kiełbasy na grilla i podstawowe składniki na rosół. Nie umiał gotować, ale sprzedawczyni okazała się bardziej niż pomocna. Rosły przystojniak chyba wpadł jej w oko, bo jeszcze dorzuciła od siebie nieco wędliniarskich wyrobów z własnej przydomowej wędzarni i wyjaśniła, jak ugotować zupę. Zadowolony z siebie, ostro ruszył w stronę domu. Była dopiero siódma rano i miał nadzieję, że wszyscy jeszcze smacznie śpią.

Istotnie, w domu panowała niezmącona niczym cisza.

Bezdźwięcznie przeszedł do kuchni i rozpakował torby. Szykowanie obiadu postanowił jednak ostatecznie scedować na kobiety, a sam zajął się śniadaniem.

Już po chwili archaiczny rosyjski ekspres w kształcie dzbanka wypuścił z siebie kłąb pary. Tomasz przełknął ślinę. Woń świeżo parzonej kawy pomieszana z zapachem ciepłych tostów nie tylko jego przyprawiła o burczenie w brzuchu. Zapachy skutecznie wywabiły z łóżek wszystkich tymczasowych domowników. Głodne jak wilki dzieci rzuciły się na górę chrupiących grzanek. Tomek nie nadążał z obsługą tostera, trochę zły, że tyle się napracował, a wszystko znika w okamgnieniu. W końcu Ewa zmieniła go na stanowisku i energicznie zakrzątnęła się przy kuchni. Ubrana w za długą męską koszulę jeszcze trochę kuśtykała z powodu rozciętej pięty.

Tomasz przeżuł ostatniego tosta i bezwiednie zagapił się na jej zgrabne nogi. Ewa właśnie przypadkiem rozdeptała na podłodze trochę nutelli. Nie wytrzymał i poderwał się z miejsca.

– Uważaj! – Bez uprzedzenia porwał dziewczynę na ręce i mimo jej oporów usadził na stole. – Znowu narozrabiałaś. Ech, co za szkodnik z ciebie!

– Uśmiechnął się tak serdecznie, że Ewę aż zatkało z wrażenia.

Zdziwiona jego zachowaniem i niespodziewaną atencją, z ciekawością przyglądała się, jak zmywa podłogę. Drgnęła, gdy dotknął jej stopy.

– Nie bój się, to tylko nutella – powiedział i wciąż klęcząc na podłodze, podniósł głowę.

Ich oczy się spotkały. Jej pełne zaskoczenia, jego – atencji, troski i pożądania. Ewa miała wrażenie, że spojrzenie Tomka przykuwa ją do blatu. Jak zawodowy hipnotyzer, przemknęło jej przez głowę. Mimo chęci nie mogła się ruszyć. Nie pomagała jej nawet świadomość obecności babci Haliny i dzieciaków. Gapiła się na gospodarza jak zaczarowana.

Otrząsnęła się, dopiero gdy Tomasz odwrócił wzrok.

– No, gotowe – oświadczył. – Zaraz przyniosę ci jakieś skarpety.

– Cóż, przydadzą się. Ostatnio raczej nie mogę narzekać na nadmiar ciuchów – mruknęła z przekąsem i wymownie spojrzała na swoje odzienie.

ROZDZIAŁ 12

TOMASZ NIE POTRAFIŁ uwierzyć, że przy swojej staranności i zamiłowaniu do porządku mógł aż tak się pomylić. Z niedowierzaniem pokręcił głową. To było po prostu niewiarygodne. Teraz tylko cudem mogę uniknąć konsekwencji, stwierdził w duchu. Owszem, był człowiekiem więcej niż bystrym, co nie zmieniało faktu, że istniało ryzyko, iż sprawy nie ułożą się po jego myśli i przez swój głupi błąd trafi za kratki. Jakimś cudem musiał to zebrać w całość. W ciszy i spokoju przemyśleć nowe okoliczności. Brat zastrzelił go wczoraj nowym scenariuszem, ale Tomasz nie myślał wtedy wystarczająco jasno. Teraz miał za sobą solidną dawkę snu, jednak wciąż odczuwał skutki wypadku. Mdłości już minęły, ale nawet mimo porannej rowerowej przejażdżki do sklepu nadal czuł się niewyraźnie. Potrzebuję spokoju i zastanowienia, westchnął.

Wyjął z lodówki puszkę dietetycznej coli i wyszedł na taras, jednak po chwili zawrócił do kuchni i naskrobał coś na kartce. Zostawił liścik na stole i ponownie skierował się do wyjścia.

Słońce stało wysoko i zaczynało się robić bardzo ciepło.

Tomek uszedł kilkadziesiąt metrów i ruszył ścieżynką biegnącą wzdłuż brzegu jeziora. Nogi same zaniosły go w stronę pogorzeliska. Zszokowany ogarnął wzrokiem ogrom zniszczeń. Obszedł dokoła spalone domostwo, wdychając woń spalenizny. Cały czas intensywnie myślał nad nowym planem, choć wcale nie miał ochoty w niego brnąć.

W pierwszym odruchu próbował się wymiksować ze sprawy i dziękować Bogu, że Ewa nie planuje się mścić. Istniała realna szansa, że w zamian za to, że dobrze ją potraktował i nie zrobił jej krzywdy, kobieta nie wniesie oskarżenia. Próbował nawet namówić Darka, by odstąpił od dalszej części planu, ale ten był nieugięty.

– Posłuchaj, palancie, to przez ciebie rozpadło się wszystko. Naraziłeś nas obu na cholerne niebezpieczeństwo!

– Ale stary... – spróbował Tomek, lecz brat nie dopuścił go do głosu.

– Przez twoje gapiostwo i twoją pomyłkę obaj możemy mieć problem po zbóju! Nie rozumiesz?

– No dobra – uległ Tomasz. – Ale jak ją tutaj zatrzymać?

– A tego to ja już nie wiem. Rusz głową.

– Stary, ale ona jest tu bez telefonu, a pewnie chce powiadomić kogoś, że nic jej nie jest! Nie mam dla niej ubrań, bielizny, kosmetyków. Nic nie mam.

– To kup – krótko skwitował Darek.

– Ale ja nie mam kasy!

– Dobra, zostaw to mnie. Załatwię to jakoś, ale gęba na kłódkę, jasne? Jutro będziesz mieć co trzeba.

– A teraz?

– A teraz zrób to, co powiem. Bo widzę, że ci myślenie wysiadło.

Tomasz zamienił się w słuch. Ból rozsadzał mu czaszkę, ale mimo to starał się zapamiętać jak najwięcej. Z trudem analizował i łączył fakty, choć wyglądało na to, że babcia z dzieciakami po prostu spadła mu z nieba. Miał zamiar wszystko spokojnie przemyśleć przed snem, jak przymusowi goście wylądują w łóżkach, ale zanim zdążył, sam spał jak zabity.

Miał nadzieję, że w zaistniałych okolicznościach Ewa nie będzie się upierać przy powrocie do domu. Musi ją jakoś udobruchać.

Spędził na pogorzelisku trochę czasu, zanim poczuł się lepiej i wreszcie mógł przystąpić do analizy sytuacji. Zmęczony przysiadł pod drzewem, tak żeby mieć widok na własny dom. Oparł się plecami o spękany pień i pewien, że nikt go nie słyszy, beknął donośnie. Przez chwilę analizował wszystkie okoliczności.

Wkrótce już wiedział, co robić. Nie miał pojęcia, czy to zbawienny wpływ kofeiny, ale wystarczył mu kwadrans. Pogwizdując wesoło, zadowolony wrócił do siebie.

Ewa krzątała się po kuchni. Właśnie usiłowała ponownie uruchomić ruski ekspres.

– Daj, ja to zrobię – powiedział Tomasz aksamitnym barytonem.

Odwróciła się zaskoczona.

– Myślałam, że cię nie ma.

– Bo mnie nie było.

Tomek nalał obu kobietom kawy.

Babcia Halina wyglądała o niebo lepiej niż poprzedniego dnia, a dzieciaki zachowywały się tak, jak gdyby nie spotkało ich nic złego. Jakby niewiele wcześniej nie były świadkami pożaru i jakby w ich świecie nie zaszła zmiana. Ubolewały jedynie nad utratą ulubionych zabawek, ale tutaj, o dziwo, Tomasz wykazał się przytomnością umysłu i odwrócił ich uwagę. Wręczył dzieciakom drobne narzędzia ogrodnicze i zarządził plewienie zarośniętych kwiatowych rabatek.

– Zajmiesz się obiadem? – zwrócił się do Haliny. – Ja, niestety, nie umiem gotować. – Uśmiechnął się uroczo. – Ale zrobiłem zakupy. Mam nadzieję, że kupiłem wszystko, czego trzeba na zupę. A wieczorkiem grilla się machnie.

– Oczywiście. – Zgodziła się chętnie, rada, że może zająć się czymkolwiek.

Wciąż była w szoku, ale ochoczo przystąpiła do pracy.

Zadowolony przyglądał się, jak sprawnie Halina krząta się po kuchni. Początkowo niespodziewani goście wprawili go w panikę. Złapał się za głowę, przerażony faktem, że nie dość, że został zidentyfikowany, to na dokładkę jeszcze będzie miał na głowie dodatkowych lokatorów. Cały plan już finalnie rozsypał się w proch. Ale teraz właśnie zaczął doceniać ten fakt. Prawdziwe szczęście w nieszczęściu. Wyglądało na to, że ta nieszczęsna, pozbawiona domu kobiecina z dzieciarami właśnie uratowała mu tyłek. Nowy, naprędce sklecony przez jego brata plan właśnie zaczął nabierać realnych kształtów.

No i gra gitara, uśmiechnął się w duchu Tomek. Zrobił sobie kanapkę z szynką i ponownie wyszedł do ogrodu.

Tymczasem Ewa kończyła poranną toaletę. Założyła granatowy podkoszulek w rozmiarze XXL i majtki z kolejnym dniem tygodnia. Umyła zęby i dokładnie rozczesała włosy. Zgarnęła jasne pasma w jeden pęk i za pomocą znalezionej w kuchennej szufladzie białej gumki recepturki wyczarowała na głowie coś, co przypominało koński ogon połączony z kokiem. Przywdziała za duże skarpetki Tomka i wyszła z łazienki.

Poranione stopy zaczynały się goić, ale wciąż utykała wyraźnie. Ostatniej nocy nie spała zbyt dobrze, więc chętnie przyjęła od Haliny ogromny kubek gorącej herbaty i udała się na taras. Ponieważ słońce prażyło niemiłosiernie, skierowała się do cienia.

– No, miło wreszcie cię widzieć.

Oślepiona słonecznymi promieniami nie zauważyła ukrytego pod dachem gospodarza.

– Och, to ty? – Drgnęła zaskoczona.

– Jak spałaś?

– Całkiem nieźle jak na taki młyn – powiedziała i ostrożnie pokuśtykała w stronę zacienionego stolika.

– Jak twoja rana?

– Jeszcze boli, ale nieźle. – Poruszyła stopą w skarpetce.

O założeniu szpilek nie mogło być mowy, a Tomek nie miał więcej jednorazowych kapci. Pomimo

216

wrodzonej przezorności i zapobiegliwości jakoś wcześniej nie założył, że jego ofiara będzie chodzić więcej niż to konieczne. A ona dreptała bez przerwy.

– Chcę już wrócić do domu – powiedziała. – Mogę czy nadal będziesz mnie więzić? – Rzuciła Tomkowi czujne spojrzenie.

– Oczywiście, że nie będę cię więzić. I chciałbym cię przeprosić. Pojechałem po bandzie, ot co, więc wcale się nie zdziwię, jeśli zawiadomisz policję i opowiesz o wszystkim – oznajmił i wstrzymał oddech.

– Nie wiem. Zastanowię się jeszcze. – Ewa uśmiechnęła się niepewnie i bezwiednie zagapiła na szeroką męską pierś, odzianą w śnieżnobiały podkoszulek. – Ale chcę wrócić do domu. To znaczy muszę – poprawiła się szybko.

– Wiem. Tym bardziej mam opory, żeby poprosić cię o przysługę. Zwłaszcza po tym, co ci zrobiłem – odparł. – Wiem, że to zabrzmi idiotycznie.

– A cóż takiego mi zrobiłeś? – Ewa udała zdziwioną. – No dobra, uśpiłeś mnie chloroformem, napędziłeś mi strachu i zamknąłeś w jakimś pokoiku. Ale pączki i piwo były niezłe. Włos mi z głowy nie spadł, nie zostałam pobita ani zgwałcona. Generalnie powinnam tylko zrobić makijaż i będę jak nowa. – Roześmiała się swobodnie. – A już gra w karty była całkiem pasjonująca. No dobra, czego chcesz?

– Żebyś mi pomogła z tymi pogorzelcami. Ta babina wygląda na totalnie zagubioną, a dzieciaki chyba potrzebują opieki. Cholera, nie znam się na tym, a przecież ich stąd nie wyrzucę.

– Nie mają żadnych znajomych, krewnych?

– Już pytałem. Jest tylko matka dzieciaków, ale pracuje na kontrakcie w Irlandii. Poza nią nie mają nikogo bliskiego.

– Serio? Nikogo więcej?

– Babcia bąknęła coś o jakiejś stryjence z Mazowsza, ale za bardzo bym na nią nie liczył. A przynajmniej nie w najbliższych dniach.

– Ojczulek?

– Siedzi w ciupie.

– Matko! Kaplica…

– No i sama widzisz, że trzeba im pomóc. Zostali bez dachu nad głową – powiedział Tomek tonem pełnym współczucia.

– Rany, człowieku. Przecież ty kompletnie nie nadajesz się na przestępcę! – Ewa ponownie roześmiała się głośno.

– Jak to nie? – obruszył się.

– Zwyczajnie. Cienki jesteś w te klocki jak żyłka wędkarska.

Mając już pewność, że jej porywacz nie jest złym człowiekiem, nabijała się na całego.

– Błagam cię... – Rzucił jej spojrzenie skopanego przez życie bezdomnego psa.

– A niby jak ty sobie to wszystko wyobrażasz? – zacietrzewiła się Ewa znienacka. – Porywasz mnie, odcinasz od świata i jeszcze w zamian prosisz o pomoc? Chyba ci rozum odjęło!

– Nie mam kogo poprosić. A zwyczajnie szkoda mi tej trójki.

– A mnie to ci szkoda nie było, co? A Marzeny i jej rodziny też nie? Cwaniaczek się znalazł! Zakichany porywacz od siedmiu boleści! – fuknęła wściekle i kontynuowała słowotok. – A niby jak ty to sobie wyobrażasz? – powtórzyła. – Co? Że ja tu zostanę bez bielizny, ubrań i butów? Że będę ci pomagać w zamian za to, że łaskawie mnie nie zabiłeś, bo nie jesteś do tego zdolny? Co? Jak jutro znów dostanę te koszmarne majty z napisem „piątek", to się chyba porzygam! A mogłam cię ukatrupić, niezdaro, dziesięć razy! – krzyknęła.

– Ale Ewa...

– A pocałuj się w dupę! – Wstała tak energicznie, że przewróciła ażurowe ogrodowe krzesło. Niechcący nastąpiła zranioną stopą na kamyk. – Ałaaa! – jęknęła i przytrzymała się stołu.

Tomasz podskoczył i porwał ją na ręce.

– Uważaj, kobieto! Jak tak dalej pójdzie, to sama zrobisz sobie krzywdę!

– Puść mnie! – warknęła.

– Nie. Dopóki nie obiecasz, że mi pomożesz.

– Spadaj!

– Nie ma mowy.

– Puszczaj!

– Ech, w porządku. Proszę bardzo. – Tomek niechętnie postawił Ewę na ziemi.

Okazała się tak drobna, leciutka i ciepła, że trzymanie jej blisko sprawiło mu zaskakująco dużą przyjemność.

– A poza tym żebyś miał świadomość, idę o zakład, że moja przyjaciółka od kilku dni odchodzi od zmysłów i kombinuje, co się ze mną stało. Jak ją znam, już poruszyła niebo i ziemię.

– Zdaję sobie z tego sprawę – powiedział potulnie.

– Nie mamy o czym gadać, dopóki jej nie zawiadomię, że nic mi nie jest. Koniec kropka.

– Załatwię ci komórkę. – Zaskoczony niespodziewaną szansą Tomasz kuł żelazo póki gorące i od razu wystąpił z propozycją.

– Nie zrozumiałeś. Ja potrzebuję m o j e j k o - m ó r k i – wyartykułowała twardo Ewa, zdziwiona, że to ona przeszła do ofensywy. – A moja komórka leży na lodówce w moim mieszkaniu.

– A nie może być moja?

– Nie. Bo nie pamiętam numeru Rudej, a mam go wpisany w pamięć telefonu. Jasne?

– Cholera.

– No właśnie, a gdzie my w ogóle jesteśmy? Daleko mam do domu? – Jakoś nie za bardzo sobie wyobrażała swój powrót do miasta w takim żałosnym stroju.

– Jakieś sto pięćdziesiąt kilometrów.

– O mój Boże! Dalej już się nie dało? – parsknęła. – Laptop też by się przydał.

– Tutaj nie ma internetu.

Tomek przez chwilę kombinował, co począć. Temat z powiadomieniem przyjaciółki mógłby uspokoić jego zakładniczkę, ale w tych okolicznościach absolutnie nie wchodził w grę. Musiał coś wymyślić. Po prostu musiał. Przez najbliższe dni nikt nie mógł się dowiedzieć, gdzie jest Ewa i że jest z nią wszystko w porządku. Przecież taki był nowy plan.

Cholerny plan!

– Dobra. – Postanowił zablefować. – Dostarczę ci tę twoją komórkę. Tylko błagam cię, pomóż mi!

– Dzisiaj?

– Tak – zapewnił z mocą, choć wcale nie był pewien, że się to uda.

– Yh! – Rozjuszona Ewa z impetem opadła na ogrodowe krzesło. – To jeszcze bieliznę, ubrania, tenisówki, portfel, ciuchy i kosmetyczkę z łazienki. Osobiście po to pojedziesz?

Była skłonna zaakceptować takie rozwiązanie, bo zdecydowała, że nie pokaże się ludziom w swoim aktualnym opłakanym odzieniu. Nawet w podróży pekaesem muszę jako tako wyglądać, pomyślała. Tak czy siak potrzebowała jakiegoś ludzkiego ubrania.

– Nie. Zrobi to zaufany człowiek. A jak się nazywa ta twoja znajoma?

– Monika Piasecka. Prowadzi piekarnię w Myślenicach.

– Napisz mi to wszystko. I co tam jeszcze chcesz. No i skąd wziąć klucze, bo w torebce ich nie masz.

– Są pod wycieraczką.

***

Dariusz przekroczył próg dusznego mieszkania. Jeszcze przed drzwiami naciągnął jednorazowe lateksowe rękawiczki. Dla pewności założył po dwie sztuki na dłoń. Nie potrzebował dalszych kłopotów. I tak już wpakował się w niezłą grandę.

Zadanie do wykonania było stosunkowo proste. Otrzymał dokładny spis oraz instrukcje, gdzie znaleźć to, czego potrzebował. Po kwadransie zgromadził już właściwie wszystko, z wyjątkiem rzeczy najważniejszej. Nigdzie nie mógł znaleźć komórki. Smartfon w pomarańczowej obudowie miał sobie ponoć spokojnie leżeć na lodówce, tymczasem w okolicy owej lodówki jedynie dyndający kabel od ładowarki zdradzał, że może kiedyś istotnie ktoś trzymał tam telefon.

– Szlag by to trafił! – mruknął do siebie i wyjął z kieszeni dżinsów własny.

Paroma kliknięciami nawiązał połączenie.

– Masz?

– Nie mam. To znaczy mam wszystko, tylko nie tę cholerną komórkę. Może położyła ją gdzie indziej?

– Poszukaj!

– Szukałem.

Tomasz na moment odłożył telefon i westchnął ciężko.

– Na sto procent jest tam, gdzie mówiłem – powiedział. – Zawsze ją tam trzyma.

– Teraz tej cholernej komórki tu, kurwa, nie ma! – Darek za wszelką cenę próbował nie panikować, ale dość marnie mu szło. W jego głosie pobrzmiewała histeria.

– Stary, postaraj się lepiej, bo inaczej nici z twojego planu.

– Jak dostanie komórkę, to też wszystko szlag trafi! – próbował nie krzyczeć Dariusz.

– Niezupełnie. – Tomasz ściszył głos. – Po prostu zapomnisz zapakować ładowarkę. Albo uszkodzimy baterie w telefonie i nigdzie się z niego nie dodzwoni. A numeru do tej baby nie pamięta. Wyluzuj i rób, co trzeba. Szukaj dalej. Jasne?

– A internet? Tamta prowadzi spory biznes i bez problemu można ją namierzyć. Stary, jesteśmy już tak blisko! Jeszcze dwa, może trzy dni i nareszcie będzie jak trzeba!

– Chłopie, spokojnie. Tutaj, gdzie jesteśmy, to wrony zawracają i psy dupami szczekają. I nie ma internetu. No, chyba że jest w okolicy jakiś na korbę.

– To i lepiej, żeby go nie było. Bo właśnie cała Polska jej szuka.

– O Chryste!

Dariusz systematycznie, krok po kroku, przeczesał mieszkanie. Sprawdził dosłownie każdy zakamarek. I nic. Komórki po prostu nie było. Dla pewności odsunął wszystkie meble, za które mógłby wpaść telefon. Zajrzał pod łóżko i szafę. Nic.

Laptopa również nie znalazł.

– Kurwa mać!

W głowie naprędce układał entą wersję planu B. Zazwyczaj starał się mieć w zanadrzu plan awaryjny, ale teraz musiał uruchomić już kolejną z rzędu alternatywę postępowania. Musiał jakoś uspokoić zleceniodawczynię wariantem, w którym mógłby pochwalić się sukcesem, wykazać postęp w sprawie, nakreślić obiecujące rokowania. I zarzucić kolejny haczyk z finansową przynętą.

Wściekły puścił pod nosem soczystą wiązankę popularnych przekleństw, raz jeszcze sprawdził listę i pozbierawszy rzeczy Ewy w sporą torbę, opuścił mieszkanie. Pewien, że całą resztę już ma, wsiadł do samochodu i ruszył na spotkanie z Tomkiem. Bardzo niepokoił go fakt braku telefonu i laptopa, ale znał policyjne procedury i zakładał, że ekipa dochodzeniowa mogła zarekwirować je jako materiał dowodowy. Nie od dziś wiedział, że policja ma swoje sposoby na to, żeby z głupiej komórki wycisnąć informacje, o jakich przeciętny użytkownik nie ma bladego pojęcia. Z jednej strony był zadowolony, że w związku z jej brakiem miejsce pobytu Ewy było nie do namierzenia przez policję, z drugiej jednak wiedział, że jeśli obaj z bratem nie spełnią jej żądań, cały misterny plan ponownie runie w gruzy. A na kolejną jego zmianę nie miał pomysłu. Za wszelką cenę próbował uratować akcję, ale miał świadomość, że wszystko wisi na włosku.

Zatankował na pierwszej z brzegu stacji benzynowej. Myśli pochłonęły go tak bardzo, że płacąc za paliwo, nie zauważył, że na podwieszonym przy suficie monitorze LCD właśnie leci relacja z jego konferencji prasowej. Pracownik stacji przyglądał mu się dziwnie, ale Dariusz kompletnie nie zwrócił na to uwagi i szybko skierował się do samochodu.

Silnik zaskoczył dopiero za piątym razem. Piętnastoletni ford już od jakiegoś czasu prosił się o wymianę na coś nowszego, ale zawsze na przeszkodzie stawały ważniejsze wydatki. Teraz, jeśli oczywiście wszystko się uda, była szansa to zmienić. Na razie Monika wyłożyła zaliczkę w wysokości kilku tysięcy złotych, a wraz z postępem sprawy obiecała dołożyć kolejne pieniądze. Płaciła gotówką, o nic nie pytała, nie chciała żadnych pokwitowań i robiła, co Darek jej kazał. Ewidentnie była przy forsie. Po prostu klientka idealna.

Bez zwłoki ruszył w drogę, co rusz siorbiąc kawę z tekturowego kubeczka. Musiał się pośpieszyć, chcąc zdążyć o czasie odebrać dzieci ze szkoły. Mocniej depnął na gaz i ze zgrzytem wrzucił piąty bieg. Skrzynia już od dawna błagała o kapitalny remont. Klimatyzacja również wymagała interwencji fachowca.

Zdenerwowany Dariusz co chwila wycierał spocone dłonie o spodnie.

– Pieprzony grat! – mruczał pod nosem.

Uznał, że jest już blisko celu, i zatelefonował do Tomka.

– Jedziesz już? – usłyszał.

– Tak. Gorąco, że szlag.

– Jakoś przeżyjesz.

– A daj mi spokój! Przez tego gruchota spociłem się jak diabeł w kościele. Mam wszystko. Bądź za kwadrans na tym skrzyżowaniu w lesie. Nie chcę, żeby ktoś mnie zauważył – powiedział wśród trzasków na linii.

– No to biorę rower i jadę.

Halina kończyła właśnie sałatkę jarzynową. Gdy szok odpuścił nieco i nareszcie oprzytomniała, przypomniała sobie o warzywnym inspekcie obok spalonego domostwa. Przypomniała sobie również o basenowych klapkach, które trzymała w składziku. Sama nie miała ochoty oglądać pogorzeliska, ale dzieci ochoczo zgodziły się pokazać Ewie drogę i dotrzymały jej towarzystwa.

Spacer doskonale jej zrobił, a perspektywa gumowych japonek sprawiła, że poczuła się więcej niż podekscytowana. Z przyjemnością słuchała dziecięcej paplaniny. Nigdy wcześniej nie miała do czynienia z maluchami, więc teraz z uwagą poddała się nowym doświadczeniom.

Mariolka sprawiała wrażenie najmądrzejszej mądrali pod słońcem. Ewa chwilami zastanawiała się, skąd mała czerpie tyle siły i kiedy bierze oddech, bo usta się jej nie zamykały. Jej braciszek natomiast odzywał się niewiele, ale jak już coś powiedział, można było pęknąć ze śmiechu. Zachowywał się jak stary maleńki, a jego wypowiedzi zazwyczaj sprawiały wrażenie mocno przemyślanych.

Pożar został ugaszony całkowicie. To, co pozostało z domu, opasano specjalną taśmą, więc Ewa nie pozwoliła dzieciakom na zwiedzanie zgliszcz. Przeszli na tyły posesji, gdzie istotnie znajdował się niewielki foliowy tunel, a obok niego drewniany składzik na narzędzia ogrodnicze. Mariolka sprawnie uporała się z metalowym skoblem i po chwili wybiegła uradowana, niosąc wściekle zielone gumowe japonki. Ewa ucieszyła się z nich jak z nie wiadomo jakiego prezentu i założyła natychmiast. Były trochę za duże, ale uznała, że darowanemu koniowi nie zagląda się w zęby. Zaciekawiona wkroczyła do inspektu.

W środku panował upał jak w saunie, a dorodne warzywa po prostu marniały w oczach.

– Matko, musimy to podlać! Jest tu jakaś woda?

– Tam jest studnia. – Chłopczyk wskazał na betonową cembrowinę.

– O nie! – westchnęła ciężko Ewa na myśl, ile wiader wody będzie musiała wyciągnąć, żeby nawodnić to wszystko, ale szkoda jej było tylu wspaniałych upraw. Dobrze, że dzieci znalazły gdzieś swoje stare wiaderka do piasku i z zapałem przystąpiły do pomocy. Po godzinie cała trójka ocierała pot z czoła, ale zadanie zostało wykonane. Na wszelki wypadek Ewa zostawiła otwarte drzwi do inspektu, by w panującym upale podlane warzywa nie zwiędły zbyt szybko.

Tak wspaniałych malinowych pomidorów nie pamiętała od czasów podstawówki. Sałata była tak dorodna, że wyglądała jak sztuczna. Pozostało wyrwać kilka cebul i wrócić do domu.

ROZDZIAŁ 13

W MEDIACH WRZAŁO JAK w ulu. Szczęśliwym dla porywaczy zbiegiem okoliczności w ostatnich tygodniach na terenie Polski zaginęło kilkanaście kobiet mniej więcej w wieku Ewy, więc spirala zainteresowania nakręcała się sama. Dariusz, pewien, że porwanej nie dzieje się krzywda, robił przed Moniką dobrą minę do złej gry. Właśnie wracał ze spotkania z bratem, podczas którego przekazał mu kilka drobiazgów, i mocno kombinował, co takiego powiedzieć klientce. Szansa na zatrzymanie Ewy w miejscu praktycznie odciętym od świata znacznie wzrosła, ale tylko idiota mógł zakładać, że ona sama z siebie odstąpi od chęci poinformowania przyjaciółki o tym, że jest cała i zdrowa. Doskonale wiedział, że na babską więź nie ma mocnych, więc trzeba będzie stawić jej czoła. Liczył w tym względzie na Tomka. Brat początkowo się wzbraniał, ale ostatecznie uległ namowom. Jeśli wszystko ułoży się po mojej myśli, dumał Dariusz, zyskamy co najmniej dwa dni. A to w zupełności powinno wystarczyć.

Jedno było pewne: za nic nie można było dopuścić, by fakt bliskiego pokrewieństwa Tomka i Dariusza kiedykolwiek wyszedł na jaw. Ryzyko było spore, ale bez problemu spotkanie udało się zorganizować w kompletnej głuszy. Na osobności mogli w spokoju zamienić kilka słów i omówić dalsze działania. Tomasz już doskonale wiedział, co ma robić, a Darek jak dotąd błyszczał przed kamerami. Policja nabrała wody w usta i nie udzielała żadnych konkretnych informacji, zasłaniając się dobrem śledztwa, a to była woda na młyn wszelkich domysłów. Dariusz odkrył w sobie medialne zwierzę; przez ostatnią dobę udzielił kilkunastu wywiadów. Rzecz jasna przy okazji reklamując swoje usługi. Pewien sukcesu zaangażował ostatnie pieniądze w stworzenie profesjonalnej strony internetowej i przełączył firmowy telefon do sąsiadki, by ta odbierała połączenia, udając jego osobistą asystentkę. Programista uwinął się dosłownie w kilka godzin.

Zadowolony Darek zatarł dłonie. Stres ostatnich dni sprawił, że schudł chyba ze cztery kilo. Najnormalniej w świecie nie miał kiedy jeść. Co zresztą wychodziło mu na zdrowie, bo w minionym czasie nieco się zapuścił.

Przed snem, zanim przytulił dzieciaki, skontaktował się jeszcze z Moniką i obiecawszy jej dobre wiadomości, zaproponował spotkanie nazajutrz. Podekscytowana klientka była skłonna zameldować się u niego w jednej chwili, ale on nie był na to gotowy. W głowie świtał mu pewien pomysł, z którym jednak musiał się przespać, więc uspokoił zdenerwowaną Rudą, obiecał na rano więcej konkretów i powędrował do łóżka.

**

– Boże! Ewa żyje! – wykrzyczała bez wstępów do telefonu.

– To pewne? – Maciek starał się okazywać sceptycyzm, choć miał ochotę skakać z radości pod sufit.

– Jeszcze nie do końca. Ale detektyw twierdzi, że ma dobre wieści. Powiedział, że... – paplała Monika bez opamiętania.

– Skarbie, spokojnie, najpierw szczegóły. Na razie brak nam jakichkolwiek konkretów. Kiedy się z nim spotykasz?

– Jesteśmy umówieni jutro przed południem. Matko Boska, żeby jej tylko nic nie było!

– Spokojnie, nie panikuj. Weź coś na sen i odpocznij porządnie. – Maciek zachowywał trzeźwość umysłu.

– A mowy nie ma! Jestem zbyt podekscytowana i za bardzo się boję.

– No to chlapnij sobie koniaczku i koniecznie idź spać. Jest już późno, a nie wiadomo, co czeka cię jutro. Na razie nic nie wiemy, więc uważam, że jeszcze za wcześnie na radość. Wolałbym cokolwiek potwierdzonego. A najbardziej chciałbym usłyszeć jej głos.

– Racja. Cieszyć to ja się będę, jak się Ewa odnajdzie. Na serio wracasz już jutro? – zmieniła temat Monika z nadzieją w głosie.

Nie widziała Maćka od zaledwie kilkudziesięciu godzin, a tęskniła tak, że aż ją skręcało w dołku. Nie potrafiła się na niczym skupić przez dłużej niż pięć minut. W pracy problem gonił problem, a ona myślami była zupełnie gdzie indziej.

– Tak, kotku, wracam jutro – usłyszała. – Przynajmniej taki mam plan. Odezwę się, jak tylko dotrę na miejsce.

– Okej. W takim razie czekam na telefon.

– Tęsknię za tobą, wiesz?

Zadowolona Ewa wróciła z dzieciakami do domu – to znaczy do domu porywacza – obładowana. Przytaszczyli ze sobą całą masę warzyw. Nigdy nie lubiła marnotrawstwa, była zatem usatysfakcjonowana po dwakroć: nie dość, że uratowała skazaną na

233

zagładę nieszczęsną zawartość przydomowej cieplarenki, to jeszcze zyskała jakiekolwiek obuwie. Nie przypuszczała, że zwykłe japonki uciesza ja jak co najmniej szpilki od Balenciagi. Teraz dotarła do niej prosta prawda, że im człowiek ma mniej, tym mniej mu potrzeba do szczęścia i tym bardziej cieszy go każdy drobiazg. Jeszcze tydzień temu z całą pewnością pogardziłaby tymi byle jakimi tanimi klapkami, które, jak się okazało, w porównaniu z za dużymi skarpetami były luksusem.

Spocona postawiła wiktuały na kuchennym stole i oniemiała.

Halina właśnie szykowała obiad, przy okazji jednak zamieniając kuchnię w pobojowisko. Niewielkie pomieszczenie wyglądało tak, jakby przeszedł przez nie tajfun.

– O matko święta – wyszeptała.

Nigdy nie była wściekłą pedantką, ale nie mieściło jej się w głowie, że jedna dorosła kobieta może aż tak nabałaganić przy gotowaniu zupy. Nie chciała sobie nawet wyobrażać, jak zareagowałby na ten widok dbający o porządek aż do przesady Tomasz. Owszem, pomoc pogorzelcom pomogą, ale wszystko ma swoje granice.

– Dzięki, Halinko – powiedziała po chwili. – Pięknie pachnie. – Z uznaniem wciągnęła nosem intensywny aromat drobiowego rosołu.

234

– Dziękuję. – Halina uśmiechnęła się skromnie.

– Idź teraz, odpocznij. Ja tu trochę uprzątnę.

– Chętnie – zgodziła się skwapliwie starsza pani.

– Dzieciaki wyglądają na padnięte. Pewnie też zdrzemną się z przyjemnością. – Ewa odruchowo spojrzała na swoje stopy. – No i dziękuję za klapki – dodała z szerokim uśmiechem.

– Chociaż tak mogłam ci się odwdzięczyć, moje dziecko. – Halinie zaszkliły się oczy.

– Och!

Ewa nie zdążyła powiedzieć nic więcej, bo wzruszona kobieta ze szlochem padła jej w ramiona i zaniosła się rozpaczliwym płaczem. Nie dawała się uspokoić. To najprawdopodobniej reakcja na traumatyczne przeżycia ostatnich dni, tłumaczyła sobie Ewa, ale przecież nie jestem psychologiem. Skąd mam wiedzieć, czy wszystko gra?, myślała w panice.

Postanowiła zdać się na intuicję i pozwoliła Halinie po prostu spokojnie się wypłakać.

– To wygląda strasznie, prawda? – chlipnęła tamta po dłuższej chwili.

– Owszem. – Ewa nie zamierzała ukrywać prawdy. – Pozostały wyłącznie murowane ściany i komin z cegły. Resztę strawił pożar. Ale uratowaliśmy dzisiaj z dzieciakami twoje warzywa. Jutro znów pójdziemy po pomidory.

– Boże, jak to dobrze! A Tornado?

– Tornado?

– No, mój owczarek. Ten, którego uratowałaś przed zaczadzeniem.

– Nie widziałam żadnego psa.

Ewa dopiero teraz przypomniała sobie o zwierzaku. Faktycznie. Ona zdzieliła go kijem po tyłku, a on dał w długą w stronę lasu. Pewnie psisko do tej pory było w szoku, niemniej jednak jego nieobecność na pogorzelisku dziwiła. Teoretycznie w międzyczasie ktoś mógł go przygarnąć, ale przecież w okolicy nie było żywego ducha, więc taki scenariusz wydawał się raczej mało prawdopodobny.

– Nie martw się. – Ewa otarła łzy zapłakanej kobiecie. – Później wezmę dzieci i przejdziemy się po okolicy. Poszukamy go, zawołamy. Nie znam się na psach, ale pewnie błąka się gdzieś niedaleko. Wiesz, ja przepraszam, że go uderzyłam, ale inaczej nie ruszyłby z miejsca. Był kompletnie przerażony. Jak sparaliżowany.

– Wiem, kochana, wiem – chlipnęła Halina. – Uratowałaś życie temu upartemu bydlakowi. Mam nadzieję, że się znajdzie.

– Poszukamy go na pewno. A z innej beczki – czy jest gdzieś w okolicy jakiś sklep?

– Tak, ale to dziesięć kilometrów drogą. Lasem siedem, tylko trzeba wiedzieć którędy.

– To lepiej zaczekam na Tomka. Pewnie niedługo wróci.

– Kochasz go, prawda? – wypaliła Halina i uważnie przyjrzała się dziewczynie.

– Że co?! – Ewa z wrażenia zakrztusiła się własną śliną.

Starsza pani odzyskała już równowagę. Kilka razy odetchnęła głęboko, otarła do końca łzy i umyła twarz nad kuchennym zlewem.

– Przepraszam – powiedziała. – Nie chcę się wtrącać, ale widzę, w jaki sposób on na ciebie patrzy. Może się i mylę, ale już wystarczająco długo żyję na tym świecie, żeby zauważyć, kiedy dwoje ludzi ma się ku sobie. Tak normalnie, po ludzku, jak kobieta i mężczyzna.

– Nie, nie. Nie jesteśmy parą – zaprotestowała Ewa i przystąpiła do zmywania naczyń.

Przerażona ogromem bałaganu układała w głowie plan działania. Jej gumowe klapki dosłownie kleiły się do brudnej podłogi. Metodycznie porządkowała pomieszczenie, próbując jednocześnie uwolnić się od słów babci Haliny. Myśl o ewentualnym uczuciu łączącym ją z Tomkiem była tak niedorzeczna, że aż przyprawiała o gęsią skórkę. Wzdrygnęła się na samo przypuszczenie. Ale wyobraźnia płatała figle, popychając te rozważania w skrajnie innym kierunku. Te silne męskie ramiona…

Energicznie potrząsnęła głową, zupełnie jakby chciała wytrząsnąć z niej niewygodne myśli, ale bez efektu.

Tomek na dobre usadowił się w jej umyśle i wcale nie miał zamiaru stamtąd znikać. A ona właśnie uświadomiła sobie, że właściwie ma go gdzieś z tyłu głowy od samego początku. Wtedy jeszcze budził w niej przerażenie i grozę, które z czasem zastąpiła sympatia.

Ewa spojrzała na zegarek. Nadeszło już późne popołudnie. Nie widziała gospodarza od wczoraj i po prostu nie mogła się doczekać, kiedy zobaczy go ponownie. Nie tylko ze względu na obiecane ubrania i kosmetyki, choć o niczym tak nie marzyła przez ostatnie dni jak o makijażu i własnych ciuchach. I o normalności. I rozmowie z Rudą. Była pewna, że przyjaciółka już dawno odkryła jej nieobecność. Przecież znały się jak łyse konie. Od początku przyjaźni nigdy nie zdarzył im się tak długi brak kontaktu. Monika na sto procent niecierpliwie czekała na relację z gali wręczenia nagród. A nie doczekawszy się kontaktu, na pewno poruszyła niebo i ziemię, żeby upewnić się, że u Ewy wszystko w porządku.

Żwir na alejce zazgrzytał pod kołami hamującego roweru. Spocony Tomek odstawił go i odpiął z bagażnika torbę podróżną Ewy. Zadowolona, że odzyskała część własnych rzeczy, prawie rzuciła się mężczyźnie na szyję. Porwała bagaż i rączo pognała do swojego pokoju. Szczęśliwa jak dziecko wzięła prysznic i wskoczyła we własne łaszki; dotyk ulubionej bielizny sprawił jej niekłamaną przyjemność. Starannie wyszczotkowała włosy i zrobiła delikatny makijaż. Na koniec pociągnęła po rzęsach niebieskim tuszem i posłała odbiciu w lustrze zadowolone spojrzenie. Nie zamierzała jakoś specjalnie się upiększać, ale nawet tak drobna zmiana od razu poprawiła jej samopoczucie.

Z uśmiechem na ustach wkroczyła do kuchni i wstrzymała oddech.

Tomasz krzątał się przy blacie w samych dżinsach.

Zagapiła się na jego nagi tors. Ze świstem wciągnęła powietrze. Wiedziała, że coś powinna zrobić, zagadać. Albo przynajmniej ruszyć się z miejsca. Albo odwrócić wzrok.

Nic z tego.

Tomek również nie pozostał jej dłużny. Dokładnie otaksował ją z góry na dół i z uznaniem skinął głową. Ostatkiem sił powstrzymał się, by nie podejść do Ewy.

– Gdzie reszta? – zapytał obojętnie.

– Chyba jeszcze śpią. Jakoś ich zmorzyło po obiedzie – wreszcie odzyskała głos.

Speszona spuściła oczy.

– Nalać ci rosołu?

– Nie, dzięki. Nie jestem głodna – wykrztusiła i podeszła do drzwi prowadzących do ogrodu.

Nagła myśl strzeliła w nią jak grom z jasnego nieba. Właśnie dotarło do niej, że przez cały dzień za nim tęskniła. Nie, nie, to niemożliwe, myślała w panice. Przecież to nie tak miało być. Przecież ja tego nie chciałam. Porywacz i ja? Syndrom sztokholmski czy jak? Jakiś szemrany szumowina i takie uczucia? To niedorzeczne. Uspokój się, głupia, powtarzała w duchu jak mantrę.

– O czym tak myślisz? – powiedział za jej plecami i wręczył jej szklankę z zimną wodą i plasterkiem cytryny.

– A nie, nic! – zaskoczona prychnęła opryskliwie.

– Dziękuję, że zostałaś. – Ujął jej dłoń, podniósł do ust. Pocałował delikatnie. – Pięknie wyglądasz.

– Nie ma sprawy. Ale gdzie moja komórka? – odparowała, nieczuła na komplement.

– Nie ma.

– Jak to: nie ma? – zdumiała się Ewa.

– Ano nie ma. Laptopa też nie ma. Ale w zasadzie się nie dziwię, skoro trzymasz klucz pod wycieraczką i każdy głupi może sobie wejść do twojego mieszkania.

– To niemożliwe – odparła stanowczo Ewa. – To bardzo spokojna okolica.

– Uwierz mi, nie ma takiego miejsca na świecie. Portfela też nie ma.

– Bo trzymam go w samochodzie – Ewa pomału zaczynała tracić cierpliwość.

– Bardzo mądrze! – mruknął z przekąsem Tomek.

– A co? – bojowo wysunęła brodę. – Na strzeżonym parkingu trzymam. A tobie nic do tego, jak żyję! Jasne?

– Jasne, jasne – odparł dla świętego spokoju. Za wszelką cenę starał się ją udobruchać. Przecież ona musi tu zostać jeszcze przez jakiś czas. – Powiedz, jak mogę ci pomóc?

– To co ja teraz zrobię? Muszę jakoś skontaktować się z Moniką. Ona na pewno odchodzi od zmysłów.

– Ale, Ewa... – bezskutecznie próbował jej przerwać.

– Ja muszę dać jej jakoś znać! Że nic mi nie jest. Możliwe, że to ona zabrała komórkę i laptopa. Jak tu jeździ pekaes? Jest jakiś przystanek? A może jakiś bus z tej dziury do Krakowa? – Ewa gadała jak nakręcona, jednocześnie bezradnie rozglądając się wokół.

Jakby okoliczna roślinność w jakiś sposób mogła mi przyjść z pomocą, pomyślała.

– Spokojnie. – Tomek delikatnie chwycił ją za ramię. – Pozwolisz mi powiedzieć cokolwiek czy nadal będziesz trajkotać jak katarynka?

– Mów! – sapnęła niezadowolona.

– Mój znajomy obiecał, że skontaktuje się z twoją przyjaciółką i da jej znać, żeś cała i zdrowa. Bez paniki. Znajdzie ją w internecie. Będzie dobrze. Błagam cię, jeszcze dwa dni.

– Ale ja muszę – powiedziała z naciskiem, a z jej oczu posypały się złowrogie iskry.

– Nic nie musisz – mruknął i przyciągnąwszy do siebie zaskoczoną kobietę, pocałował ją mocno.

O dziwo, odpowiedziała na pocałunek.

Usta Tomka niespodziewanie rozpoczęły zadziwiająco uroczą wędrówkę od jej ust, poprzez policzek, w kierunku delikatnej małżowiny ucha. Później zawędrowały aż na szyję i zatrzymały się w okolicy obojczyka. Ewa bezwiednie wstrzymała oddech.

– Co...? – wykrztusiła z trudem.

– A nic, tak sobie tylko błądzę. Cały dzień o tym myślałem – wymruczał Tomasz wprost do jej ucha. – A teraz nie potrafiłem się powstrzymać.

– Ale dlaczego? – Spróbowała wyzwolić się z jego objęć.

– Co dlaczego? Po prostu działasz na mnie jak płachta na byka. Jak wystawna uczta na głodnego

242

łasucha, jak oaza na spragnionego pielgrzyma. Matko, nie wytrzymam dłużej – westchnął gorąco i jeszcze mocniej przytulił Ewę.

Nie oponowała, więc ośmielony tą niemą akceptacją pozwolił sobie na więcej. Ujął jej dłoń i delikatnie pociągnął w kierunku własnych spodni. Ewa zastygła, gdy poczuła wyraźną erekcję.

– Tomek... – wyszeptała.

– Ups! Przepraszam! – Na taras wparowała Halina i właśnie zdała sobie sprawę, że przyłapała ich na gorącym uczynku. – Eeee, tego, eee... Ja tylko chciałam grilla rozpalić. Przepraszam, eee... Ja nie wiedziałam.

– Nie szkodzi. – Tomek pierwszy odzyskał mowę. – Zaraz sam wszystko rozpalę. – Zerknął znacząco na Ewę.

W lot załapała dwuznaczność. Z wyraźnym ociąganiem odsunęła się od ciepłej męskiej piersi.

– Halinko? A ponacinałaś kiełbasę? – wsunął ręce do kieszeni i typowym dla mężczyzn ruchem poprawił sobie w spodniach to i owo.

– No a jakże? Kiełbasa tak bez nacięcia? – zdziwiła się starsza pani.

Ciekawie przyglądała się Ewie.

Ta, cała w pąsach, zawinęła się na pięcie i znikła za drzwiami swojego pokoju. Przekręciła klucz w zamku i oparła się plecami o chłodną ścianę. Jej serce głośno łomotało w piersi i za nic nie chciało się uspokoić. Nogi dosłownie się uginały, więc przykucnęła i objęła kolana ramionami.

– O matko, przecież to jakiś kompletny kosmos! – wyszeptała, przerażona własną reakcją.

Potrzebowała dłuższej chwili, żeby uspokoić się, zapanować nad sobą i ponownie dołączyć do towarzystwa. Początkowo w ogóle nie chciała wychodzić z pokoju, ale dobiegło ją wyraźne burczenie dochodzące z jej własnego brzucha. Wcześniej, nie licząc pojedynczego pomidora prosto z krzaka, nie jadła niczego. Wzgardziła rosołem, ale teraz jej organizm upomniał się o swoje.

Dla dodania sobie odwagi Ewa dwa razy odetchnęła głęboko i pewnym krokiem wkroczyła na taras.

Kiełbasa pachniała tak obłędnie, że jej żołądek prawie skręcił się z głodu. Tomek wreszcie okazał litość i narzucił na siebie koszulę. Jej zdaniem mógłby zapiąć jeszcze ze dwa guziki więcej, by powstrzymać jej niecne myśli, ale było zbyt gorąco.

Rozgadane dzieciaki w kilka sekund przyniosły dla niej dodatkowe krzesło.

Uwagi Haliny nie uszło, że Ewa wybrała miejsce po przeciwnej stronie stołu niż gospodarz i ostentacyjnie usiadła tyłem do grilla. Starała się pokazać sama sobie i pozostałym, że nie zaszło nic wielkiego. Ot, takie coś, zupełnie bez znaczenia.

Przez resztę dnia Tomek zachowywał się całkiem swobodnie. Chcąc nieco rozruszać zestresowaną Halinę, przyniósł kilka butelek wina domowej roboty. Nie miał pojęcia, skąd się u niego wzięło, ale skoro nadarzała się odpowiednia okazja, zarządził degustację. Rozbrykane dzieciaki również chciały się przyłączyć, ale babcia natychmiast odprawiła je z kwitkiem do łóżek.

Trunek, daleko odbiegający od zazwyczaj kwaśnych i zdradliwych domowych wyrobów, okazał się tak pyszny, że tylko rozsądek nakazał biesiadnikom odstawić go w porę.

– Oboje jesteście kochani – powiedziała Halina i po kolei wyściskała Ewę i Tomasza. – To ja pójdę położyć dzieci – oznajmiła i lekko chwiejnym krokiem opuściła towarzystwo.

– Taaa – skwitowała Ewa z przekąsem. – Albo ma nas za kompletnych idiotów, albo faktycznie się wstawiła tym winem.

– Bo?

– Bo dzieci śpią już od godziny. – Ewa roześmiała się głośno.

– Albo jest osobą domyślną i chciała zostawić nas samych.

– A niby po co? – żachnęła się i w obronnym geście mocno objęła ramionami.

Tomek wstał i zaszedłszy ją od tyłu, narzucił jej na plecy ciepły pluszowy pled.

– Wybacz, że to nie szal, ale nic lepszego nie mam pod ręką. – Zrobił zabawną minę.

– Dziękuję.

W końcu zdobyła się na odwagę i spojrzała mu w oczy. To, co w nich zobaczyła, sprawiło jednak, że zadrżała i szczelniej otuliła się kocem.

– Jeszcze kapkę boskiego trunku? – zapytał Tomasz i łypnął bezczelnie. Zupełnie jakby był świadom wrażenia, jakie na niej robi.

– Nie, dzięki. Dobranoc.

Musiała użyć całej siły woli, żeby wstać od stołu właśnie w chwili, kiedy zaczęło się robić naprawdę ciekawie. A zważywszy na wcześniejsze wydarzenia, wieczór mógł zakończyć się całkiem interesująco. A może nawet bardziej.

ROZDZIAŁ 14

– ŻE CO się stało?! – Przerażona Monika niemal krzyknęła na Dariusza.

– No przecież. Tak jak mówię. Ale nie martwiłbym się tym zbytnio.

– Jesteś pewien, że twój informator nie kłamie? – Ruda nie dawała za wygraną.

– Głowy nie dam, ale jeszcze nigdy mnie nie okłamał, więc nie rozumiem, dlaczego miałby akurat teraz. Oczywiście stu procent gwarancji nie może mi dać, ale sama wiesz, jak to jest.

– Czyli nie ma żadnego związku ze zniknięciem tamtych kobiet? – W głosie Moniki zabrzmiała nadzieja.

– Na to wygląda. A rysopis tej akurat odpowiada niemal dokładnie rysopisowi Ewy. Do tego zgadzają się też wszystkie fakty co do jej zniknięcia.

247

– Mój Boże! – Ruda załamała ręce. – Ewa w jakiejś sekcie! Przecież to nie mieści się w głowie! A ja, głupia, myślałam, że tak dobrze ją znam.

Pod powiekami poczuła łzy, więc zamrugała energicznie, żeby detektyw ich nie zauważył.

– W dzisiejszych czasach wszystko jest możliwe – stwierdził filozoficznie. – Ale reguła tej akurat sekty nie jest specjalnie zasadnicza. To bardziej ośrodek, gdzie ludzie na własne życzenie poszukują swojego zagubionego ja. Mogą do niej wstąpić i wystąpić bez przeszkód. Nie ma zagrożenia, że ktoś ją tam skrzywdzi.

– Nie wierzę – westchnęła ciężko Monika.

– Nie bój się. To naprawdę nie wygląda groźnie – zapewnił ją z mocą Dariusz, choć przecież sam nie wierzył w to, co mówi.

– Przecież ona by mi powiedziała. No i dlaczego znikła w wieczorowym stroju, tuż po imprezie, na której dostała nagrodę? – Ruda nie mogła dać wiary, ale przecież nieraz słyszała, jak ludziom nagle coś przestawiało się w głowie w jednej chwili.

Tyle że za żadne skarby nie pasowało to do Ewy.

– Spokojnie, czasami człowiek nie myśli racjonalnie. – Darek próbował trzymać fason i nie dawał po sobie poznać, jak bardzo jest zdenerwowany. Jego klientka była bystra i nie tak łatwo dawała się wyprowadzić w pole. – Policja na razie nic nie robi, a przynajmniej nie informuje o tym publicznie. Wiesz może coś więcej niż ja? – Sprytnie skierował rozmowę na inne tory, a ona, o dziwo, połknęła haczyk.

– Nic nie wiem. U mnie cisza.

– A zarekwirowano może jakieś rzeczy z mieszkania twojej przyjaciółki? Żeby zabezpieczyć je jako materiał dowodowy?

– Owszem, laptopa i smartfona. To chyba normalne, że zdjęto też odciski palców z całego mieszkania? Pies zgubił trop niedaleko domu. Uliczny monitoring jeszcze wtedy nie działał.

– Dlaczego nie?

– Bo jakiś dureń zapomniał go podłączyć.

– Dobrze. A zatem pozostaje nam cierpliwie czekać na ustalenia mojego informatora – powiedział Dariusz uspokajająco.

– A nie powinniśmy tej sekty zgłosić na policję? Przecież taka informacja to potencjalny przełom w sprawie. Policjanci pewnie będą wiedzieć co i jak.

– No właśnie nie. Nie będę odwalać za nich roboty. Niech się wypchają sianem! – zdenerwował się Dariusz.

– Ale co z Ewą? Przecież to ona jest tutaj najważniejsza. Może powinno się połączyć siły? – Ruda łypnęła z ukosa.

Kobieta wyraźnie zaczęła nabierać wątpliwości.

– Ależ oczywiście – pośpiesznie odparł Dariusz.
– Tak zrobimy, ale jeszcze nie na tym etapie. Tak się
nie robi. Dopóki nie sprawdzę na sto procent moich
informacji, nie będę się wygłupiał. Tu chodzi również
o moją reputację.

– Rozumiem. Tyle że ja mam w nosie twoją reputację. Płacę ci i oczekuję efektów – oznajmiła twardo
Monika.

– Wiem. Ale to ja jestem tutaj specjalistą, nie ty.
– Darek wstał i protekcjonalnie spojrzał na klientkę.

– To kiedy będziesz wiedzieć coś więcej?

– Mam się z gościem spotkać pojutrze. Obiecał
mi same konkrety. Z adresem włącznie.

– O matko! Do niedzieli taki szmat czasu. A my
czekamy…

– Że niby czekamy z założonymi rękami? – zapytał z przekąsem. – Ależ absolutnie nie! Rozkrę-
camy sprawę. Trzeba ją jeszcze bardziej nagłośnić,
na wypadek gdyby mój informator jednak się my-
lił. No bo co poczniemy, jeśli z tą sektą to fałszywy
trop? Przecież nie możemy teraz zrezygnować z poszukiwań, tak czy siak. A sama wiesz, jak to bywa
z policją. Ma na głowie milion spraw, a większość
głęboko w zadzie. Odpuszczamy? Nie sądzę.

– No niby nie… – bąknęła Ruda.

Właśnie na tę chwilę czekał Dariusz.

Klientka była nadal wystraszona i niepewna, ale na tyle usatysfakcjonowana jego działaniami, że powinna być skłonna sypnąć dodatkowym groszem. Jeśli wszystko ułoży się po jego myśli, zgarnie kasę od Moniki, zareklamuje się w mediach – zwłaszcza że wcześniej kilku wpływowych dziennikarzy w zamian za materiał obiecało mu darmową przysługę – i w odpowiedniej chwili odnajdzie Ewę. Popisowo wystrychnie policję na dudka, siebie okryje chwałą i zgarnie wszystkie zasługi. Właśnie teraz miał zamiar w pełni skorzystać z dobrodziejstwa ostatnio nawiązanych znajomości. Jak dobrze pójdzie, zyska nowych klientów i w końcu zacznie zarabiać duże pieniądze. Spłaci długi, coś tam odpali bratu za fatygę i wszyscy będą zadowoleni. Nawet żona powinna przestać zrzędzić, że wiecznie go nie ma, a grosz z interesu marny.

– Nie śmiem się upominać, ale budżet z zaliczki już mi się skończył – powiedział, spuszczając oczy.

– Tak szybko? – zdumiała się Ruda.

– Ty myślisz, że chcę cię oszukać? – odparł urażonym tonem. – Naciągnąć znajomą? No proszę cię, przestań! Ale jeśli nie życzysz sobie, żebym nadal zajmował się tą sprawą, to...

– Ależ nie, nie! – przerwała mu Monika pośpiesznie. – Źle mnie zrozumiałeś. Po prostu nie znam się na tych wszystkich medialnych układach.

– Cóż – mruknął pobłażliwie Darek. – Moja droga, dziś wszystkim za wszystko się płaci. Myślisz, że pismaki piszą i publikują za darmo? Poniekąd tak, bo się cieszą, że mają o czym pisać, ale istnieje jeszcze coś takiego jak pozycjonowanie newsa. No i właśnie to jest najważniejsze. Przecież nikt nie będzie się przekopywał przez żaden serwis, żeby go przeczytać, więc musi to być wiadomość dnia. Wszędzie tak jest. A za wiadomość dnia, w dodatku niespecjalnie medialną, trzeba wybulić.

– No tak. Nie miałam pojęcia.

– A myślisz, że mój informator pracuje za darmo? – zadał retoryczne pytanie, po czym sam sobie odpowiedział. – Otóż nie. Tygodniowo kasuje średnią krajową.

– Dobrze. A zatem ile?

Dariusz tylko na to czekał i swobodnym tonem rzucił pięciocyfrową kwotę, a Monika z wdzięcznością przyjęła ofertę, zadowolona, że sprawa zaginięcia Ewy jest w rękach prawdziwego profesjonalisty.

– Nic się nie martw – powiedział Dariusz uspokajająco. – Z tej kasy opłacimy jeszcze jednego takiego śledczego w dochodzeniówce. Mówię ci, to przegigant. Chciałbym, żeby aktualnie zajął się wyłącznie tą sprawą. Co ty na to? – Sprytnie zarzucił kolejną przynętę.

– Tak – zgodziła się bez dalszej dyskusji.

– No to jesteśmy umówieni.

Ruda zebrała się do wyjścia.

– Wolisz gotówkę czy przelew? – Odwróciła się w progu.

– Jeśli nie sprawi ci to kłopotu, wolałbym gotówkę. Wiesz, w mojej branży przelew to raczej ostateczność. Wszystkim przecież płacę pod stołem, w kopercie. Sama rozumiesz.

– Dobra, dobra. – Ależ jestem bezmyślna, skarciła się w duchu Monika. – Jeszcze dziś podrzucę ci kasę – zapewniła i zamknęła za sobą drzwi.

Ostatnimi czasy w samochodzie myślało się jej najlepiej. Zatem i teraz, zanim jeszcze przekręciła kluczyk w stacyjce, musiała odsiedzieć swoje, ochłonąć i zebrać myśli.

To, co mówił Dariusz, chwilowo pozwalało na ostrożny optymizm, ale czy do końca? Monika jakoś nie mogła uwierzyć, by przyjaciółce odbiło aż tak, że nic nikomu nie mówiąc, zaszyła się w jakiejś piorącej mózgi sekcie.

Chociaż?, zastanowiła się przez chwilę. Ostatnie miesiące raczej nie były dla niej pasmem sukcesów.

253

I ten cały zakichany Hiszpan nieźle namącił jej w głowie. Do tego zamieszanie związane z nowym mieszkaniem, kredyt hipoteczny i kolejna przegrana z Marzeną. Jak zwykle ta cholerna Marzena! Niech ją pokręci w końcu albo co! Ile lat można uprzykrzać drugiemu człowiekowi życie? Gdyby nie ta głupia wyfiokowana pinda, która non stop psuje wszystkim humor swoimi sukcesami, Ewa zapewne czułaby się sto razy lepiej.

Odkąd Monika sięgała pamięcią, tamta była zawsze tak idealna, że aż mdliło. Pomimo niezbyt głębokiego zaangażowania w branżę przyjaciółki nieraz zastanawiała się, czy aby ta cała Marzena ma jakikolwiek feler. Kiedyś nawet zadała sobie trud i poświęciła wieczór na internetowy research w temacie tej perfekcyjnej harpii. Zrobiła sobie drinka i zawzięcie klepała w klawiaturę. O północy zrezygnowała, bo poza tym, że Marzena miała krzywe nogi, po prostu niczego nie znalazła. Wyglądało na to, że tamta rzeczywiście jest chodzącym ideałem. A gdy dodało się do tego udany związek, idealnie wychowane dzieci, wspaniały dom i zawodowe sukcesy, niejeden wpadłby w kompleksy. Ale czy Ewa? To do niej za nic nie pasowało. Nie do urodzonej pragmatyczki, która nawet wdeptując w najgorsze bagno, potrafiła znaleźć dobre strony sytuacji. A jeśli nawet ich nie znajdowała, przypominała sobie mądrość ludową: „Co nas nie zabije, to nas wzmocni", i twierdziła, że każde przykre doświadczenie kiedyś może się przydać.

– Boże! – westchnęła i poszybowała myślami do Warszawy.

Maciek na dzisiejszy dzień zapowiedział swój powrót, a ona wprost nie mogła się doczekać, kiedy wreszcie opowie mu o wszystkim. Miała nadzieję, że być może on spojrzy na sprawę bardziej obiektywnie i wpadnie na jakiś pomysł. W końcu rozumieli się z Ewą doskonale.

Zbliżała się pora lunchu, więc zamówiła sobie sałatkę z grillowanym kurczakiem z dostawą do piekarni i wreszcie ruszyła spod biura detektywa. Wobec kompletnego braku informacji ze strony policji postanowiła, że po południu sama skontaktuje się z funkcjonariuszami.

Była zła, bo upłynęło już sporo wody od zaginięcia przyjaciółki, a tymczasem organy ścigania milczały jak zaklęte. Przecież kobieta, która znika w środku miasta, to nie szpilka, irytowała się Ruda. Przecież to niemożliwe, że jak dotąd nie natrafiono na żaden ślad w tej sprawie.

Dotarła w końcu do firmy, ale zanim pozwoliła się zaatakować codziennym problemom, zamknęła się w gabinecie i z apetytem spałaszowała sałatkę. Już dawno straciła chęć do gotowania, choć niegdyś wprost uwielbiła pichcić. Niestety, stanie nad kuchnią wyłącznie dla samej siebie nie sprawiało jej żadnej radości i już nawet nie pamiętała, kiedy ostatnio przyrządziła coś ciepłego poza jajecznicą i kisielem w kubeczku. Nawiasem mówiąc, w przypadku tego ostatniego nie mogła się nadziwić, jakim cudem daje radę konsumować kisiel w płynie. Przecież jak świat światem miał się ciągnąć jak guma i swoją specyficzną konsystencją sprawiać mnóstwo frajdy, a tu wystarczyło zwykłe siorbnięcie prosto z naczynia.

Ech, dziwne to dzisiejsze jedzenie, westchnęła w duchu. Szynka, na którą składa się zaledwie kilkanaście procent prawdziwej szynki. Mąka niebędąca mąką, kisiel do picia i masło bez masła. Do tego jeszcze kawa bez kofeiny, piwo bezalkoholowe i smalec ze skwarkami, tyle że roślinny. Jakiś koszmar.

Podobnie było w jej branży. Rodzice od dziecka wpajali jej, że jeśli chce się zarabiać na wypiekach, trzeba oferować doskonałą jakość. Oszczędzaniem na surowcach ciężko oszukać wytrawne podniebienia, a przecież klienta stracić jest bardzo łatwo. Nawet wieloletniego. Tymczasem bezwzględne zasady rynku i wojny cenowe wymusiły na niej diametralną zmianę zasad i polityki firmy. Gdyby bowiem uparła się utrzymać wcześniejszą jakość i tradycyjne sprawdzone procedury, musiałaby wyśrubować ceny do niebotycznego poziomu, mającego się nijak do niskich cen przypominającej w smaku watę masówki. Niestety, konkurencja nie miała najmniejszych skrupułów i w ostatnich latach walka cenowa na rynku rozhulała się na całego. Wskutek zubożenia społeczeństwa napompowane chemią pieczywo zepchnęło tradycyjne wyroby na margines. A produkcja na margines zupełnie się nie opłacała. Ze zgrzytem zębów zamawiała zwiększające objętość polepszacze i również walczyła o miejsce na rynku. Cóż było poradzić? Takie życie przedsiębiorcy.

Te smętne rozważania przerwał jej dźwięk telefonu. Pośpiesznie przełknęła ostatni kęs kurczaka o wiórowatej konsystencji i odebrała.

Dzwoniono z policji. Dochodzeniowcy mieli kilka pytań związanych z zaginięciem Ewy.

Udzieliła stosownych informacji i zapewniła o chęci współpracy, ale też całkiem świadomie zataiła fakty z porannej rozmowy z detektywem. Policjant na koniec rozmowy wyraził zdziwienie, że detektyw jeszcze niczego konkretnego nie ustalił, skoro w tak krótkim czasie zdążył nagłośnić sprawę we wszystkich mediach i przy okazji rozreklamować się na całą Polskę. Oczywiście Dariusz obiecał też nagrodę za znalezienie Ewy, co poskutkowało tym, że na policji urywał się telefon z doniesieniami.

– Czy pani wie, jaki my tu mamy młyn przez te wasze działania? – pieklił się śledczy.

– To chyba dobrze, że ludzie do was dzwonią?

– Tak! Cholera! Ale my musimy sprawdzać każdy trop, a jak dotąd wszystkie są fałszywe!

– Może w końcu trafi się ten jeden jedyny, na który czekamy. Przecież nie ma jej już dość długo, prawda?

– Wcale nie aż tak długo. W każdej chwili może zdarzyć się coś, co...

– No właśnie – weszła policjantowi w słowo. – Skoro sami nic nie macie, to odbierajcie te zasrane telefony! Jakby Ewa gdzieś przebywała z własnej woli, z pewnością dałaby mi znać. Niech pan nie narzeka i pozwoli mi działać po mojemu.

– A jeśli porywacz zażąda okupu?

– Wtedy ja dam wam znać. – Monika straciła cierpliwość i bez pożegnania zakończyła połączenie. – Dupek chrzaniony!

W duchu przyznała rację Dariuszowi i wezwała sekretarkę.

Mimo starań w ostatnich dniach na biurku urosła spora sterta dokumentów wymagających podpisu szefowej. Jej zastępca dopiero urządzał się w nowym gabinecie, co tak go pochłaniało, że Monika nie miała sumienia psuć mu tych chwil. Za papiery wzięła się sama. I obiecała sobie solennie, że gdy tylko cały ten cyrk się skończy, przekaże Adamowi jeszcze nieco kompetencji w kwestii szeroko pojętej administracji. Biurowa papierologia, w przeciwieństwie do talentu zarządcy i biznesowego nosa, nie była mocną stroną właścicielki piekarni. Teraz wreszcie pojawiła się szansa, by pozbyć się nielubianej roboty, ale na razie należało ogarnąć zaległości i w miarę szybko rozprawić się z pokaźną stertą dokumentów.

Dziś wraca Maciek, uśmiechnęła się pod nosem. Co tu dużo mówić, wprost marzyła o spotkaniu. Nie dość, że działał na nią jak balsam, że zawsze potrafił ją uspokoić i sprawić, by myślała pozytywnie, to jeszcze pociągał ją tak niesamowicie, że aż nie mogła w to uwierzyć. Pomimo całego tego absorbującego młynu w ostatnich dniach, przez cały czas miała jego twarz przed oczami. No, może z wyjątkiem kilku godzin. Nigdy by nie przypuszczała, że kiedykolwiek znajdzie na swojej drodze kogoś, kto tak dalece zdominuje jej myśli.

– Wpadłam jak śliwka w kompot – wymruczała do siebie, składając zamaszysty podpis na kolejnym dokumencie.

Miała świadomość, że wypadałoby tę makulaturę dokładnie przeczytać, ale nawet gdyby chciała, i tak nie dałaby rady się skupić. Pobieżnie zatem zerkała na nagłówki pism i podpisywała wszystko jak leci. Bystra sekretarka oznaczyła wcześniej co ważniejsze dokumenty czerwoną karteczką.

Przed wyjściem z firmy Monika sprawdziła jeszcze, co słychać na hali produkcyjnej i w magazynie. Na popołudnie była umówiona u manikiurzystki, więc musiała się pośpieszyć. W drodze wysłuchała kolejnego radiowego komunikatu. Cokolwiek mówić o Dariuszu, naprawdę profesjonalnie przystąpił do rzeczy, pokiwała głową. Aktualnie nie ma chyba w Polsce osoby, która nie wie o zaginięciu Ewy.

Nie miała pojęcia, co jeszcze można by zrobić, by odnaleźć przyjaciółkę. Była gotowa na wszystko, byleby tylko starania przyniosły jakikolwiek efekt. Ewa była dla niej jak siostra. I gdyby to Rudej przytrafiło się podobne nieszczęście, tamta na sto procent działałaby tak samo.

ROZDZIAŁ 15

EWA NIE MOGŁA ZASNĄĆ. Na zewnątrz panowała totalna duchota, a krótka ulewa po upalnym dniu tylko spotęgowała prawie namacalny lepki zaduch. Serce kołatało jej w piersi, a ciało co chwila oblewał pot. Przewracała się w łóżku z boku na bok. Raz było jej za gorąco, innym razem za chłodno.

Już prawie odpływała, gdy piskliwy głos nocnego ptaka sprawił, że poderwała głowę z poduszki i usiadła na łóżku. Poszła do łazienki i przemyła twarz. Dochodziła północ, a ona czuła się zadziwiająco rześko. Nie miała pojęcia, czym mogłaby się zająć, by zabić czas do chwili, gdy najdzie ją senność. Przypomniała sobie o książce, którą dał jej Tomek.

Powróciła do naciąganej i smętnej fabuły, lecz wystarczyło zaledwie parę kartek, by uznała, że przydałby się kubek gorącego kakao, i boso, na palcach przeszła do kuchni. Żeby nie pobudzić domowników, nie zapaliła światła w przedpokoju i boleśnie uderzyła się w mały palec u nogi. Syknęła z bólu, zaklęła siarczyście i trzymając się za stopę, na jednej nodze doskoczyła do drzwi.

Nad kuchenką zapaliła niewielką lampkę i nastawiła garnek z mlekiem. Wlała od razu cały karton. Na śniadanie będzie jak znalazł, stwierdziła. Oparła się o blat i nagle zamarła.

W progu stał Tomek. W samych szortach od piżamy. Nonszalancko oparty o framugę bacznie jej się przyglądał.

Świadoma, że ma na sobie jedynie zwiewną satynę, która więcej odkrywa, niż zakrywa, nerwowo skrzyżowała ręce na piersi.

– Przestraszyłeś mnie – powiedziała. – Myślałam, że wszyscy śpią.

– No właśnie. Spałem. Ale tak się tłukłaś i syczałaś, że obudziłabyś umarłego – odparł i zrobił krok w jej stronę.

Ewa jak urzeczona gapiła się na niego i nie mogąc oderwać wzroku od nagiego torsu, odruchowo postąpiła krok do tyłu.

– Podoba mi się ta twoja piżama – usłyszała. – Jest dużo lepsza niż mój podkoszulek.

– Och, dziękuję. Mogę ci ją pożyczać od czasu do czasu – odparła, doskonale zdając sobie sprawę,

262

że Tomek najchętniej widziałby jej skąpy ciuszek leżący teraz na podłodze. O dziwo, sama również nie miałaby nic przeciwko temu.

Zerknęła w stronę jego szortów i głośno wciągnęła powietrze.

– Sama widzisz, jak jest. – Spojrzał w dół. – Nic na to nie poradzę.

Jednym susem znalazł się przy niej i przytulił ją najmocniej, jak się dało.

Przylgnęła do niego odruchowo.

Już dawno nie było jej tak dobrze. A właściwie to nawet nie pamiętała, czy kiedykolwiek doświadczyła czegoś podobnego. Podniecało ją dosłownie wszystko: oddech Tomasza, jego dotyk, bicie serca. Jego zapach oszałamiał jak najdroższe perfumy.

– Pragnę cię... Nawet nie wiesz, jak bardzo – wymruczał Tomek wprost do jej ucha, po czym delikatnie chwycił zębami skórę poniżej. Ewa z tłumionym jękiem zarzuciła mu ręce na szyję.

Objął ciasno jej szczupłą talię i naparł biodrami. Chciał, by poczuła, jak bardzo jej pragnie. A Ewa oszalała, dosłownie i w przenośni. Zatraciła się w głębokim pocałunku i nie próbowała protestować, kiedy Tomek brał ją na ręce i niósł do swojego pokoju. Posadził ją na biurku i jednym ruchem zdarł z niej delikatną koszulkę. Dotyk sterczących sutków sprawił, że zapomniał, jak się nazywa. Zapanował nad sobą z niemałym trudem, by nie rzucić się na nią niczym jakiś nieokrzesany jaskiniowiec. Drobne dłonie błądzące po jego plecach paliły go żywym ogniem. A gdy długie palce przeczesały jasne włosy na jego piersi, Tomek niemal stracił dech. Postawił Ewę na ziemi i wsunął dłonie pod gumkę jej kusych jedwabnych spodenek.

W sekundę podzieliły los podartej koszulki.

– Tomek, ja tak... – zabrzmiał urywany szept.

– Nic nie mów – uciął.

Ponownie posadził ją na blacie, przykucnął i delikatnie rozchylił jej nogi. Jego usta i język rozpoczęły słodką wędrówkę, aż Ewa wreszcie poczuła je tam, gdzie pragnęła poczuć najbardziej.

– Chodź do mnie natychmiast! – wykrztusiła pomiędzy spazmami.

Nie wiadomo kiedy Tomek pozbył się szortów i wszedł w nią energicznym pchnięciem. Oplotła go nogami i odpłynęła. On starał się przedłużyć ten cudowny akt do maksimum, ale wystarczyło, że poczuł pulsujące wnętrze, a było po wszystkim. Okrzyk spełnienia splótł się z jej okrzykiem.

I z jeszcze czyimś.

– Bożeee! Ratunkuuu! Pali się! – Zza drzwi dobiegł ich dziki wrzask Haliny.

– Jezus Maria! – oprzytomniała Ewa. – Szybko! To moje mleko!

W panice próbowała się ubrać. Tomek w pośpiechu założył spodenki na lewą stronę i boso wybiegł z pokoju. Z chwilą otwarcia drzwi do wnętrza wdarł się intensywny swąd spalonego mleka. Wszędzie było szaro od dymu.

– Matko Boska! – wyszeptała przerażona Ewa. – Kurde, ale narobiłam! Niech to szlag!

Przez chwilę szamotała się z urwanym ramiączkiem przy koszulce, ale w końcu machnęła ręką na smętnie zwisającą tasiemkę.

– Otwierajcie wszystkie okna i drzwi! Halina, zabierz dzieci na zewnątrz, dopóki się nie wywietrzy! Ewa, przynieś mi ręcznik! Jakoś muszę wynieść ten garnek! – Tomek energicznie wydawał rozkazy.

Szło mu całkiem nieźle, więc po chwili każdy już wiedział, co robić. Dobrze, że skończyło się tylko na strachu, choć niewiele brakowało, aby spłonął drugi dom w okolicy.

– To trzeba wymyć. Jakoś. – Ewa pokiwała głową z powątpiewaniem, bo przypalone mleko utworzyło na kuchence cuchnącą czarną skorupę.

– Teraz? Ani mi się waż! – zaprotestował przytomnie Tomasz. – Przecież to musi ostygnąć!

Przeciąg trochę przedmuchał zakopcone wnętrze, ale swąd wciąż był nie do zniesienia. Ewie nieraz wykipiało mleko, ale nigdy nie cuchnęło aż tak.

– Halinko, chyba uratowałaś nas wszystkich – powiedziała.

Było jej trochę głupio, chociaż Tomek też nie był bez winy. W końcu to on omotał ją tak, że zapomniała o bożym świecie.

– Ja tylko poczułam, że śmierdzi. A wiecie, jak to jest. Przyśnił mi się pożar. Pobiegłam do ciebie, ale nie było cię w pokoju, więc zaczęłam krzyczeć, bo nic widać nie było… – Halinie załamał się głos.

– Już dobrze. Jesteś bardzo dzielna – pochwaliła Ewa.

Emocje opadły, więc kobieta zwróciła wreszcie uwagę na stroje pozostałych domowników i uśmiechnęła się domyślnie pod nosem. Do tego fakt, że oboje wybiegli z jednego pokoju, nie pozostawiał już żadnych wątpliwości co do tego, co ich łączy.

Po dwóch godzinach sytuacja została opanowana na tyle, że wszyscy mogli położyć się do łóżek. Ewa wzięła prysznic i padła skonana jak po pracy w kamieniołomach. Była pewna, że zaraz zaśnie, ale nic z tego.

W jej głowie włączył się film. Jak z nagrania kamery wideo przed oczami przesuwały się obrazy z minionych godzin. Nie potrafiła uwierzyć, że stało się to, co się stało. Pewnie nie ona pierwsza zadurzyła się w porywaczu. Przecież cała ta sytuacja była tak niedorzeczna, że gdyby przeczytała o czymś podobnym w książce, stwierdziłaby, że autora poniosło. Jeszcze tydzień temu nie miała pojęcia o istnieniu Tomka i gdyby ktoś roztoczył przed nią taką właśnie wizję wypadków, niechybnie postukałaby się w czoło i zapytała, czy ma po kolei w głowie. Tymczasem nie dość, że na kilka dni znikła z własnego życia i nie doniosła policji o przestępstwie, to jeszcze poszła do łóżka z kidnaperem. I co gorsza, miała ochotę na powtórkę. Ani chybi postradałam zmysły, wzdrygnęła się. A właściwie to pozwoliłam, żeby całkiem obcy człowiek zawładnął nimi całkowicie.

Rozważania przerwało jej ciche pukanie do drzwi. Wstała i niemal natychmiast wpadła w ramiona Tomka.

– Nie mogłem zasnąć – powiedział cicho. – Bez przerwy o tobie myślałem. To nie do wytrzymania. Mogę?

– Możesz.

– Chcę, żebyś ze mną została.

– Przecież zostałam.

– Ale na dłużej. Nie wyobrażam sobie, że cię nie ma. Już zaczynam tęsknić.

Przejęta Ewa wstrzymała oddech. Przeczuwała, że Tomkowi na niej zależy, ale nie spodziewała się po nim aż takiego romantyzmu. Słuchając tych wyznań, czuła, że się rozpływa. Oddała pocałunek, który natychmiast przybrał bardziej namiętną formę. Tym razem to jej dłonie bezbłędnie trafiły pod jego koszulkę. Sama była zaskoczona, że tak łatwo przejęła inicjatywę. Nieraz zastanawiała się, czy kiedykolwiek zdobędzie się na odwagę, by przed finałem podręczyć nieco kochanka, ale przy Tomaszu zapominała, czym jest wstyd. Satysfakcja, że absolutnie panuje nad stuprocentowym mężczyzną, dodawała jej skrzydeł i wyobraźni.

– Miej litość, kobieto – jęknął na skraju wytrzymałości. – Jestem tylko człowiekiem.

Wreszcie uznała, że już wystarczy tej słodkiej męki. Gdy go dosiadła, wyprężył się, ujmując w dłonie jej drobne piersi. Nachyliła się i pocałowała go w usta.

– Kocham cię – wyszeptał prawie bezgłośnie.

Zanim w końcu usnęli, na zewnątrz zaczynało świtać.

Ewa nigdy jeszcze nie czuła takiej bliskości z mężczyzną. Wygodnie ułożyła głowę na jego piersi i z lubością przymknęła oczy. Tomek otoczył ją ramionami i przygarnął. A gdy po chwili usnęła, pocałował ją w czoło i czekając na sen, wsłuchiwał się w jej równy, spokojny oddech.

Zanim odpłynął, zdążył jeszcze pomyśleć, że ma całą masę wątpliwości.

– Wstawaj, śpiąca królewno! Dochodzi jedenasta. Śniadanie do łóżka podano – powiedział wesoło.

– Och, dzięki! – Zaspana Ewa przetarła oczy i wygramoliła się spod kołdry.

– Zawsze do usług.

– Jezu, wszystko mnie boli – jęknęła zbolała, ale na widok Tomka uśmiech przykleił jej się do twarzy.

– Mnie też łupie tu i tam. Ale warto było.

– Fakt – roześmiała się serdecznie.

– Pomijając wietrzenie, sprzątanie i trochę nerwów, była to najpiękniejsza noc w moim życiu – stwierdził Tomasz i z szelmowskim uśmiechem postawił przed Ewą tacę ze śniadaniem. – Nie ukrywam, że liczę na szybką powtórkę. – Mrugnął porozumiewawczo.

Oblała się pąsem po cebulki włosów.

– Najpierw muszę coś zjeść – bąknęła. – Czuję, że żołądek przykleił mi się do kręgosłupa.

Łapczywie zaatakowała ciepłą grzankę z dżemem malinowym. Nigdy go nie lubiła, ze względu na pestki włażące między zęby, ale teraz była tak głodna, że kompletnie nie zwracała na to uwagi.

– Ostrożnie, bo się udławisz. Jeszcze tego nam brakuje do kompletu – zażartował Tomek.

– Zjadłabym konia z kopytami – oznajmiła Ewa. – No i przed robotą muszę się porządnie posilić. Jak sobie pomyślę, ile mam sprzątania po tym mleku, to aż mi słabo.

– Spokojna głowa. Posprzątaliśmy razem z Haliną. To znaczy ona próbowała i robiła jeszcze większy bajzel. Ja nie wiem, jak można być taką bałaganiarą. W końcu pogoniłem ją i zrobiłem sam.

– Już?

– A co? Nie każdy sypia do południa.

– Że co?! – zacietrzewiona cisnęła w niego poduszką.

Uchylił się zręcznie, złapał pocisk i odrzucił w stronę Ewy. Pisnęła i chwyciwszy za róg puchowej poduchy, zamachnęła się na napastnika z całej siły. I nagle straciła go z oczu.

Wszędzie wirował biały puch.

– No pięknie! – zadrwił Tomek, wyjmując jej pióra z włosów. – Chyba zaproszę tutaj Halinę. Niech się uczy, jak jednym ruchem zrobić prawdziwy sajgon.

– O matko, nie! – Ewa zaniosła się śmiechem. – Tym razem pozwolisz, że ja posprzątam?

– Tak. Ale dopiero później. Bo teraz będziesz zajęta.

– Czyżby? – Kokieteryjnie uniosła brew. – A co powiemy reszcie?

– Nic nie powiemy. Cała trójka poszła do lasu szukać jakiegoś psa.

Wzrok Tomasza był tak pełen pożądania, że Ewę zalała fala czułości.

– Może już dosyć pożarów jak na jeden tydzień? I to w tak rzadko zaludnionej okolicy? – zaśmiała się figlarnie. – Podobno wszystko cię boli?

– A owszem, boli. Ale ponoć na zakwasy najlepszy jest trening.

Pierze udało się uprzątnąć do obiadu.

Dzieciaki wróciły za spaceru z nosami na kwintę. Tornado przepadł jak kamień w wodę. Ale ponieważ owczarek był z gatunku dobrodusznych olbrzymów, istniała szansa, że ktoś go przygarnął. Oczywiście należało również zakładać, że w szoku uciekł daleko i nie umiał albo nie chciał wrócić w miejsce, które kojarzyło mu się fatalnie.

Namówiona przez wnuki Halina odwiedziła pogorzelisko. W związku z tym w domu znalazł się nowy zapas warzyw i padła propozycja ugotowania zupy ze świeżych ogórków.

– To może ja ją ugotuję, zanim ona znów wszystko upaprze? – zaproponowała szeptem Ewa.

Tomasz z wrodzonym sobie wdziękiem wybrnął z sytuacji. Propozycja, by Halina komenderowała, a Ewa stała przy garach, została przyjęta ochoczo.

Zupa okazała się mało pracochłonna i faktycznie smakowała świetnie.

– Udało się – stwierdziła Ewa, gdy miała już pewność, że Halina ich nie słyszy. – Zupka wyszła ekstra. A tak nawiasem mówiąc, ciekawe, co ona dalej zamierza. Przecież nie może tu zamieszkać na stałe.

– No nie. Na razie jeszcze nie pytałem, ale chyba czas najwyższy to zrobić. Jeszcze dziś zapytam ją i o córkę, i o tę daleką rodzinę z Mazowsza. Owszem, pomagać jakoś ludziom trzeba, ale wszystko ma swoje granice. Mariolka po wakacjach idzie do szkoły, więc na coś trzeba się zdecydować. Wydaje mi się, że ta córka powinna wrócić do Polski.

– No właśnie. – Ewa podchwyciła myśl. – Ja też muszę wrócić. Jak znam Rudą, nie przestanie się zamartwiać, dopóki się ze mną nie zobaczy.

– Ale zostaniesz ze mną? – zapytał z nadzieją Tomasz.

Podszedł bliżej, stanął za plecami Ewy i objął ją w pasie.

– Chyba tak. Ale jeśli mam zostać tu przez jakiś czas, muszę to sobie jakoś zorganizować. Przecież ja

272

mam pracę. Muszę mieć laptopa, komórkę i dostęp do internetu. Mam nadzieję, że nikt tych sprzętów nie ukradł i że to Monia się nimi zaopiekowała.

– No tak. – Tomek zmarszczył czoło w skupieniu.

– O samochodzie już nawet nie wspomnę. W tej głuszy bardzo się nam przyda. Ale na razie mam nieopłacony parking za ostatni miesiąc, więc niedługo autko zostanie z niego odholowane w siną dal, a ja będę go szukać Bóg wie gdzie. Tak jakbym miała mało na głowie. Nie, nie! Wracam. To postanowione – powiedziała twardo, mimo błagalnego spojrzenia Tomasza.

– Ale chyba nie dziś? Przecież mi obiecałaś – uderzył w proszalne tony. – Będę tęsknić jak głupi.

– Wiem, ale ja już tak dłużej nie mogę. My sobie baraszkujemy w najlepsze, a tam ktoś odchodzi od zmysłów. Uważam, że sytuacja została opanowana na tyle, żebym mogła oddalić się na chwilę.

– Ależ skarbie…

– Nie! Ja muszę. Choćby na jeden, może dwa dni. Dopóki wszystkiego nie pozałatwiam.

Ewa wcale nie miała ochoty wyjeżdżać, ale poczucie odpowiedzialności uwierało ją jak kamyk w bucie. Przemawiała do Tomka jak do dziecka, a przy okazji usiłowała przekonać samą siebie, że n a p r a w d ę musi jechać do domu.

– Dobrze – poddał się. – Obiecuję, że jutro przed południem osobiście odprowadzę cię do autobusu.

– A dziś?

– Obawiam się, że o tej porze nie ma już żadnego połączenia. Ostatni pekaes odjechał chyba z godzinę temu – skłamał gładko Tomek, choć nie miał pojęcia o rozkładzie jazdy.

– W porządku. Będę gotowa na dziewiątą.

– Spokojnie. Jedenasta wystarczy w zupełności. Tylko załóż wygodne buty, bo mamy kawałek do przejścia.

Następnego dnia doceniła tę radę. Dojście do przystanku zajęło im prawie godzinę, mimo że Tomek prowadził znanym sobie skrótem. Nie musieli długo czekać, autobus nadjechał niemal od razu. Nie było czasu na długie pożegnanie.

Ewa niechętnie zajęła miejsce z tyłu i pogrążyła się w myślach. Ledwie opuściła ciepłe ramiona kochanka, a już zdążyła za nimi zatęsknić. Poprzedniej nocy również się kochali, choć tym razem nieco spokojniej. Powoli poznawali swoje upodobania i reakcje. Ich ciała zgrywały się idealnie.

Jak sowa wtuliła głowę w ramiona i odpłynęła w marzenia.

Projekcja była bardziej niż wyraźna. Ewa zobaczyła siebie i Tomasza na łódce. Najpierw w czułych objęciach. Jego oddech działał na nią jak narkotyk. Czuła go każdym zmysłem, każdym zakończeniem nerwu. Jego oddech mile ją łaskotał, a dotyk odbierała niczym prąd elektryczny. A jego spojrzenie sprawiało, że po raz pierwszy w życiu czuła się naprawdę piękna i pożądana. Pod niebem pełnym gwiazd...

Westchnęła głęboko i rozejrzała się wokół. W autobusie nie było zbyt wielu pasażerów, niemniej dwoje staruszków przyglądało się jej z nieskrywaną ciekawością. Wyglądali na małżeństwo z co najmniej półwiecznym stażem, a wciąż trzymali się za ręce. Posłała im przelotny uśmiech i powróciła do swoich myśli.

Ewa do wszystkiego miała podejście raczej praktyczne niż romantyczne, więc teraz dała za wygraną. Uznała łódkę za okoliczność zgoła bezsensowną. Nie dość, że dno było zapewne twarde i niewygodne, to taka łupinka zazwyczaj nabierała wody. W dodatku rozhuśtana łódeczka groziła wywrotką, a ona bynajmniej nie przepadała za wodą. Ale pomijając powyższe, nie ulegało wątpliwości, że to, co czuła, czuła całkiem na serio.

Nie były to wymyślone podniety i żałosne niby--namiętności. Czuła prawdziwie, niemal boleśnie. I były to uczucia cholernie niewygodne. Marzyła, by wrócić do domu, do pracy i do życia, do jakiego przywykła. Chciała tak po prostu pogadać z Rudą, wyciągnąć z niej najnowsze ploteczki o Maćku, popracować nad nowym projektem, poszukać butów na Allegro i swobodnie wyciągnąć się na własnej kanapie.

W tym ułożonym naprędce idealnym scenariuszu brakowało wyłącznie Tomka.

Ewa musiała się zdrzemnąć, bo obudziło ją delikatne szarpanie za ramię.

– Proszę pani, jeśli pani do Krakowa, to niedługo wysiadamy – powiedziała starsza kobieta.

– Och, bardzo pani dziękuję.

Przez kilka sekund Ewa mrugała intensywnie, próbując sobie uzmysłowić, gdzie jest i co właściwie robi w autobusie.

– Proszę się nie gniewać – dodała staruszka. – Ale tak się z mężem zastanawiamy, czy to nie o pani ciągle mówią w telewizji?

– W telewizji? O mnie?! – Zdumiona Ewa szeroko otworzyła oczy.

– Proszę wybaczyć, ale od kilku dni jest mowa o uprowadzonej kobiecie. A pani jest do niej bardzo podobna. Szukają jej wszyscy. Detektywi i policja.

– Wyznaczono nawet nagrodę pieniężną za wskazanie jej miejsca pobytu – dorzucił dziadek, sepleniąc. – No ale jeśli to nie pani, to pseprasam.

Tamta dziewcyna była chyba architektem, prawda, kochanie?

Siwa kobieta przytaknęła gorliwie. A Ewa z wrażenia omal nie spadła z fotela.

No tak, cała Ruda, pokiwała głową.

Zaprzeczyła stanowczo, powiedziała, że to nie o nią chodzi, i dziękując uprzejmie za wspólną podróż, wysiadła z autobusu. Szybkim marszem skierowała się na parking, na którym trzymała samochód. Nie było na co czekać, musiała jak najszybciej skontaktować się z Moniką. Jeśli wierzyć temu, co przekazał mi Tomek, główkowała, ktoś zabrał z mojego mieszkania laptop i telefon. Zatem pozostaje mi od razu pojechać do Myślenic. O tej porze Ruda powinna jeszcze być w pracy i bilansować tygodniowe obroty.

Wprawdzie Ewa miała jeszcze cichą nadzieję, że starsze małżeństwo z kimś ją pomyliło, ale mina parkingowego rozwiała ją natychmiast.

– O Jezu! To pani żyje? – Mężczyzna zareagował, jakby zobaczył ducha.

– A nie powinnam? – westchnęła i wymownie wywróciła oczami.

– Nie, nie. Pani szanowna wybaczy – mamrotał pośpiesznie parkingowy, przetrząsając jednocześnie zawartość sejfu w poszukiwani kluczyków od jej auta.

– Ale była tu taka jedna kobieta… – Nie odmówił sobie wykonania obrazowego gestu w okolicy piersi, który jednoznacznie opisał duży biust. – I mówiła, że gdzieś pani przepadła.

– Naprawdę? – zapytała Ewa z miną niewiniątka.

– Tak. I nawet zapłaciła za panią za kolejny miesiąc. O, proszę. – Podsunął jej pod nos podzielony na tabelki notatnik.

W rubryce na podpis widniał zamaszysty autograf Moniki.

– Jak pan widzi, jestem cała i zdrowa. Byłam jedynie na krótkim urlopie. Cóż, moja przyjaciółka jest tak zajętą osobą, że pewnie wyleciało jej to z głowy.

– A pewnie. Bardzo dobrze pani wygląda. – Mężczyzna z uśmiechem wręczył jej kluczyki.

– Dziękuję. A oglądał pan może ostatnio telewizję? – zapytała, mając nadzieję, że Ruda mimo wszystko nie przetrząsnęła w międzyczasie połowy zjednoczonej Europy.

– Nie, nie. Ja tylko książki czytam. Nawet nie mam telewizora. Wie pani, taki śmietnik ostatnio emitują, że szkoda życia.

Energicznie ruszyła z parkingu i nie zważając na utytłaną gołębim guanem przednią szybę, obrała kurs na Myślenice. Z piskiem opon pokonała ostatni zakręt, jak burza wparowała na podjazd przed piekarnią i odetchnęła z ulgą. Zgodnie z jej przewidywaniami Ruda była w pracy. Jej samochód stał zaparkowany na swoim miejscu.

Ewa popędziła do biura jak strzała. Dobrze znała drogę, więc wpadła do gabinetu przyjaciółki z impetem niczym trąba powietrzna.

– Cześć! – wysapała.

– Boże mój... – Ruda pobladła i rozdziawiła usta. – Jesteś wreszcie!

Padły sobie w objęcia. W oczach Moniki zaszkliły się łzy ulgi.

– Matko, jak dobrze, że jesteś. Co się stało? Gdzieś ty była? Poruszyłam niebo i ziemię, żeby cię znaleźć – paplała Ruda z prędkością serii wystrzelonej z pepeszy.

– Och, dużo by gadać, ale...

– Ja wszystko rozumiem, ale żeby do sekty? Ty masz równo pod sufitem?

– Że co?

– No przecież odnaleźli cię w tym ośrodku, gdzie ludzie szukają własnego ja. Do jutra miałam mieć potwierdzony adres. Jak mogłaś się tak na amen utlenić i nic mi nie powiedzieć? – zapytała Monika z wyrzutem.

– Ale posłuchaj mnie.

Ewa w lot podchwyciła kombinację z sektą. Szczerze mówiąc, przez całą drogę z Krakowa do Myślenic zastanawiała się, co powiedzieć przyjaciółce. Jakoś nie za bardzo miała ochotę wtajemniczać ją w porwanie, pomyłkę i gorący romans z porywaczem. Nigdy wcześniej nie miała przed Moniką sekretów, ale teraz nie była jeszcze gotowa na wyznanie prawdy. Niedorzeczna informacja o jakiejś sekcie spadła jej zatem jak z nieba. I mogła odwlec chwilę tłumaczeń.

– Mów, siadaj, chcesz kawy? Może jagodziankę? – Ruda doskonale wiedziała, czym Ewie dogodzić.

– Dawaj.

Przynajmniej zyskam nieco czasu, pomyślała cudem ocalona.

– Nie, to ty dawaj. I ze szczegółami poproszę.

– Na szczegóły jeszcze za wcześnie, bo sama nie wiem, co o tym wszystkim myśleć. Ale do rzeczy. Trafiłam przypadkiem do pewnego miejsca nad jeziorem. Mówię ci, kompletna głusza i warunki sprzyjające poszukiwaniu utraconego sensu życia. Wiem, to stało się nagle, ale tak poukładały się okoliczności. Miałam nadzieję zostać tam tylko przez chwilę, lecz zmieniłam zdanie.

– Dlaczego nie wzięłaś ze sobą komórki?

– Bo mi się nie zmieściła do torebki – odparła rzeczowo Ewa.

– A nie mogłaś zadzwonić od kogoś? Przecież wszyscy odchodziliśmy od zmysłów!

– Teoretycznie mogłam, ale nie znam na pamięć twojego numeru. Na miejscu nie było internetu, więc w żaden sposób nie mogłam cię namierzyć.

– Matko, a tak się denerwowałam.

– Mogłabyś wiedzieć już w czwartek, gdybyś nie zabrała ode mnie komórki i laptopa.

– Ale to nie ja je zabrałam. Zabrała je ekipa dochodzeniowa z policji, żeby poddać wszystkie dane analizie.

– Co ty gadasz?

Ewa miała coraz to gorsze przeczucia. Ukryła się za kubkiem z lavazzą i zatopiła zęby w drożdżówce. Nic tutaj nie trzymało się kupy.

– To teraz ty posłuchaj.

Ruda rozsiadła się w dyrektorskim fotelu i rozpoczęła relację z poszukiwań. Opowiedziała ze szczegółami, jak to pojechała do mieszkania przyjaciółki i zgłosiła sprawę na policję. Jak zawędrowała na parking i wpadła na pomysł, by spróbować wynająć prywatnego detektywa.

Zasłuchana Ewa biła się z myślami, czy aby natychmiast nie wyznać wszystkiego.

– Matko, muszę się pozbierać – wyszeptała. – Wiesz, jesteś po prostu niemożliwa. Zwrócę ci wszystkie koszty.

– Och, przestań! – żachnęła się Ruda. – Na moim miejscu zrobiłabyś to samo.

– Racja – potaknęła Ewa. – Ale to nie są małe pieniądze.

– No i co z tego? Stać mnie. Jeśli byłoby trzeba, oddałabym dużo więcej.

Wzruszona Ewa podeszła i uściskała przyjaciółkę. Ale mimo wyrzutów sumienia stwierdziła, że jeszcze za wcześnie na szczerość. A już na pewno nie w tej chwili. Potrzebowała nabrać dystansu, a przy tym miała całkowitą pewność, że na wieść o całej akcji, z Tomkiem w roli głównej, Monika nie pozostawi na niej suchej nitki. Potrafiła sobie nawet wyobrazić długą tyradę na temat własnej głupoty i niewytłuma-czalnych ciągot do męskich popaprańców, tak jakby na ziemi nie było normalnych facetów.

– Ruda, wiesz, że kocham cię jak siostrę – chlip-nęła cichutko.

– Wiem. I przestań mi tu wyjeżdżać z takimi łza-wymi tekstami, bo mi się zaraz makijaż rozmaże.

– Pojedziesz ze mną na policję?

– Tak, tylko tyrknę do detektywa, niech wstrzy-ma swoje charty. Nie wiem, czy wiesz, moja droga, ale przez ciebie i twoje poszukiwania sensu ży-cia twoja matka została gwiazdą mediów, a two-ją twarz zna chyba każdy Polak. Detektyw naro-bił takiej afery, że teraz twój powrót do żywych będzie pierwszym newsem w głównym wydaniu wiadomości – roześmiała się Ruda. – Trzeba to wszystko odkręcić.

– Ożeż w mordeczkę. Czyli tamci nie kłamali.

– Jacy znów tamci?

– A takie starsze małżeństwo. Rozpoznali mnie w autobusie.

– Czyli jednak nasze działania były skuteczne. Może powinnam zmienić fach? – zastanowiła się na głos Monika i stwierdziła, że zamiast jechać na policję, lepiej będzie zatelefonować.

Na wiadomość, że zguba się znalazła, oficer prowadzący odetchnął z ulgą i obiecał niezwłocznie dopełnić formalności związanych ze zwrotem zatrzymanych dowodów. Niezmiernie się ucieszył, że to już koniec sprawy. Ten marny detektywek od samego początku działał mu na nerwy, a medialny szum, jaki rozpętał, nie tylko przeszkadzał w pracy, ale w dodatku stawiał policję w złym świetle. Zwykli ludzie nie mieli pojęcia, na czym polega robota w dochodzeniówce. A już z całą pewnością nie wiedzieli, że trąbienie na prawo i lewo o bieżących postępach w sprawie zazwyczaj przynosi więcej szkody niż pożytku.

Wycieczka na komendę nastąpiła wkrótce potem i przed wieczorem Ewa wreszcie odzyskała swoje rzeczy. A w drodze do domu zrobiła podstawowe zakupy. Pobłogosławiła w duchu Rudą, że ta wyrzuciła z lodówki przeterminowane produkty, więc odpadał przynajmniej jeden problem.

– Zjemy coś na mieście? – zapytała Monika. – Umieram z głodu.

– Jasne, też jestem głodna. Idziemy do chińskiej?

– Może być. Tylko zadzwonię w jedno miejsce i jestem wolna.

Maciek nie krył żalu, że nie dadzą rady spotkać się we troje. Niemniej jednak radość z odnalezienia się Ewy i jemu osłodziła gorycz rozczarowania.

– Nie martw się. Co się odwlecze, to nie uciecze – powiedział. – Ja nigdzie się nie wybieram. A przynajmniej nie w najbliższych dniach.

– To znowu gdzieś jedziesz?

– Owszem. Znów mnie wysyłają na drugi koniec świata.

– O matko, przecież dopiero co wróciłeś! – Ruda nie potrafiła ukryć rozczarowania.

– Cóż począć, taka robota. Opowiem ci o wszystkim, jak się spotkamy. A na razie uściskaj ode mnie tę wariatkę i powiedz, że jak jeszcze raz nam wytnie taki numer, to osobiście przetrzepię jej ten chudy tyłek.

– Aha, żebym była zazdrosna? Nic z tego. – Monice w sekundę poprawił się nastrój.

W kwestii upodobań kulinarnych przyjaciółki były zgodne, jak zwykle, ale tym razem nie było im dane dotrzeć na wymarzoną chińszczyznę. Co krok ktoś je zaczepiał i pytał Ewę, czy to przypadkiem nie ona jest tą zaginioną osobą z telewizji. Pierwsze dwie zaczepki potraktowała z przymrużeniem oka, stanowczo twierdząc, że to pomyłka, ale szósta w ciągu dziesięciu minut sprawiła, że straciła cierpliwość.

– Rany boskie! Tak się nie da żyć! – wybuchnęła w końcu.

– Sama widzisz. Trzeba było nie znikać. Wystarczyłby jeden esemes, że nie będzie cię przez jakiś czas, i nie byłoby sprawy.

– Wiem, wiem. – Ewa zreflektowała się natychmiast i wzięła Rudą pod rękę. – Co ja bym bez ciebie zrobiła? Ale może jednak pójdziemy do mnie i zamówimy coś z dostawą do domu?

– Jak sobie życzysz. A wpadniesz do mnie jutro?

– Wiesz... – Ewa wyraźnie się speszyła. – Ja przyjechałam tylko po moje rzeczy i rano wracam nad jezioro – dokończyła ze straceńczą odwagą.

– A po co?! – Monika przeraziła się nie na żarty.

– Spokojnie, nic się nie bój. Po prostu spotkałam tam kogoś, na kim mi zależy. I chcę być teraz z nim.

– Ty na serio jesteś kompletnie pomylona! Tylko mi tu nie piernicz, że to jakiś chrzaniony nawiedzony kaznodzieja?

– A skądże! Normalny facet, ale wiesz. Nie widziałam go od rana, a już za nim tęsknię. – Ewa zabawnie wcisnęła głowę w ramiona.

– Czy to coś poważnego? Błagam, nie wpakuj się znowu na jakąś minę, bo saper z ciebie żaden. Może pojadę tam jutro z tobą i zobaczę, o co kaman?

– Nie trzeba, naprawdę. Tylko jak sobie pomyślę, że tyle osób będzie mnie teraz zaczepiać, robi mi się słabo. Właśnie miałyśmy próbkę mojej wątpliwej popularności.

– To chociaż podaj mi adres. Jeśli znów jakiś palant zrobi ci krzywdę…

– Może nie zrobi. Jeśli będę tak myśleć, to nigdy nie poukładam sobie życia. Kto nie ryzykuje, ten nie ma. Raz kozie śmierć – rzuciła filozoficznie Ewa. I dodała po namyśle: – No dobra, to drugi w tym roku. Ale czy ty myślisz, że jestem szurnięta? Bo chcę zaryzykować i tym razem?

– Nie, to chyba raczej normalne. – Monika uśmiechnęła się ze zrozumieniem. – Po prostu się zakochałaś. Tak na serio. Tak jak i ja. – Mrugnęła porozumiewawczo i porwała przyjaciółkę w ramiona.

– Tylko mi nie mów, że to Maciek?

– A któż by inny? – roześmiała się Ruda. – Kazał cię serdecznie pozdrowić. Też bardzo się o ciebie martwił.

ROZDZIAŁ 16

ZANIM EWA DOTARŁA do domu nad jeziorem, porządnie pobłądziła po drodze. Wszystkie leśne dukty wyglądały tak samo, a ona niespecjalnie orientowała się w terenie. Pomyliła się kilka razy, aż wreszcie w oddali ujrzała to, co pozostało z domu Haliny.

– No, jest dobrze – powiedziała na głos i pewnie ruszyła ku posesji Tomasza.

Po paru minutach energicznie zahamowała przed bramą.

Nie minęła minuta, a na powitanie wybiegła piątka dzieciaków w różnym wieku. Ewa od razu rozpoznała Mariolkę i jej brata. Natomiast pozostałej trójki nie widziała nigdy wcześniej.

– Witajcie! Mariola, skąd was tak dużo? Hej! Jesteście z sąsiedztwa? – zwróciła się do gromadki dzieciaków.

– Nie, to nasi kuzyni z Mazowsza. Właśnie przyjechali – zameldowała Mariolka i nakazała reszcie wypakować bagaże.

Czyżby Halina z dziećmi zyskała jednak szansę na tymczasowe lokum u rodziny?

Z wnętrza domu dobiegał gwar rozmów, a do tego dzieciaki z krzykiem wparowały do środka. Ewa przekroczyła próg i stanęła jak wryta.

Przy stole w salonie kilka osób bawiło się w najlepsze. Prym wiodła krzepka starowinka, zapewne wspomniana wcześniej stryjenka Haliny. Przy niej siedział ogorzały mężczyzna w góralskim swetrze, którego wiek oscylował mniej więcej w okolicy sześćdziesiątki. Właśnie beknął donośnie. Jego sąsiadka, względnie młoda kobieta, częstowała wszystkich wódką ze smukłej butelki bez etykiety.

Halina właśnie przechyliła kieliszek i niebezpiecznie zachwiała się na kuchennym taborecie.

– Dzień dobry – wykrztusiła wreszcie Ewa i uważnie rozejrzała się dokoła, jakby upewniając się, czy aby na pewno trafiła pod właściwy adres.

Rozgadane towarzystwo zamilkło w jednej chwili.

– A witamy, witamy. – Jako pierwszy zareagował mężczyzna. Zerwał się z miejsca i stukając obcasami wyglansowanych kościółkowych lakierków, szarmancko cmoknął Ewę na mokro w mankiet. Wzdrygnęła się z obrzydzeniem na obśliniony dotyk na dłoni. – Antoni jestem, kuzyn naszej biednej Halinki.

– Ewa – bąknęła nieśmiało.

– A to moja siostra Aniela. – Wskazał na kobietę z flaszką. – I nasza matula. Stefa. Niechaj się matka przedstawi! – ryknął starowince wprost do ucha.

– Co cię, synku, trapi? – nie zrozumiała przygłucha babina.

– Przedstaw się! To jest Ewa! – dokonał prezentacji.

– Stefania! – huknęła kobieta w stronę Ewy, najwyraźniej myśląc, że ona też jest głucha. Ewa uśmiechnęła się uprzejmie.

Na to wszystko wpadły rozwrzeszczane dzieciaki. Właśnie przytaszczyły z samochodu ostatnie bagaże i porzuciły je centralnie na środku przejścia.

– Napijemy się? Zdrowie! – Aniela napełniła kieliszek. – To nasz bimber – pochwaliła się. – Ojciec sami pędzili. Cała wieś mu zazdrości talentu, he, he – zarechotała rubasznie i podsunęła Ewie pęto domowej kiełbasy na zagrychę. – Naści, niech je! Na zdrowie!

Nienawykła do takich zwyczajów Ewa posłusznie ugryzła kęs mocno naczosnkowanej wędliny i popiła bimbrem. Był tak piekielnie mocny, że aż ją zatchnęło. Halina natychmiast wetknęła jej do ust kawałek razowca domowej roboty.

– To ci pomoże – oznajmiła, nieźle już rozochocona, podstawiając Ewie pusty kieliszek pod nos. – No, weź no, polej!

Ewa poniewczasie zorientowała się, że towarzystwo konsumuje alkohol z jednego kieliszka. Otrząsnęła się z odrazą, ale posłusznie nalała wódki.

– Do kogo pijesz?

– Co takiego? – zapytała nieco nieprzytomnie.

– No gadaj, komu polałaś – wyjaśnił Antoni.

– Jej. – Ruchem głowy wskazała na Anielę. – A gdzie Tomek?

– A w kuchni się krząta – odparła kobieta i sięgnęła do nakrytego ścierką koszyka. – To dla was, w podzięce za gościnę. Nasze małe jeszcze nad wodą nigdy nie wczasowały, a tu tak ślicznie macie. No, śmiało, nie bójcież się – zachęciła i ponownie wskazała na koszyk.

Oniemiała Ewa podniosła tkaninę i wrzasnęła, wywołując wesołość wśród reszty biesiadników.

Z koszyka rozległo się donośne gdakanie.

– Boże! To przecież żywe kury! Tak nie można, trzeba je rozwiązać! – Sięgnęła po nóż i ostrożnie, żeby nie zostać dotkliwie podziobaną, przecięła sznurek krępujący patykowate żółte łapki.

A później wstała od stołu i energicznie ruszyła do kuchni.

Tomek, jak zwykle, sprzątał. I wyglądało na to, że jeszcze długo będzie miał co robić. Kuchnia dosłownie lepiła się od brudu, choć przecież dzień wcześniej wszystko lśniło czystością.

– O co chodzi? – zapytała niepewnie.

– Mamy gości. Rodzinka Haliny przyjechała w odwiedziny – rzucił z udawaną beztroską.

– I w dodatku chyba na dłużej.

– Jak to? Jeszcze z nimi nie rozmawiałem, bo zrobili ze mnie podkuchennego. Ale sądziłem, że się u nas prześpią i zabiorą Halinę ze sobą.

– Taaa, jasne. Niby po to przyjechali z wałówką, bimbrem, chlebem i jeszcze z żywym prowiantem w postaci kur. Nie wiem, co jest w pozostałych koszykach, ale wygląda, że żarcia wystarczy dla wszystkich na tydzień i jeszcze zostanie. Mają walizki?

– Cholera. Mają – westchnął zdruzgotany Tomek.

– Do tego przywieźli dzieciaki i jeśli wierzyć tej, no... jak jej tam? ... aha... Anieli... to chyba planują tu wakacje dla dzieci, bo te jeszcze nigdy nie były nad wodą. Boże, żeby się tylko nie potopiły.

– Nie dobijaj mnie – jęknął Tomasz i wreszcie wziął Ewę w ramiona. – Matko, ależ tęskniłem. Myślałem, że jeszcze chwila i mnie skręci.

– Ja też. – Uśmiechnęła się i pocałowała go czule.

Tomek zgasił gaz na kuchence i nie zważając na obecność gości, porwał Ewę na ręce i bez zbędnych ceregieli zaniósł do jej pokoju, który jako jedyny w całym domu miał drzwi zamykane na klucz. Przy piątce rozbrykanych dzieciaków w każdej chwili można się było spodziewać, że któreś bez ostrzeżenia wparuje do środka, i to w najmniej odpowiednim momencie.

– Słuchaj, a jak my ich wszystkich tutaj pomieścimy? – zapytała za jakiś czas, leżąc u jego boku.

– Jakoś się uda. Mam duży namiot, to się w nim upchnie dzieciaki. Reszta niech sobie sama radzi. Nie mam dla wszystkich pościeli, ale koce się znajdą. Na strychu są stare materace. Byleby ta wizyta nie trwała zbyt długo. Nie jestem etatową sprzątaczką. Ale to nic, najważniejsze, że znowu jesteś.

Tomek pocałował Ewę i wyszedł z pokoju. Tylko po to, by po minucie znaleźć się w nim z powrotem.

– Trzymaj mnie! Trzymaj mnie, bo nie zdzierżę i wyjdę z siebie! – oznajmił zbulwersowany.

– A co?

– Jak to: co? – Irytację czuć było na kilometr. – Ten cały Antoni właśnie napalił w kominku i piecze kiełbasę! Tłuszcz strzela na cały pokój!

– W kominku?

– No dokładnie.

– Matko, to oni nie wiedzą, co to ognisko? Albo grill?

Zamiast odpowiedzi rozległ się donośny grzmot, a o dach zabębniły pierwsze, nabrzmiałe od letniej duchoty krople deszczu. Za oknem pociemniało wyraźnie, co nie zwiastowało zbyt szybkiej poprawy aury.

– I co z namiotem?

– No właśnie nie wiem. – Zrezygnowany Tomek opadł na łóżko i schował twarz w dłoniach. – Tylko popatrz, jak to jest – powiedział filozoficznie. – Człowiek da bliźniemu palec, a ten mu zaraz całą rękę, aż po pachę, upierniczy.

– A jak w ogóle doszło do tego najazdu?

– Nie mam pojęcia. Wyszedłem do toalety, a oni w tym czasie wtarabanili się do chaty z tobołami. Dzieciaki wpadły z prędkością amunicji dalekiego rażenia, a tamci w sekundę wyjęli flaszkę, te schaby i kiełbasy. I od razu zaczęli wcinać.

– Rozmawiałeś już z Haliną? Przecież tak nie można. Ona musiała jakoś dać im znać, że chwilowo mieszka u ciebie jedynie grzecznościowo.

– Jeszcze nie miałem okazji.

– I pewnie szybko nie będziesz jej mieć.

– A co?

– Jest już kompletnie wstawiona. Tamci zresztą też. Nawet głucha babcia za kołnierz nie wylewa i łoi bimber, aż furczy. A czy ty wiesz, że oni wszyscy piją z jednego kieliszka?

Tomek postanowił ostrożnie przemknąć się do kuchni, ale jego zamiar spalił na panewce. Po drodze prawie rozdeptał zabłąkaną kurę. Wystraszone ptaszysko wyskoczyło jak z procy i uciekło z głośnym gdakaniem w głąb domu.

– Za jakie grzechy? – westchnął załamany i poszedł zrobić sobie kawę.

Ewa miała rację. Głosy dochodzące z salonu stały się jeszcze głośniejsze. Wszędzie czuć było woń pieczonej kiełbasy. Nawet nie chciał sobie teraz wyobrażać, w jakim stanie znajduje się jego bieluteńki kominek. Przynajmniej w kuchni nikt nie zdołał już bardziej nabałaganić, więc wspólnie z Ewą dokończyli sprzątanie. Kurze odchody na podłodze zdradzały, że do domu zawitali naprawdę niecodzienni goście.

Wczesnym rankiem Ewę obudziło donośne szczekanie pod oknem. Klnąc w duchu na przeklęte bydlę, przewróciła się na drugi bok i nakryła głowę poduszką. Tomek spał tak mocno, że ani drgnął. Kiedy kładli się do łóżka, był wykończony; nawet dotyk ciepłego kobiecego ciała nie był w stanie wykrzesać w nim choćby odrobiny chęci na miłosne igraszki. Zasnął dosłownie w pół słowa. Ewa również padła jak nieżywa.

A teraz wydawało się jej, że spała strasznie krótko. Jeszcze chociaż godzinka, pomyślała, próbując ulec autosugestii.

Nic z tego. Pies cały czas ujadał jak wściekły. Zerknęła na zegarek. Dochodziła szósta.

– Cholerny kundel – warknęła i ostrożnie wysunęła się spod kołdry.

Narzuciła ciepłą bluzę z polaru, wyszła na ganek.

Ubłocony wilczur właśnie ukatrupił jedną z przywiezionych przez gości kur i teraz robił wszystko, żeby pochwalić się łupem.

– Tornado? – zapytała niepewnie, a psisko natychmiast zamerdało ogonem. – Rany, wróciłeś! – ucieszyła się Ewa i pogłaskała brudnego zwierzaka po łbie.

Po kilkudniowej tułaczce Tornado prezentował się jak półtora nieszczęścia. Wcale nie wyglądał na głodnego, ale był potwornie utytłany i aż prosił się o solidną kąpiel.

– Leżeć! – rozkazała i poszła obudzić Halinę.

Głośne chrapanie wskazywało, że zamiar się nie powiedzie, więc na razie nalała psu wody do miski i z obrzydzeniem odebrała mu zdobycz. Usiłowała właśnie umieścić martwą kurę w plastikowym worku, gdy Tornado rzucił się za drugim ptakiem i z impetem wparował do domu.

– Tornado! Do nogi! – zawołała Ewa, ale tym razem pies ani myślał posłuchać. Pognał za drobiem do salonu.

Po drodze niemal stratował śpiącego na podłodze Antoniego i w locie pochwycił leżący na podłodze kawał nieco zwęglonej kiełbasy. Przerażone ptaszysko wydzierało się wniebogłosy, ale pogrążonym w pijackiej malignie gościom rozgardiasz najwyraźniej nie przeszkadzał.

Ewa w niemocy załamała ręce i bezradnie oparła się o ścianę. Czworonożny morderca drobiu biegał jak szalony. Z gdaczącej kury sypały się pióra, Antoni chrapał w najlepsze, a wtem z potrąconego stołu na podłogę posypało się szkło.

– Nie wytrzymam. Niech się dzieje, co chce. – Zrezygnowana Ewa machnęła ręką.

Odwróciła się na pięcie, poszła do siebie, założyła dres i zdecydowała, że najlepiej jej zrobi spacer. Przy okazji zebrała nieco plonów z inspektu Haliny, a później podjechała samochodem do sklepu.

Do domu wróciła dopiero po godzinie.

Skacowana Aniela próbowała się krzątać i jakoś ogarnąć wszechobecny bałagan.

– Jak dzieci? – zapytała Ewa.

– Jeszcze śpią – mruknęła tamta, taszcząc stulitrowy wór pełen śmieci. – Gdzie to ciepnąć?

– Nie mam pojęcia, postaw przed domem. Zrobię śniadanie.

– Psa pogoniłam, kury dałam do zlewu, wnet je oporządzę. Rosołek będzie paluszki lizać.

– Dziękuję. – Ewa była naprawdę wdzięczna, że ominie ją skubanie piór.

Na wszelki wypadek, zanim ponownie zajrzała do salonu, nabrała w płuca powietrza.

Pomimo uprzątnięcia co grubszych śmieci wnętrze wyglądało, jakby ktoś zdetonował w nim minę przeciwpiechotną: oberwany karnisz, połamane krzesło, ochlapany tłuszczem kominek. O stanie dywanu nie wspominając. Z kwiecistego kobierca można było odczytać wczorajsze kompletne imprezowe menu. Nadawał się wyłącznie do gruntownego czyszczenia albo na śmietnik.

Tak dłużej być nie może!, zbuntowała się Ewa. O ile dopust boży w postaci Haliny z wnukami z trudem, bo z trudem, ale jakoś mieścił się w granicach rozsądku, o tyle obecność dodatkowej szóstki już je przekraczała. Dom Tomka nie był na tyle duży, żeby pomieścić na dłużej aż tylu gości, w dodatku tak bardzo absorbujących i niesfornych jak rodzinka z Mazowsza. No ale cóż, to dom Tomka.

Ewa wyekspediowała Anielę z martwymi kurami na zewnątrz, a sama zabrała się do jajecznicy. Jeszcze nigdy w życiu nie zdarzyło się jej gotować dla tylu osób, więc za nic nie potrafiła oszacować potrzebnej liczby jaj. Właśnie po raz trzeci liczyła na palcach, gdy z przedpokoju dobiegł ją huk.

Natychmiast wybiegła z kuchni. Pośrodku podłogi zobaczyła leżącego Antoniego, który jęcząc, masował sobie nos. Spomiędzy jego palców zaczęła sączyć się krew. Błyskawicznie podała mu woreczek z lodem i o mało sama nie podzieliła losu mężczyzny. Na podłodze widniała wielka żółtawa kałuża.

– Co tu się, do cholery, wyrabia? – W progu stanął zaspany Tomek.

– A nic takiego. Pies nasikał, Antoni wywinął orła na mokrej podłodze i rozkwasił sobie nos.

– Aha.

– No a w międzyczasie ukatrupił dwie kury i rozbił część zastawy stołowej. Aniela właśnie zebrała szczątki.

– Antoni?

– No skąd? Pies!

– Jaki znów pies? – w końcu Tomek oprzytomniał nieco. – Ja nie mam psa. A może psa też już mam, tylko jeszcze o tym nie wiem? – zapytał niepewnie, pomagając Antoniemu pozbierać się z podłogi.

– Tornado. Pies Haliny.

– W porządku. Nic mnie już nie zdziwi.

Tomasz nastawił ekspres do kawy i z rozmachem opadł na fotel w jadalni.

– Nieee! – wrzasnęła Ewa, ale było już za późno.

Pod pośladkami gospodarza rozległo się chrupnięcie.

– Co jest? O nie! – Tomek poderwał się na równe nogi. A gdy zobaczył jajeczną miazgę, wściekł się naprawdę. – Anielaaa! – wrzasnął co sił w płucach.

– Słucham, psze pana? – zapytała potulnie.

– Ile jest jeszcze tych żywych kur?

– Jeszcze jedna. Zaciukać?

Tomek jeszcze nie zdążył odpowiedzieć, gdy zdradliwe ptaszysko właśnie nasrało mu na kapeć.

– Nieee! – ryknął, rzucając się w pogoń za winowajczynią. – Sam zabiję, gołymi rękami! Ty cholerny ptasi skur...

Nie dokończył, bo poślizgnął się na kałuży w przedpokoju i centralnie runął jak długi prosto w psie odchody. Gdyby był sam, zapewne rozpłakałby się z bezsilności, ale przy ludziach musiał trzymać fason. Zwłaszcza że dzieci już wstały i przyglądały się scenie z wyraźnym zainteresowaniem.

– No i co się tak gapicie? Marsz do kuchni na śniadanie! – warknął Tomasz na Bogu ducha winne młode pokolenie, gramoląc się nieporadnie z mokrej podłogi.

Ewa z trudem tłumiła śmiech. Sądny poranek nie był pozbawiony elementów komicznych.

– Idź się odświeżyć, zaraz to posprzątam – powiedziała. – Później ustalimy co i jak.

Cmoknęła Tomasza w usta, wygoniła go do łazienki i od nowa zajęła się liczeniem jajek.

Dobrze, że Mariolka pomogła jej przy tostach, bo inaczej Ewa nie wiedziałaby, w co ręce włożyć.

Mniej więcej po kwadransie wszystko powróciło do względnej normy.

Odświeżony Tomek przestał się pieklić, nalał sobie kawy i wyszedł do ogrodu, gdy nagle jego oczom ukazała się Aniela z siekierą w dłoni. Przystanął zaintrygowany.

Kobieta wolną ręką capnęła spętaną kurę i zamachnęła się, by odrąbać jej łeb.

– Stój! Co ty wyprawiasz?! – wrzasnął, ale nie zdołał powstrzymać przeznaczenia.

Siekiera poszła w ruch.

– O patrzcie go, jaki to delikacik się znalazł – zadrwiła Aniela. – Ale rosołu na kurce, co wolno latała, to chętnie by zjadł. Hipokryta jeden. Phi!

– No dobrze, ale nie rąbie się na stole ogrodowym!

– No przecie on z drewna jest. No i co się tak gapi? Kury trza sparzyć. Ma jaką balię albo ceber?

– Co takiego?

Osłupiały Tomek zagapił się na krwawy ślad po ostrzu. A tyle się wcześniej naszlifowałem tego blatu..., pokiwał głową.

– Ma miednicę?

– Mam – sapnął wkurzony. – W składziku, za domem.

Aniela, kołysząc biodrami, odeszła, a on pognał do kuchni po wrzątek i szczotkę, by wyczyścić z drewna krwawe zacieki. Ech, trzeba będzie wyszorować i zaszpachlować, myślał. Cholerna baba!

Wystygłą kawę dopił dopiero około południa. Miał tyle roboty, że zwyczajnie zapomniał o porannym rytuale.

W końcu dopadł Haliny, żeby omówić z nią kwestię dalszego pobytu, ale ta po wieczornej libacji nie nadawała się do niczego. Stękała, trzymała się za głowę i żłopała wodę niczym smok wawelski. Cóż, trzeba było zaczekać, aż kac gigant opuści ciało sąsiadki. Dodatkowo Tomkowi skończyły się fundusze.

Na to powinno pomóc spotkanie z Dariuszem, stwierdził. W końcu wywiązałem się z zadania i należy mi się wynagrodzenie.

Sprawdził baterię w komórce i poszedł do lasu, by zadzwonić do brata.

– Cześć, stary. Masz dla mnie jakiś szmal? – zapytał bez wstępów. – Jestem już goły jak peruwiański Indianin.

– Coś tam mam – mruknął Dariusz. – Ale nie tyle, ile byś chciał.

– Przecież doprowadziłem sprawę do końca. Owszem, pierwsze podejście spartoliłem, ale za to w drugim spisałem się na cacy. Stary, nawet nie chcesz wiedzieć, ile wysiłku mnie kosztowało to przetrzymanie jej przez tych kilka dni. Strasznie była niecierpliwa. Mieliśmy farta, bo właśnie sfajczył się dom w sąsiedztwie i ubłagałem ją o pomoc.

– Co się sfajczyło? – Dariusz nie dosłyszał.

– Chałupa sąsiadki poszła z dymem. No i teraz mam dodatkowo na karku babkę z wnukami. I jeszcze połowę mazowieckiej wsi.

– Nic z tego nie rozumiem. Ale jak jesteś podlimitowy, to przyjedź do mnie. Albo jeszcze lepiej puszczę ci trochę kasy przekazem pocztowym. Tak chyba będzie najprościej, skoro masz na miejscu taki kocioł. Od razu mówię, że to nie wszystko.

– A masz jakichś nowych klientów?

– No pewnie! Po tej naszej akcji z Ewą telefon się u mnie urywa. Podłapałem parę nowych zleceń, w kilku sprawach nawet skasowałem zaliczkę. Ale to dopiero początek, więc na razie wrzuć na luz. Dwa koła ci starczą?

– Muszą. Gra gitara. Czekam na listonosza, więc szybko rusz dupę na pocztę.

ROZDZIAŁ 17

PO OBIEDZIE EWA rozłożyła laptopa, wetknęła w gniazdo USB modem odpowiedzialny za mobilny internet i odebrała pocztę z całego tygodnia. Dobrze, że większość okazała się reklamowym spamem, niemniej jednak w skrzynce znalazło się kilkanaście poważnych wiadomości, na które powinna odpisać niezwłocznie.

Z zapałem zabrała się do pracy.

Na zewnątrz znów lunęło, więc do domu wparowały przemoczone dzieciaki. Ich babcia wciąż polegiwała z zimnym kompresem na czole, Aniela krzątała się po kuchni, Stefa właśnie włączyła radiowe słuchowisko na cały regulator, a Antoni chyba poszedł na grzyby. Chcąc nie chcąc, Ewa wstała od stolika i zajęła się maluchami.

Po godzinie cała piątka, już wysuszona i przebrana w suche rzeczy, zgodnie upomniała się o jedzenie.

– O nie! – Ewa asertywnie odparowała prośbę. – W kuchni jest Aniela, idźcie do niej.

– O, ma pani laptopa – zauważył sześcioletni synek aktualnej kucharki i fachowo ocenił sprzęt. – Fajny.

Ewa odruchowo zasłoniła komputer własnym ciałem i czym prędzej odprawiła dzieciaki do kuchni. Muszę go później gdzieś dobrze schować, zanotowała w pamięci.

Udało się jej odpowiedzieć na dwie wiadomości, gdy rozległo się pukanie do drzwi.

– Proszę.

– To tylko ja – powiedziała słabym głosem Halina. – Przepraszam cię, ale nie masz przypadkiem czegoś od bólu głowy? Chyba wczoraj przesadziłam z tym bimbrem.

– Chyba? Raczej na pewno. – Ewa wstała z krzesła i pogrzebała w kosmetyczce. – Masz. To już wszystko?

– Tak, tak – powiedziała Halina skruszonym głosem. – Już sobie idę, przepraszam.

Odwróciła się i w progu zderzyła się z Antonim, który właśnie wrócił z grzybobrania. Tubalnie, na cały głos, chwalił się wszem wobec. Nie ominął pokoju Ewy, nawet próbował wciągnąć ją w czyszczenie zbiorów, ale się nie dała. Niemal siłą wystawiła namolnego mężczyznę za drzwi i obiecała sobie, że nazajutrz wykombinuje tabliczkę z napisem: „Nie przeszkadzać".

Skorzystała z toalety, ale nie zdążyła ponownie zasiąść do pracy, gdy poczuła na ciele ciepłe dłonie Tomka. Próbowała protestować, ale okazał się bardzo przekonujący.

– Chodź no tu do mnie – mruknął i lekko dmuchnął jej w ucho.

Pocałował ją delikatnie.

Ewa poczuła, że miękną jej nogi. Niemal omdlała w jego ramionach.

– Tomek…

– Później. – Zamknął jej usta pocałunkiem.

– Ale…

– A przestańże już gadać, kobieto utrapiona! – Zdecydowanym ruchem pozbawił ją bluzki.

– Zamknij drzwi na klucz. – Ewie w końcu udało się wyartykułować, o co chodzi.

Nie wypuszczając jej z objęć, Tomasz podszedł do drzwi i przekręcił klucz. Zrobił to w ostatniej chwili, bo po kilku sekundach ktoś nacisnął na klamkę.

– Kto tam? – Ewa była bliska utraty panowania nad sobą.

– To ja, Halina. Chciałam tylko powiedzieć, że zupa na stole.

– Dobrze, będziemy za chwilę! – odkrzyknął uba-
wiony Tomek.

– Ja nie mogę, to dom wariatów – westchnęła
Ewa, ale za sprawą jego ust wkrótce zapomniała
o bożym świecie.

Zanim dotarli na obiad, rosół już zdążył wystyg-
nąć, ale i tak był fantastyczny. Mimo ogólnego zamieszania i rosnącej niechęci do gości nie można
było nie pochwalić kulinarnych talentów Anieli. Na
drugie danie na stół wjechały schabowe z zasmaża-
ną kapustą i suto okraszone skwarkami ziemniaki.

– To wszystko nasze. Świniobicie my mieli. – Antoni dosłownie pękał z dumy.

– A jakże! To całkiem inne niż sklepowe. Na jutro sosu grzybowego do schabu naszykuję, a co? –
Aniela aż zatarła ręce z uciechy.

Tomkowi i Ewie zrzedły miny.

– Słuchaj, czy ty już wiesz, na czym stoimy? Bo
ja tak dłużej nie mogę. Nie dam rady – powiedziała
Ewa podczas poobiedniej przechadzki brzegiem jeziora.

– Już mnie nie chcesz?

– Nie wygaduj głupot! Przecież wiesz, co czuję.
I dałabym wiele, żeby być tu z tobą. Ale ja muszę
pracować. Dziś nie byłam w stanie nawet porządnie
odczytać zaległych mejli, bo cały czas coś się działo.

Do tego ta głucha babcia i wszyscy drący się jak opętani. No i jeszcze to jej nieszczęsne Radio Maryja. Matko, czy oni nie słyszeli o aparatach słuchowych?

– Nie mogę ich przecież wyrzucić. Nie mają gdzie iść.

– Coś musimy wykombinować.

– Daj mi trochę czasu, coś wymyślę – zapewnił Tomek z mocą, choć nie miał zielonego pojęcia, co począć. – Chodźmy. Robi się późno i zaraz komary zjedzą nas żywcem.

Z powrotem obrali inną drogę przez las. Nieco dłuższą niż ta biegnąca nad jeziorem, ale nie mniej urokliwą. Byli już prawie na miejscu, gdy natrafili na niewielką słoneczną polanę. Tuż przed zachodem słońce jeszcze mocno prażyło, a wokół ogłuszająco grały świerszcze. Ewa z lubością wciągnęła powietrze przesycone aromatem dojrzałych poziomek.

– Tu jest po prostu bosko – oświadczyła. – A to co? – Wskazała ruchem głowy na niewielką budowlę.

Gdyby nie dwuspadowy dach na maleńkim budyneczku, pomyślałaby, że to szopa na siano.

– A nie mam pojęcia – odparł Tomek. – Dawniej dziadek wynajmował toto letnikom, ale od lat stoi puste. Nawet nie wiem, co tam jest, bo za młodu nieczęsto tutaj u nich bywałem.

– Nie zauważyłam go wcześniej.

– Bo jesteśmy teraz po przeciwnej stronie posesji. To jest na tyłach i jeszcze oddzielone zagajnikiem.

– Masz to wszystko po dziadkach? – Tomasz skinął głową. – Musieli bardzo cię kochać.

– A skądże! – zaśmiał się gorzko. – Mieli jeszcze piękną działkę budowlaną, wartą sporo grosza, no ale ją otrzymał w spadku mój wspaniały brat. Ja, jako czarna owca w rodzinie, dostałem to, czego nie chciał nikt. Więc teraz się bujam z tą ruiną i walczę z komarami.

– Ale przecież wokół domu ich nie ma.

– Bo mam chody u sołtysa i załatwiłem sobie oprysk.

Ewa zamyśliła się na chwilę. W sumie ona też była właścicielką starej nieruchomości po babci. I od kilku lat kombinowała, co z nią zrobić. Domek stał w świetnym miejscu, w wypoczynkowej miejscowości, ale sam w sobie niewiele był wart. Wybudowany za Gomułki, aż prosił się o kapitalny remont czy wręcz rozbiórkę.

Ewę olśniło.

– A może by tu umieścić Halinę z dzieciakami, skoro to ci niepotrzebne?

– Po co? Zaraz kończą się wakacje, a Mariolka idzie przecież do szkoły.

– Możemy tam wejść? – Ewa nie kryła podekscytowania. – Masz klucze?

– Chyba nie mam, ale nie sądzę, żeby było zamknięte.

Istotnie, dyndająca przy drzwiach zardzewiała kłódka była jak atrapa. Ewa pomajstrowała przy niej i poradziła sobie wyłącznie za pomocą własnych palców.

– Gotowe.

Drzwi ustąpiły ze skrzypem zawiasów, który przyprawił oboje o dreszcze.

Wnętrze okazało się ciepłe, suche, przesiąknięte zapachem żywicy i kurzu. W środku nie było niczego, nie licząc pojedynczego taboretu i kulawego stolika. Pomieszczenie mogło pomieścić od biedy dwie dorosłe osoby z dzieckiem, ale pomimo doprowadzonej elektryczności, bieżącej wody i kanalizacji kompletnie nie nadawało się do zamieszkania w sezonie zimowym.

Ewa uwielbiała takie miejsca i zawsze spodziewała się w nich znaleźć skarb i tajemnicę, tymczasem spotkało ją rozczarowanie. Zobaczyła tylko zwyczajną boazerię z surowego drewna, którą wystarczyłoby porządnie wyszorować. Linoleum z podłogi było całe w strzępach, a skromne zasłonki spłowiały od słońca tak mocno, że nie można było odgadnąć, jaki miały wyjściowy kolor.

– Urocze miejsce – westchnęła. – Wracamy?

– Chyba musimy – niechętnie zgodził się Tomasz, obejmując Ewę ramieniem. – Chociaż wcale nie mam ochoty.

– No, w domu idzie sobie w łeb strzelić – przyznała mu rację. – Ale może Halinka już oprzytomniała. Mam twoją zgodę?

– Na co? Na rozmowę w moim imieniu? Oczywiście. Jeśli chcesz, mogę przy niej być. Ale jeden warunek.

– Jaki?

– Żadnych więcej kur w domu. I żadnych sikających psów.

– Załatwione. Chodźmy.

Tym razem los im sprzyjał. Halina już czekała na nich z herbatą, więc cała trójka wygodnie rozsiadła się na tarasie.

Scenariuszy było kilka, ale żaden nie był do końca dobry. Oczywiście najlepiej byłoby, żeby Halina tymczasowo zamieszkała u swojej rodziny, ale tamci właśnie remontowali dom i chwilowo nie mogli zabrać jej do siebie. Inaczej miała się sprawa z dziećmi. Za kilka tygodni rozpoczynał się rok szkolny i trzeba było zdecydować, gdzie posłać je do szkoły. Aniela od razu zaproponowała ich przeprowadzkę do nich, przynajmniej dopóki ich matka nie wróci do Polski i nie zdecyduje o ich dalszym losie. Tu z pomocą przyszła Ewa i ich dzisiejsze odkrycie w lesie. Ustalono, że Halina zamieszka tam tymczasowo, a dzieci pojadą z krewnymi. Było to o tyle sensowne, że obecność Haliny na miejscu była konieczna jeszcze przez jakiś czas, nie dokończono bowiem dotąd dochodzenia związanego z pożarem. Do załatwienia pozostawała jeszcze kwestia ubezpieczenia domu i wypłaty odszkodowania, zatem tak czy siak musiała zostać na miejscu.

Słońce zaszło i na dworze wyraźnie pochłodniało. Ewa, pokrzepiona poczynionymi ustaleniami, poszła do pokoju po coś ciepłego do ubrania. Niestety, jej dobry nastrój nie trwał długo – w swoim azylu, jak sądziła dotąd, zastała dzieciaki, które z zapałem oddawały się grze na jej laptopie. I o ile sama czynność nie była niczym złym, o tyle wzajemne wyrywanie sobie sprzętu i walenie pięścią po klawiaturze już tak.

Ewa zmełła w ustach przekleństwo i ze względu na młody wiek niszczycieli powstrzymała się przed wypowiedzeniem na głos najgorszej szewskiej wiązanki, jaką znała.

Na jej widok wystraszona dziatwa zastygła w pół gestu. Dzieci, które zazwyczaj bywają dobrymi psychologami, i tym razem bezbłędnie odczytały jej nastrój.

– To my już pójdziemy – bąknęła Mariolka i skinęła na resztę towarzystwa. – Dziękujemy! – zaszczebiotała.

I nawet dygnęła na odchodnym. Dzieciaki bezszelestnie opuściły pomieszczenie.

– Ludzie, trzymajcie mnie! – Gdy Ewa została sama, zagotowała się ze złości. – No ileż można? Była tak wściekła, że chciało się jej płakać.

Dopiero telefon do Rudej trochę poprawił jej humor. I choć przyjaciółka była na nią jeszcze trochę zła, że Ewa wcześniej nie wtajemniczyła jej w szczegóły, teraz sama również zakochana po uszy, zamiast chodzić, unosiła się kilka centymetrów nad ziemią. Bardzo tęskniła za Maćkiem, ale z godziny na godzinę coraz bardziej nabierała przekonania, że nad ich znajomością wisi klątwa. Za każdym razem, gdy się umawiali, działo się coś, co skutecznie krzyżowało im plany. Raz był to zepsuty samochód, innym razem porwanie Ewy, następnym jej odnalezienie. A do tego Maćka ciągle gdzieś wysyłano służbowo. Przez to jego nieustanne zaabsorbowanie pracą Monika miała wrażenie, że zdążyła już zrobić doktorat z tęsknoty i stać się specjalistką w kwestii komunikacji internetowej. Ponieważ Maciek znów na dłużej wybierał się w świat, tym razem mieli dla siebie raptem niecałe dwa tygodnie.

– Los bywa złośliwy, aż wierzyć się nie chce – powiedziała Ewa. – Chociaż razem wam dobrze i tak bardzo do siebie pasujecie, że nie wiem.

– No właśnie. Jakieś fatum, szlag by to trafił jasny! Uwierz mi, aż mnie w dołku skręca. Na samo wspomnienie Maćka robi mi się gorąco tu i tam. Normalnie czuję się jak jakaś zadurzona małolata, z utęsknieniem czekająca na pierwszy seks.

– No coś ty? To wy jeszcze nic? Nic nie tego? – zdziwiła się Ewa.

– No właśnie! – prychnęła Ruda. – Nie do wiary, co? W kółko coś się dzieje. A ty sobie gruchasz w najlepsze i jeszcze marudzisz, że jakieś dzieciaczki pograły sobie na twoim lapku.

– Ech, szkoda gadać. Zresztą już mi lepiej. – Głos Ewy poweselał. – To kiedy się spotykacie?

– Na szczęście już dzisiaj! I tym razem mi nie ucieknie. Kupiłam nową bieliznę. Zapłaciłam majątek, nacierpiałam się jak idiotka na depilacji woskiem. I nabyłam feromony.

– Fero co?

– Och, jakaś ty głupia! Nie słyszałaś o feromonach? To takie coś, co działa na płeć przeciwną. Niby nie pachnie, a pachnie.

– A to działa?

– Nie wiem jeszcze. Się okaże. Ale Maciek dziś będzie mój. I przysięgam, wycisnę go jak cytrynę.

– Ty rzeczywiście jesteś stuknięta! – roześmiała się Ewa.

– Do ciebie i tak mi daleko. No nic, kochana. Kończę i idę się szykować. Dziś w planach mam siwy dym i organy. Nie pozwolę Maćkowi uciec, choćby nawet umarł! – oznajmiła Ruda z determinacją. Zakończyła rozmowę i poszła się przygotować.

Na tę okazję zaplanowała romantyczną kolację we dwoje. Zadbała o świece i elegancko nakryła stół na tarasie. Wiał lekki zefirek, więc świeczki umieściła w specjalnych lampionach i przypięła obrus do stołu metalowymi spinkami. Menu wymyśliła dość wykwintne. Mimo zwalistej postury Maciek wbrew pozorom wcale nie jadał zbyt wiele, więc zdecydowała się na kilka mniejszych dań, typowo przystawkowych. Na początek obowiązkowy melon z szynką parmeńską i hiszpańskie viño tinto. To na pamiątkę ich pierwszego spotkania. Ponieważ Maciek, podobnie jak ona sama, uwielbiał frutti di mare, jako kolejne zaproponowała awokado z krewetkami, a później ślimaki w maśle czosnkowym zapiekane z tartym serem. Do tego grzanki. Pycha!

Na samą myśl Rudej pociekła ślinka.

Zdenerwowana jak przed pierwszą randką w życiu, umieściła ślimaki w piekarniku i poszła zrobić makijaż.

Nowa bielizna była niewygodna jak diabli – sztywna koronka boleśnie obcierała pachwinę – ale czego się nie robi dla dobrego wrażenia? Monika liczyła na powalający efekt. Zwłaszcza że tego wieczoru nie zamierzała ani chodzić zbyt wiele, ani zbyt długo mieć desusów na sobie. Wręcz przeciwnie, liczyła na coś zupełnie innego.

Wsunęła stopy w niebotyczne szpilki i przeszła kilka kroków, żeby sobie przypomnieć, jak to jest na wysokich obcasach. Od kontuzji wiązadeł kolanowych bowiem takie obuwie stanowiło wyłącznie ozdobę jej szafki z butami.

Kończyła właśnie tuszowanie rzęs, gdy przy furtce rozległ się dzwonek. Przez okno krzyknęła do Maćka, by od razu wchodził na taras, a sama, starając się nie zważać na niewygodne majtki, boso zbiegła po schodach. W pośpiechu wskoczyła w czarne czółenka.

Zdążyła w ostatniej sekundzie.

Maciek od razu porwał ją w objęcia.

– Zjemy coś?

– Umieram z głodu. Aż brzuch mnie boli – roześmiał się i zaciągnął się apetycznym aromatem zapiekanych ślimaków.

– Siadaj, już podaję.

Maciek z rozkoszą zaatakował pyszności.

– Boskie! A co tak pachnie? – zapytał i stęknął, niespodziewanie targnięty bolesnym strzyknięciem

316

w dole brzucha. – Aaa! Matko – sapnął i głośno za-
czerpnął powietrza.

– Co się stało? Masz kolkę?

– Nie, nic takiego. Po prostu chyba jadłem zbyt
łapczywie – odparł skrzywiony.

– Oddychaj w takim razie. Może się czegoś na-
pijesz? Herbaty?

– Może być.

Maciek poszedł za radą Rudej. Starał się oddychać głęboko, żeby maksymalnie rozluźnić brzuszne powłoki, ale wyrównanie oddechu nie pomogło.
Podniósł się i z trudem doczłapał do kanapy.

– Co ci jest? – Monika przysiadła obok z kubkiem
herbaty w dłoni. – Masz, pij.

– Niestety, obawiam się najgorszego.

– Jezu, czego znowu?

– To chyba ta moja przepuklina – wymamrotał.

– Myślałam, że przepuklina nie boli.

– Bo nie boli. Do czasu.

– Od dawna to masz?

– Od kilku lat. Aż do tej pory był spokój.

Pobiegła do komputera i w kilka minut dowiedziała się, czym grozi uwięźnięcie jelita.

– Gdzie dokładnie cię boli? – zapytała.

Maciek wskazał na okolicę pachwiny.

– Tutaj.

– Pokaż! Jak mocno boli i jest czerwone, to wzywamy karetkę.

Z trudem zsunął spodnie. Ból był tak dotkliwy, że przeszkadzał w oddychaniu, więc Monika musiała pomóc w striptizie. Nie tak wyobrażała sobie okoliczności, w których to zrobi. Błyskawicznie dokonała obdukcji i upewniwszy się, że stan potwierdza jej najczarniejsze przypuszczenia, natychmiast zadzwoniła po pogotowie. Dosłownie w biegu pozbyła się butów na obcasach i przeskoczyła w wygodne sandały.

– Cholera jasna! – warknęła, gasząc świece.

Pod domem właśnie zawył ambulans, więc pędem zbiegła po schodach.

Lekarz wprawnie zbadał chorego i w sekundę postawił diagnozę. Wszystko się zgadzało. Nieoperowana przepuklina w końcu postanowiła dać o sobie znać.

Ekipa ratunkowa z niemałym trudem przetransportowała Maćka do karetki.

– Pojadę za wami – powiedziała Monika, ale szybko zreflektowała się, że wypiła wino i nie może prowadzić. – Dobra, jednak z wami.

– Skarbie… – wykrztusił Maciek.

– Spokojnie – wyszeptała. – Wszystko będzie dobrze. Jesteś w dobrych rękach.

– Ale piekarnik…

– Co piekarnik?

– Wyłączyłaś?

– Niech to cholera! Zaczekajcie! – krzyknęła.

– Ale tu cenna każda minuta – napomniał ją lekarz.

– Wiem! – zawołała spod furtki i nie zważając na ból we własnych pachwinach, co sił w nogach pognała do kuchni.

Wyłączyła piekarnik i z żalem przypomniała sobie o aromatycznych ślimaczkach. Cóż, trudno, pomyślała. Z impetem zatrzasnęła za sobą bramkę i wskoczyła do karetki.

Blademu Maćkowi już podłączono kroplówkę, a w międzyczasie ustalono adres szpitala pełniącego ostry dyżur. Szczęśliwie padło na całkiem nową placówkę, mogącą poszczycić się przyzwoitymi warunkami i cenioną kadrą.

– To na serio trzeba operować? – Monika wciąż miała nikłą nadzieję, że skończy się na podaniu leków, a Maciek jeszcze tego samego wieczoru wróci do domu.

– Tak. I to im szybciej, tym lepiej. Radziłbym nie ryzykować zgonu.

– O Boże! – szepnęła przerażona. – Zgonu?!

– Jelito uwięzło na zewnątrz jamy brzusznej. Powłoki brzuszne zacisnęły się i teraz jelito w miejscu przepukliny jest zupełnie niedrożne. Stan jest tak ostry, że grozi perforacją.

– Jezus Maria! – Przerażona Ruda ścisnęła Maćka za rękę. – Nie możemy jechać szybciej? – rzuciła w stronę kierowcy.

W szpitalu akcja ratunkowa przebiegła błyskawicznie. Dosłownie w kilka minut przygotowano obolałego pacjenta do zabiegu i przewieziono na blok operacyjny.

Wyczerpana Monika przycupnęła na plastikowym siedzisku. Pełna niepokoju pogrążyła się w myślach.

Nie miała już wątpliwości – ktoś rzeczywiście rzucił na ich znajomość klątwę. Wcześniej dworowała sobie z tego, ale teraz uznała, że trochę zbyt wiele tych zbiegów okoliczności. Wstała i podeszła do automatu z kawą. Ręce drżały jej tak bardzo, że trzy razy z rzędu upuściła dwuzłotówkę.

– Pani pozwoli. Może ja to zrobię? – usłyszała za plecami miły niski głos. Należał do wąsatego mężczyzny w uniformie chirurga. – Cappuccino?

– Tak, proszę – odparła zrezygnowana Monika. – No i dziękuję. Bardzo się denerwuję – próbowała usprawiedliwić własną niemoc.

– Czy to ta przepuklina, która właśnie pojechała na blok?

– Tak.

– To rutynowy zabieg. Proszę niczego się nie obawiać.

ROZDZIAŁ 18

KILKA DNI PO naradzie wojennej sytuacja w Podgórkach Dolnych została opanowana całkowicie. Tak jak
wcześniej postanowiono, Halina chwilowo zamieszkała w chatce na tyłach domu. Korzystając z obecności
jej rodziny, Ewa zarządziła generalne sprzątanie mini-
domku; nie minęły trzy dni, a nadawał się do zamieszkania. Wzruszona Halina ze łzami w oczach żegnała
się z wnukami, gdy pod opiekuńczymi skrzydłami
Anieli i Antka wyruszały w drogę na Mazowsze. Przez
parę ostatnich upalnych dni dzieciaki użyły w ciepłym
jeziorze co niemiara i prawie nauczyły się pływać.
Wodne szaleństwa pod czujnym okiem Antoniego były tym, co cieszyło je najbardziej. No i poskromienie
niesfornego Tornada, co w panującym rozgardiaszu
graniczyło niemal z cudem. Dzięki Bogu okazało się,
że owczarek uwielbia zabawy z dziećmi, które nie dawały mu odsapnąć ani przez chwilę. Biedne psisko

każdego wieczoru padało jak nieżywe i jak kamień spało do rana, dopóki ktoś go nie obudził.

Niestety, Tomasza dopadła alergia na psią sierść i koszmarny katar. Ale gdy tylko Halina zabrała psa ze sobą do chatki, wystarczyło porządne odkurzanie, by gospodarz wyzdrowiał w ciągu kwadransa.

Po wyjeździe gości oboje z Ewą ruszyli do generalnych porządków. Dom wyglądał, jakby przegalopowało przezeń stado rozjuszonych bizonów, ale dwie całkiem młode osoby ogarnęły to pandemonium w ciągu paru godzin. Bez dzieci i ich babci bałaganiary poszło migiem.

Pod wieczór wykończona Ewa gruchnęła na leżak na tarasie i zagapiła się na ciemniejące z minuty na minutę niebo.

– Zrobić ci drinka? – zapytał Tomasz. – Czy wolisz piwo?

– Nie, dzięki. Jestem tak skonana, że upiję się jednym łykiem – roześmiała się.

– To może herbaty?

– Nie, dzięki.

– No to na co masz ochotę?

– Szczerze? Na ciebie. Ale jestem zbyt zmęczona, by ruszyć czymkolwiek, więc pożytek ze mnie żaden. No, chyba że masz jakieś ukryte skłonności nekrofilskie, to zapraszam – zachichotała.

– Nie mam. – Tomek roześmiał się głośno. – W takim razie przyniosę ci soku – zdecydował.

Mimo zmęczenia tryskał humorem. Nie posiadał się ze szczęścia, że goście wynieśli się w diabły i wreszcie zapanował spokój. W dodatku kilka godzin wcześniej odwiedził go listonosz z przekazem pocztowym, a wypłata od Darka znacznie podreperowała świecący pustkami budżet. Dwa tysiące złotych to nie byle co. Tomasz już od dawna nie widział takiej kwoty naraz. Tymczasem nie dość, że brat dotrzymał słowa, to jeszcze obiecał dalsze wpłaty i roztaczał widoki na więcej.

– O rany... – Ewa przeciągnęła się na leżaku. – Ale tu cicho. Już zapomniałam, że są tutaj jakieś ptaki, które wydają z siebie głos. Nie licząc tych, które gdaczą.

– No, ja też. Tak cicho, że aż mi głupio – przytaknął Tomek. – Co chwila oglądam się za siebie i sprawdzam, gdzie podziali się wszyscy.

– Fakt. Ja chyba też przywykłam do rozgardiaszu. Zawsze mi się wydawało, że lubię dzieci, ale te grubo przesadziły.

– Ja tam nie mam takich dylematów. Nigdy bachorów nie lubiłem. Ale wracając do tematu twoich zwłok. Czy nadal jesteś chętna?

– Powiedzmy. – Ewa uśmiechnęła się czule i bez protestów pozwoliła się wnieść do środka.

– Boże, ja zaraz tutaj oszaleję! Czy to zawsze trwa tak długo? – Podenerwowana Monika zatrzymała pielęgniarkę wychodzącą z bloku operacyjnego.

– Nie wiem, proszę pani. O wszystkim decyduje lekarz. A z zabiegami chirurgicznymi bywa bardzo różnie. Czasem coś z pozoru wygląda niewinnie i nagle pojawiają się komplikacje. I odwrotnie. Przypadek pani męża nie wyglądał ciekawie, ale proszę być dobrej myśli. Mamy naprawdę znakomitych specjalistów.

Ruda nie miała siły prostować, że Maciek nie jest jej mężem. Modliła się tylko z całych sił, żeby wszystko się udało. Uruchomiła internet w telefonie i po raz kolejny przeczytała najmniejsze nawet informacje o przepuklinie pachwinowej u mężczyzn.

Mimo wszystko nie wyglądało to groźnie.

Kończyła właśnie trzecią kawę, gdy wreszcie podszedł do niej lekarz i zapewnił, że wszystko przebiegło zgodnie z planem.

– Jest bardzo dobrze. Nie ma żadnego zagrożenia. Za jakieś trzy tygodnie pacjent będzie jak nowy – zapewnił chirurg. – Na razie jednak zostanie u nas przez kilka dni.

– Żadnych komplikacji? – Po niedawnej lekturze Wikipedii czuła się teraz jak ekspert.

– Żadnych. Wszystko w porządku. Tylko zakaz dźwigania przez pół roku.

Wybudzony z narkozy pacjent nie za bardzo orientował się, gdzie jest i co się dzieje, ale na widok Moniki rozpromienił się wyraźnie.

– No, już po wszystkim! – oznajmiła. – Będziesz żyć. A doktor zapewnił mnie, że za niecały miesiąc będziesz jak nówka sztuka nieśmigana. A wtedy już nie będzie żadnych wymówek. – Puściła oko.

Miała ochotę dodać, że tu i teraz siedzi przy nim całkiem bez koszmarnych koronkowych majtek, które pół godziny wcześniej spuściła z wodą w szpitalnej toalecie, ale w ostatniej chwili ugryzła się w język. Maciek był przecież ledwie żywy i nawet nie za bardzo kontaktował. Na erotyczne anegdoty przyjdzie pora później, uznała. A dowiedziawszy się, że pacjent dostał przed chwilą silne leki i będzie spać do rana, pożegnała go czule i wróciła do siebie taksówką. Jako że wybiegła z domu bez torebki, teraz kierowca musiał poczekać na zapłatę.

Wszędzie pachniało jedzeniem, a ona była głodna jak wilk. Odgrzała ślimaki w piekarniku, ale niestety. Drugi raz podgrzane, smakowały jak zaprawiona czosnkiem dętka rowerowa, więc szybko zakończyły swą wystrzałową karierę w koszu na śmieci. Nie mogła odżałować pyszności, więc obiecała sobie powtórkę w ciągu najbliższych dni. O tej porze roku właściwie wystarczyłoby wyjść do ogrodu z wiaderkiem i nazbierać winniczków, pomyślała. Było ich tam całe mnóstwo. Dorodne ślimaki niszczyły wszystko, co napotkały na swojej drodze, ze szczególnym zapałem obżerając kwiatki na ulubionej rabatce Rudej.

Westchnęła ciężko i poszła przyszykować się do snu.

Dochodziła północ.

Nie tak wyobrażała sobie miniony wieczór. Tymczasem potraktowała talkiem bolesne otarcia w pachwinach i poszła spać.

– Cholerne gacie! – mruknęła, już prawie zasypiając.

Budzik zadzwonił punktualnie o ósmej.

W pierwszym odruchu chciała cisnąć smartfonem przez okno, ale w ostatniej chwili przypomniała sobie, że to najnowszy model i raczej byłoby szkoda. Poza tym mogłaby trafić nim w głowę jakiegoś przechodnia, a przecież kłopotów miała aż nadto.

Niechętnie zwlokła się z pościeli i nastawiła wodę w czajniku. Nie miała ochoty na wymyślne jedzenie, więc tylko zalała wrzątkiem błyskawiczną owsiankę z dodatkiem truskawek i weszła pod prysznic. Obrażenia po koronkach miały się dużo lepiej, ale dopiero kolejna porcja zasypki pozwoliła na w miarę bezbolesny chód. Przy okazji Monika przysięgła sobie, że już nigdy w życiu nie kupi bielizny przez internet, i odświeżona chwyciła za owsiankę. Mdła truskawkowa papka co chwila stawała jej w gardle, ale zwyciężył rozsądek i świadomość, że tego dnia trzeba zapchać żołądek czymś sycącym. Za chwilę powinna być w firmie, później czeka ją wizyta w szpitalu. Pewna, że Maciek będzie potrzebować jakichś osobistych drobiazgów, ruszyła do jego auta. Wyjęła stamtąd klucze od mieszkania, przeparkowała samochód z podjazdu do garażu i naprędce przekartkowała notes. Jeśli wszystko pójdzie zgodnie z planem, koło jedenastej będę już na oddziale, stwierdziła.

Plan był precyzyjny, ale miał pewne wady. Nie mogła przecież przewidzieć, że w pracy znów nastąpi wysyp problemów. Awaria transformatora prądu całkowicie sparaliżowała produkcję i funkcjonowanie firmy. Chyba tylko dzięki aniołowi stróżowi personel z nocnej zmiany zdążył wyrobić się z produkcją i samochody z dostawami pieczywa do głównych klientów wyruszyły o czasie. Mimo że pogotowie energetyczne błyskawicznie stawiło się na miejscu awarii, jej całkowite usunięcie miało zająć elektrykom kilka dni.

A przecież przerażona Ruda nie mogła sobie pozwolić na przestój. Pierwszy raz w życiu miała do czynienia z tak poważną usterką. Na szczęście szef ekipy zapewnił ją, że piekarnia może funkcjonować bez przeszkód na tymczasowym prowizorycznym przyłączu.

Pewna, że kryzys chwilowo został zażegnany, Monika w przelocie świsnęła z magazynu drożdżówkę z serem i wyruszyła do szpitala.

Po drodze rozdzwonił się telefon. Dzwoniono z firmy.

– Sprawdzałaś dziś pocztę? – zapytał Adam.

– Nie. Bateria mi padła, a raczej ciężko bez prądu. A co?

– Cholera – zafrasował się dyrektor. – Potrzebuję od ciebie skanu albo zdjęcia tej umowy, którą ci wczoraj wysłałem.

– No to sobie zeskanuj.

– Taaa, jasne. Tyle że najpierw muszę mieć na czym. No i wcześniej musisz ją podpisać. Dwie godziny ci wystarczą, żeby ją wydrukować, podpisać i odesłać do mnie? To nie w kij dmuchał, a kontrakt wart setki tysięcy.

– Wiem, wiem – bąknęła. – Spokojna głowa. Coś wymyślę.

Z trudem znalazła miejsce na zatłoczonym do granic parkingu pod szpitalem. Wcisnęła auto pomiędzy dwa inne i wciągając brzuch, bokiem przecisnęła się między samochodami i przy okazji wyczyściła spódnicą czyjś zakurzony błotnik. Zdyszana wbiegła na oddział, ale tu również natrafiła na przeszkodę – właśnie rozpoczął się obchód i odwiedziny u pacjentów były niemożliwe. Jak przystało na szpital kliniczny, chorych odwiedzała cała procesja personelu medycznego: profesor, adiunkci, asystenci i studenci. Wszyscy z uwielbieniem słuchali wypowiedzi najważniejszego i po kolei obmacywali poszczególnych pacjentów.

Monika z niepokojem spojrzała na zegarek. Wyglądało na to, że będzie musiała czekać co najmniej godzinę, więc zniechęcona udała się do automatu po kawę. Piekielna machina właśnie postanowiła się zbuntować i za nic nie chciała wykonać zadanego polecenia. Bliska wymierzenia kopniaka w plastikową obudowę z podobizną szczęśliwie roześmianej pary w szlafrokach Ruda po raz kolejny wybrała numer napoju i wymamrotała pod nosem kilka mało parlamentarnych słów.

– Witam ponownie – usłyszała za plecami ten sam głos, co wczoraj.

Sympatyczny wąsaty chirurg już bez pytania wybrał dla niej cappuccino, które machina wypluła z siebie posłusznie.

– Dziękuję. Ten dystrybutor chyba mnie nie lubi – powiedziała, przyjmując z wdzięcznością styropianowy kubeczek.

– Dziwne. Mnie nigdy nie sprawia kłopotów.

– Widocznie tak już mam – westchnęła zrezygnowana.

– A może mógłbym pani pomóc w czymś jeszcze?

– Dziękuję, ale raczej wątpię. Właśnie zaczął się obchód. Sądząc po tej całej celebrze, zapewne skończy się wieczorem. – Ruda uśmiechnęła się ponuro.

– A do której sali pani idzie? – zapytał.

– Na dwójkę.

– To proszę ze mną. – Lekarz pociągnął ją za rękę.

– Ale…

– Miła pani, zanim ta pielgrzymka dotrze do dwójki, to oboje zdążymy się zestarzeć i żadna kawa pani nie pomoże.

Dosłownie po minucie Monika stanęła w progu sali, na której leżał Maciek.

Miał zamknięte oczy, ale otworzył je natychmiast, gdy tylko dotknęła jego dłoni.

– Och, jesteś nareszcie. – Uśmiechnął się sennie.

– Jak się czujesz?

– Jakby mnie czołg rozjechał. Wszystko mnie boli. A ten worek strasznie mnie gniecie.

– Jak znów worek?

– A taki. – Maciek uchylił kołdrę. – Ma ugniatać powłoki brzuszne i pomagać w prawidłowym gojeniu i ułożeniu siatki.

Maciek wyglądał już całkiem dobrze. Nawet pochwalił się zjedzonym śniadaniem, opowiedział o zaleconej diecie i poprosił o kilka rzeczy z domu.

– Tak myślałam – oznajmiła Monika. – Zabrałam nawet klucze z twojego samochodu, więc nie będzie problemu.

Skrupulatnie zanotowała listę potrzebnych drobiazgów wraz z ich lokalizacją. Obiecała, że wróci za kilka godzin, i uścisnęła ozdrowieńca ostrożnie.

– Ech, ślimaki poszły do kosza, a takie były dobre. – Westchnęła. – Ale spokojnie, zrobię drugi raz – powiedziała na odchodnym.

– To chyba nieprędko. Wiesz, dieta. Lekkostrawna, czyli gotowane badziewie.

Pełna optymizmu opuściła oddział i skierowała się do samochodu.

– Och nie – jęknęła. Za wycieraczką tkwił mandat za parkowanie bez opłaty. – Niech to diabli! – warknęła.

Nie spodziewała się, że zostawia samochód w strefie płatnego parkowania, przyzwyczajona, że takowe znajdują się wyłącznie w centrum miasta. A przecież szpital znajdował się w dość odległej dzielnicy.

Wściekła wsadziła kwitek do schowka i ruszyła do Chrzanowa.

Po drodze czujnie rozglądała się za jakąś internetową kafejką, gdzie z całą pewnością mogłaby wydrukować umowę, ale nie wypatrzyła nic podobnego. W domu nie miała drukarki. Pozostawała jeszcze opcja zahaczenia o firmę, ale był to wariant najbardziej mieszający jej w planach.

– Mam! – spłynęło nagłe olśnienie.

Przecież Ewa miała w domu drukarkę, a nawet skaner, no i przecież trzymała klucz pod wycieraczką.

Uspokojona Ruda kontynuowała podróż, ale okoliczności sprzysięgły się przeciwko niej. Jak na złość na trasie natrafiła na same ślamazary za kółkiem i dopiero na autostradzie coś drgnęło. Uwielbiała szybką jazdę, więc tylko sprawdziła przez CB-radio, że nie ustrzeli jej żaden patrol z drogówki, i depnęła na gaz. Autostrada była pusta, zatem odległość do Chrzanowa pokonała w niecałe pół godziny. Zasięgnęła języka u pary objętych czule spacerowiczów i jak po sznurku trafiła na miejsce.

Zaparkowała tuż obok wejścia do budynku i wspięła się na drugie piętro. Przez chwilę walczyła ze skomplikowanym zamkiem, aż w końcu drzwi ustąpiły i weszła do środka.

Mieszkanie okazało się przestronne. Nie trzeba było być mistrzem intelektu, żeby zgadnąć, że mieszka w nim samotny mężczyzna, i to w dodatku raczej okazjonalnie. W oczy rzucały się wyłącznie przedmioty niezbędne do przeżycia – zero jakichkolwiek ozdób, drobiazgów czy pamiątek. Żadnych sentymentów.

Monika, odhaczając listę Maćka punkt po punkcie, zapełniła znalezioną w kuchni plastikową reklamówkę. Już prawie skończyła, gdy w pokoju natrafiła na laserową drukarkę.

– No i super! – ucieszyła się, że nie musi jechać do Ewy.

Zbiegła na dół po laptopa i podłączyła go do sieci. Chwilę zajęło jej zainstalowanie sterowników, ale w końcu zadała systemowi drukowanie i kliknęła w ikonę z odpowiednią komendą.

Proces wystartował z mozołem.

Zdziwiona nieco, że idzie to tak powoli, Ruda dla zabicia czasu pootwierała wszystkie okna i przewietrzyła mieszkanie. Pewna, że jej umowa leży już gotowa na podajniku, postanowiła ją zgarnąć, ale okazało się, że nic z tego. Dokument nawet dobrze nie zaczął się drukować.

Coś było nie tak. Wydrukowanie zwykłej kilkustronicowej umowy powinno zająć maksimum minutę, a minęło ich kilkanaście.

Wyglądało na to, że drukuje się coś bardzo ciężkiego. Kliknęła „anuluj", ale sprzęt nie zareagował.

Musi mieć w pamięci jakieś ogony, westchnęła zrezygnowana i w oczekiwaniu na reakcję drukarki poszła zrobić sobie herbatę. Zawsze to lepsze niż jazda do centrum Krakowa, pomyślała.

Czekając na wrzątek, wykonała kilka telefonów i wróciła, by sprawdzić postęp drukowania. Rzuciła okiem i odebrało jej mowę.

– Jezus Maria… – wyszeptała.

Przetarła oczy, przekonana, że śni, ale szokujący obraz nie znikał. Wręcz przeciwnie, w podajniku pojawiało się coraz więcej zadrukowanego papieru.

Wydruk nie pozostawiał najmniejszych wątpliwości.

Monika z własnej woli omal nie związała się z potworem. Maciek oszukał i ją, i Ewę. I diabli wiedzą, kogo jeszcze.

W pierwszym odruchu chciała uciekać z mieszkania, ale racjonalnie wytłumaczyła sobie, że ten potwór leży przecież w szpitalu, w dodatku przykuty do łóżka. Mimo to trochę potrwało, zanim uznała, że nie ma żadnego zagrożenia. Przynajmniej chwilowo. Gorączkowo zastanawiała się, co zrobić ze świeżo nabytą wiedzą, ale miała w głowie wyłącznie telefon do Ewy.

Sięgnęła do kieszeni po komórkę.

– No cześć! – zaszczebiotała po drugiej stronie przyjaciółka.

– Hej. Widzę, że ten twój kaznodzieja pomógł ci wreszcie odnaleźć sens życia – powiedziała z przekąsem Ruda.

– A i owszem. A co?

– A zapytaj go, czy mnie też przygarnie. Bo właśnie dostałam obuchem w głowę.

– Coś się stało? – zaniepokoiła się Ewa.

Ton głosu Moniki nie zdradzał niczego dobrego. Pobrzmiewała w nim determinacja i nerwy.

– Możesz przyjechać do Chrzanowa?

– Kiedy? – zapytała Ewa rzeczowo.

– A kiedy możesz? Dziś? Jutro?

– Będę jutro rano. Podaj mi tylko dokładny adres. Nie wiem, co takiego chcesz mi powiedzieć, ale zanim powiesz cokolwiek, prześpij się z tym. Jakby co, to dzwoń, a przyjadę w każdej chwili – zapewniła, ale uważny słuchacz od razu mógłby wyłapać, że i ona również się zdenerwowała. – Tylko pamiętaj, że mam do ciebie jakieś dwie godziny jazdy.

– Dobra. Spoko, mała. Nie zrobię nic głupiego. Cholera, nie uwierzysz w to wszystko.

– W co? Chodzi o Maćka, prawda?

– Tak. Który właśnie leży w szpitalu po operacji przepukliny, więc minie jeszcze kilka dni, zanim wróci do domu. Zatem mamy czas. Ale aż mnie skręca, żeby zobaczyć twoją minę, jak ci pokażę, na co trafiłam.

– Słuchaj! – zezłościła się Ewa. – Jeśli nie chcesz teraz gadać, to przestań, bo mnie szlag trafi z ciekawości! Okej? Jestem jutro o dziesiątej. Choć nie wiem, jak wytrzymam do jutra. A ty się trzymaj.

Ruda była tak pochłonięta przypadkowym odkryciem, że nawet nie zauważyła, kiedy znów znalazła się pod szpitalem. Niechętnie opuściła klimatyzowane wnętrze swojego auta.

Przez chwilę biła się z myślami, czy powinna zobaczyć się z Maćkiem. Była pełna wątpliwości. Nigdy nie umiała udawać, a teraz miała niemal pewność, że nie zdoła ukryć rezerwy. Ba, bała się, że od wejścia wygarnie mu wszystko, a tego chciała uniknąć. A przynajmniej do czasu, dopóki nie skonsultuje się z Ewą. Której zapewne też się to nie pomieści w głowie. Ale co tam!

Musiała czekać.

Chciała się upewnić, że nie zwariowała. Pragnęła się komuś zwierzyć, wypłakać i usłyszeć, że ma po kolei w głowie, a to, co ją od jakiegoś czasu spotyka, to po prostu życiowy pech i tyle. Chwilę podumała, po czym wyszperała w nieużywanej samochodowej popielniczce kilka monet i opłaciła postój w parkometrze. Nie miała zamiaru przeciągać wizyty ponad niezbędny czas, ale na wszelki wypadek wolała uniknąć kolejnego mandatu w tym samym dniu.

Zdenerwowana nacisnęła przycisk przy windzie, a metalowe drzwi rozsunęły się prawie natychmiast.

Niepewnym krokiem pokonała krótką drogę korytarzem na oddział i przystanęła przy pielęgniarskiej dyżurce. Wymieniła uprzejmości z siostrą oddziałową, poprosiła o przekazanie rzeczy Maćkowi i zadowolona, że nie musi go oglądać, zawróciła do windy.

Rozkleiła się dopiero w samochodzie. Ręce drżały jej tak bardzo, że nie mogła wrzucić wstecznego biegu. Policzyła do dziesięciu, wzięła kilkanaście głębokich oddechów i rozpłakała się jak dziecko.

ROZDZIAŁ 19

EWA POKONAŁA TRASĘ do Chrzanowa w rekordowym tempie. Doskonale znała przyjaciółkę i świetnie wiedziała, że Ruda nie podniosłaby larum z byle powodu.

Spotkały się pod blokiem Maćka i bez słowa padły sobie w objęcia.

– Cholera, co jest? – Ewa nie kryła niepokoju.

– Zaraz zobaczysz. Chodź na górę – odparła Monika zrezygnowanym głosem i wyjęła klucze od mieszkania.

– Normalnie zaraz umrę z ciekawości. – Ewa już nie mogła wytrzymać.

– Wyluzuj. Zaraz umrzesz z innej przyczyny.

Ruda sprawnie uporała się z zamkiem i od razu zaprowadziła Ewę na miejsce.

– Proszę cię bardzo. I co ty na to? – Podała przyjaciółce wczorajszy wydruk i bacznie przyglądała się jej reakcji.

Ewę zwyczajnie zamurowało.

– Nie może być – wykrztusiła po chwili. – Może to jakiś dowcip? – Zamrugała kilkakrotnie i by upewnić się, że na pewno nie śni, dodatkowo uszczypnęła się w udo.

Nic z tego, koszmarny obraz nie znikał.

Patrzyła na fotomontaż. Kobieta na zdjęciu miała twarz Moniki, natomiast ciało, kompletnie nagie zresztą, z pewnością należało do kogoś, komu nieobca była branża porno.

– Ładny mi dowcip. Zboczeniec pieprzony i tyle! Ech, żeby jeszcze ona miała ładniejsze cycki... Ale doprawić mi ciało takiej pokraki? – żachnęła się Monika.

– Straszne to.

– No właśnie. Przecież jak dobrze się przyjrzeć, to prawie macicę jej widać.

– Nie, nie wierzę, że Maciek ma tak zryty beret. To jego laptop? – zaciekawiła się Ewa i nie czekając na odpowiedź, uruchomiła system.

Po chwili na ekranie pojawiły się typowe ikony.

– Ej, chyba nie możemy – zaoponowała Ruda.

– A pieprzyć to! Jeżeli naprawdę mamy do czynienia ze zbokiem, to muszę mieć pewność, że jesteś bezpieczna. Skąd wziął zdjęcie twojej twarzy?

– Zrobił mi kiedyś komórką. Masz tam coś? – Monika nachyliła się nad ramieniem przyjaciółki.

– Nic. Wszystko wygląda normalnie. Może to tylko jedno takie zdjęcie? – Ewa wysunęła szufladę biurka.

– Przestańże już! To naruszenie prywatności!

– Taaa… Dokładnie tak. Ujęłaś to idealnie.

Fotografie leżały na samym wierzchu. Było ich kilkanaście. I wszystkie powstały w wyniku prymitywnego montażu.

– No i pięknie. – Ewa jeden za drugim wertowała wydruki, a Monika przyglądała się im z rozdziawioną buzią. – O, masz, to jest niezłe. Strój seksownej policjantki. No proszę, proszę. O! Jest i pielęgniareczka w czerwonych szpileczkach. Całkiem, całkiem.

– Dawaj! – Ruda chwyciła zdjęcia. – Jak on mógł? Przecież normalnie jak go dorwę, obedrę drania ze skóry. Co za burak cholerny! A taki się wydawał normalny.

Przycupnęła na kanapie i zrezygnowana zwiesiła głowę.

– Dlaczego akurat ja muszę mieć takiego pecha? – zapytała. – Co?

– A bo ja wiem? Przecież mnie też nie szło przez lata i dopiero teraz, no wiesz. Ten Tomek.

– Zostaniesz do jutra? – W głosie Rudej zabrzmiała nadzieja.

– Jeśli chcesz, zostanę. To trzeba obgadać. Taki numer nie może ujść na sucho. No patrz, kto by pomyślał.

Ewie to wszystko nie mieściło się w głowie. Miała wrażenie, że ktoś sobie z nich po prostu zadrwił. Przecież nie mogły aż tak bardzo pomylić się w ocenie. Przecież Maciek był taki dobry, ciepły i wrażliwy. Przy nim kobieta czuła się jak najdelikatniejszy bezcenny skarb, któremu nie miała prawa stać się żadna krzywda. Wspomniała początki swojej hiszpańskiej znajomości i późniejsze kontakty. Naprawdę nic nie zwiastowało, że zaprzyjaźniła się ze zboczeńcem. A już jego późniejsza znajomość z Rudą całkowicie powinna wykluczyć jakieś nienormalne odchylenia.

Jadąc wieczorem do Myślenic, Ewa miała jeszcze nadzieję, że to jakaś pomyłka. Że musi istnieć jakieś racjonalne wytłumaczenie. Owszem, w kwestii płci przeciwnej nie była ekspertem, na co wskazywały niezbicie wszystkie jej wcześniejsze znajomości i związki, ale mimo to czuła, że Maciek nie jest złym człowiekiem.

– I co ty na to? – Ruda nalała wina do kieliszków i podsunęła Ewie pod nos zestaw krakersów o różnych kształtach.

– W pale mi się to nie mieści.

– Mam ochotę wytrzaskać tego łajdaka po gębie. Skoro mu się nie podobam, to niech idzie w diabły.

– Jak to: nie podobasz? To wy nadal nic, eee, nie ten?

– Nie! Nadal nic! Właśnie w tym rzecz – chlipnęła rozżalona Monika.

– Niemożliwe. Przecież tak iskrzy między wami. Ślepy by zauważył.

– No i sama widzisz. Okazji było całe mnóstwo, a on nic. Kompletnie. Tak sobie teraz myślę, że on celowo unikał okoliczności, w których mogłoby dojść do czegokolwiek. Boże, czuję się jak skończona idiotka. Kurna, nie jestem święta, za to uczciwa. I tego samego oczekuję od innych. Czy to tak dużo? Czego mi brakuje, że taki palant doprawia moją głowę jakimś pornowywłokom?

– No wiesz…

– Czy ja jestem jakaś garbata, pokręcona albo śmierdząca? – Monika duszkiem opróżniła kieliszek i nalała sobie kolejny. – Chcesz wina?

– Nie, dzięki. – Ewa odmówiła.

Na wszelki wypadek.

Planowała wprawdzie wrócić na noc do Tomka, ale teraz uznała, że nijak nie może zostawić przyjaciółki samej. Tamta właśnie chwyciła klasycznego doła i ani chybi będzie potrzebować wsparcia. Choćby nawet miało się ono ograniczyć do ułożenia Rudej do łóżka.

– A co? Nie chcesz się ze mną napić? – czknęła lekko już wstawiona Monika i rozpłakała się w głos.

– No dobra, chcę – odparła ugodowo Ewa. – Ale najpierw skończę to, co mam. Może zamówimy coś z dostawą? Chcesz pizzę? Może być hawajska?

– Capriciosa. Nie znoszę ananasów – odburknęła nadąsana Ruda.

– Zgoda. To idę zadzwonić.

Ewa z telefonem przy uchu okrążyła dom kilkakrotnie, zabierając przy okazji z auta torbę ze swoimi rzeczami. Zamówiła pizzę i zamieniła parę słów z Tomkiem. Nie wyglądał na ucieszonego faktem, że ukochana spędzi noc bez niego, ale nie miał wyjścia. Już wcześniej zorientował się, że z babską przyjaźnią nie wygra, więc nawet przestał próbować. W życiu nie zrozumiem tej solidarności jajników, westchnął w duchu.

Podbudowana czułą rozmową z Tomaszem skierowała się do drzwi, kiedy zaczepił ją jakiś przechodzień. Z uporem osła twierdził, że dom jest na sprzedaż, więc musiała użyć wszystkich znanych sobie sposobów, żeby skutecznie odprawić natręta. Ledwie się go pozbyła, a nadjechał dostawca pizzy. Zapłaciła i taszcząc wielgachne pudło, wróciła na piętro.

W międzyczasie zrozpaczona Monika opróżniła butelkę wina, co nie wróżyło zbyt dobrze. Nigdy nie mogła poszczycić się szczególnie mocną głową, więc teraz, zważywszy na tempo, w jakim znikał trunek, Ewa spodziewała się najgorszego.

– Masz, jemy, póki ciepła. – Otworzyła kwadratowe pudełko i z apetytem zaatakowała świeżą pizzę. Kucharz miał hojną rękę i nie żałował dodatków. Nie poskąpił również tymianku i oregano. Przypieczony żółty ser ciągnął się apetycznie, więc przyjaciółki ani się spostrzegły, gdy z pizzy wielkości koła od wozu zostały okruszki.

– Pycha. – Wstawiona Ruda czknęła donośnie i podeszła chwiejnym krokiem do barku. – Mam jeszcze białe musujące. Kurczę, gdzie korkociąg?

Ciepłe bąbelki nie nadawały się do picia, ale Monika złapała taki ciąg, że było jej wszystko jedno. Ewę otrzepało przy pierwszym łyku, więc posłużyła się fortelem, by nieco spowolnić konsumpcję. Zaserwowała wino z dużą ilością kruszonego lodu, a korzystając z chwilowej nieobecności przyjaciółki, która trzymając się ściany, poszła do toalety, wylała część zawartości butelki do zlewu.

– Mmm, nawet dobre z tym lodem. Ale chyba mam już dość.

Rudej kleiły się oczy. Sprawiała wrażenie, że zaraz zaśnie na siedząco, więc Ewa zareagowała błyskawicznie i wyekspediowała przyjaciółkę do łóżka. Wcześniej ustaliły, że nazajutrz odwiedzą Maćka w szpitalu i tam, we dwie, wezmą go w krzyżowy ogień pytań.

– Nie ma na co czekać. Jeśli to jakiś zwyrol, niech spada, póki czas – stwierdziła Ewa.

– Jutro?

– Tak, jutro. Po prostu tam pojedziemy, walniemy mu pod nos te żałosne pornofotki. I niech się bałwan tłumaczy.

– Ale tak centralnie? Na sali? Przecież tam leżą jeszcze inni pacjenci.

– A czemu nie? Niech mu będzie głupio. Zasłużył sobie na gorszy obciach. – Ewa wpadła w bojowy nastrój i ani myślała odpuścić. Miała ochotę dokopać Maćkowi, żeby ten zapamiętał do końca życia, że z t a k i m i kobietami się nie zadziera.

Z niemałym trudem ułożyła nietrzeźwą przyjaciółkę w pościeli, wcześniej jakimś cudem przymusiwszy ją do zmycia makijażu i umycia zębów. Rozebrała ją do bielizny i popchnęła leciutko.

Monika runęła na łóżko jak długa i w sekundę usnęła jak kamień.

Ewa na wszelki wypadek ustawiła przy łóżku miednicę i wodę mineralną.

Było jeszcze wcześnie, więc po brzegi napełniła szklankę kruszonym lodem i uzupełniła resztką musującego trunku; część gazu już uciekła, ale niezły smak pozostał. Wyszła na taras. W obawie przed komarami owinęła się kocem i zaległa na leżaku.

Uwielbiała takie chwile. Niestety, w krakowskim mieszkaniu nie miała balkonu, w Podgórkach z kolei nie było ani chwili spokoju, a do jej hiszpańskiego apartamentu było zdecydowanie za daleko. Chłonęła zatem atmosferę ciepłego wieczoru całą sobą, tu i teraz.

Zmęczona i zdołowana sensacjami minionego dnia z lubością wtuliła policzek w nagrzaną słońcem pikowaną tkaninę leżaka. Nie pamiętała już, kiedy było jej tak dobrze i błogo. Nie zauważyła, kiedy przysnęła.

Zbudziły ją odgłosy dochodzące z toalety, dobitnie świadczące o zatruciu i opróżnianiu żołądka. Ruda właśnie odbywała pokutę za wcześniejsze nadużycie. Ewa wstała ostrożnie i po cichutku podeszła do drzwi łazienki.

– Żyjesz? – zapytała.

– Kurde, umieram – jęknęła przyjaciółka.

– Zrobić ci herbaty?

– Nie. Chcę tylko spać.

Ewa odeskortowała wciąż jeszcze wstawioną Monikę do łóżka i przygotowała sobie miejsce do spania. Robiła to już nieraz, więc teraz niemal na ślepo bezbłędnie wymacała dodatkową pościel. Nie miała przy sobie niczego do spania, ale od czego były podkoszulki z firmowym logo piekarni? Wybrała wersję w rozmiarze XXXL, która sięgała jej do kolan, i ponownie wyszła na taras. Musujące wino z lodem posmakowało jej tak, że postanowiła jednak osuszyć szklaneczkę do dna.

– O Jezuuusie! – rano doszły ją jęki z sypialni Rudej.

– Co jest? – zawołała Ewa.

– Mózg mnie boli i pić mi się chce – stęknęła zbolała Monika.

– Zbieraj się. Ja załatwię śniadanie.

– A w życiu! Nie mogę patrzeć na jedzenie. Mdli mnie na samą myśl o żarciu. A pizzy to już chyba nigdy w życiu nie zamówię.

– Co ty powiesz? – roześmiała się Ewa.

– No, poważnie ci mówię. Do teraz czuję to cholerne oregano.

– Wiesz, jeszcze nigdy nie słyszałam, żeby ktoś miał kaca po pizzy. Jesteś pod tym względem ewenementem na skalę światową. Ale nic się nie martw. Jajko sadzone, tosty i gorąca herbata czynią cuda. Zwłaszcza w towarzystwie alka-primu.

– Serca nie masz.

– Mam. Marsz do łazienki, bo śmierdzisz jak żul jakiś.

– Och, dzięki – obruszyła się Ruda.

– Nie ma sprawy. Zawsze możesz na mnie liczyć.

– No, widzę. – Kobieta w dalszym ciągu brzmiała niewyraźnie, ale posłusznie poczłapała do łazienki.

Ewa przystąpiła do prac kuchennych.

Nie miała najmniejszego zamiaru drałować do piekarni po pieczywo, ale znalazła w zamrażarce zapas bułeczek rodzimej produkcji. Uruchomiła grilla w bajeranckim piekarniku i w minutę apetyczne grzanki były gotowe.

– Mdli mnie – oznajmiła Monika, ostentacyjnie trzymając się za brzuch, choć miała pełną świadomość, że nie uniknie ciepłego jedzenia i kawy.

– Dobra, dobra, nie wydziwiaj mi tu. Wcinaj, bo stygnie. No już – odebrała reprymendę. – Maciuś czeka, więc weź się w garść, bo muszę dziś wracać do siebie. Najpierw skopiemy mu tyłek, a później niech się sam buja. Co ty na to?

– Ty to masz szczęście... – westchnęła Ruda, z trudem przełykając kawałek grzanki. – Taki zajefajny kaznodzieja ci się trafił. Ale nie boisz się, że wypierze ci mózg? Tacy kolesie z sekty to przecież oszołomy pierwszej wody.

Ewa zmieszała się wyraźnie.

– Ech, mówiłam ci już przecież, że to żaden kaznodzieja – wykrztusiła.

Nie znosiła mieć tajemnic przed przyjaciółką.

– A kto?

– Normalny gość. Porywacz.

– Kuźwa, kto?! – Monika omal się nie zadławiła.

– No przecież mówię. Porwał mnie dla okupu.

– Co ty bredzisz? Ciebie?

– Owszem. Nie mówiłam ci o tym wcześniej, bobyś mi go wybiła z głowy ciężkim młotkiem. Dałam sobie czas, żeby się od wszystkiego zdystansować i podjąć decyzję.

Monika zastygła z kubkiem kawy w dłoni i wbiła w Ewę wciąż jeszcze nieco nieprzytomny wzrok.

– Ale jak to: porwał cię? Tak normalnie? – zapytała w stylu jednostki z zerowym IQ.

– Owszem. W tamtą niedzielę, gdy wyszłam z gali. Odurzył mnie chloroformem i wywiózł nad jezioro.

– Ale na cholerę?

W dalszym ciągu nie rozumiała, jak ktoś mógłby chcieć uprowadzić jej przyjaciółkę.

– Tłumaczyłam ci przecież. Dla kasy.

– Ciebie?

Rudej oczy omal nie wyskoczyły z orbit. Podobna niedorzeczność nie mieściła się jej w głowie.

– Pomylił się. Zwyczajnie. Miał porwać Marzenę, a porwał mnie. Pomyłki się zdarzają.

W natłoku sensacyjnych doniesień Monika niemal zapomniała, że ma kaca, który rozsadza jej czaszkę, i machinalnie pochłonęła całe śniadanie. Na prze-mian to czerwieniała, to bladła, to wydawała z siebie okrzyki grozy. Podczas sprawozdania z akcji ze skór-ką od banana wstrzymała oddech.

– Oj, biedny ten koleś… – Wypuściła powietrze.

– Chyba zaczynam go lubić.

Nie wiadomo kiedy zaczęła współczuć Tomaszo-wi. A zanim Ewa dokończyła opowieść, poczuła się całkiem dobrze.

– Przecież to brzmi jak jakiś film. A ja tu odcho-dziłam od zmysłów. Zapewnił cię, że ja o wszystkim wiem, a ja nie wiedziałam niczego. Tę sektę podsu-nął mi pod nos detektyw, a ja się jej uczepiłam jak pijany płotu. Dlaczego nie powiedziałaś mi od razu, że to bujda? – Monika spojrzała z ukosa.

– Bobyś się popukała w głowę, a ja chciałam się przekonać, co z tego wyniknie. Jak widać, wszystko wyszło dobrze. Jestem szczęśliwa z Tomkiem i ko-cham go. On mnie też. Przepraszam, że cię oszuka-łam. Wiem, że to szaleństwo, ale przy moim zezowa-tym szczęściu do facetów postanowiłam zaryzykować. Po raz ostatni. Wóz albo przewóz.

– Kompletnie ci odbiło.

– Nawiasem mówiąc, wczoraj przelałam ci na kon-to połowę wyłożonej na tego detektywa kasy. Nie mogę pozwolić, żebyś przeze mnie traciła pieniądze.

– Zwariowałaś?! – zdenerwowała się Monika.

– Nie, nie zwariowałam. Jak rozumiem, skoro już się znalazłam, facet się z tobą rozliczy i zwróci ci część pieniędzy, prawda?

– Jeszcze nie wiem, ale się dowiem.

Oszołomiona nową rzeczywistością, Ruda niemrawo grzebała w szafie. Nie mogła się zdecydować, co na siebie włożyć, choć z drugiej strony wiedziała, że dla kobiety strój jest jak zbroja. Podczas decydującego starcia z Maćkiem powinna prezentować się bez pudła, tymczasem nie potrafiła dobrać bluzki do spódnicy.

Wreszcie postawiła na sprawdzony granatowy zestaw. Dopasowany biznesowy kostiumik był jej ulubionym uniformem do zadań specjalnych. Wiedziała, że genialny krój podkreśla jej wszystkie atuty, a tego dnia jak nigdy potrzebowała dodatkowej dawki pewności siebie. Gdyby miała figurę jak eteryczna przyjaciółka, byłoby łatwiej, ale przy własnej okazałej posturze musiała się porządnie nakombinować dla zadowalającego efektu.

– Fiu, fiu! – Ewa aż gwizdnęła z zachwytu. – Wybierasz się na podbój świata? Jeśli tak, to przyda ci się podkład na te wory pod oczami.

– A dzięki, małpo podła. Te twoje rady są po prostu bezcenne.

Godzinę później, wystrojone i w perfekcyjnym makijażu, mknęły zakopianką do Krakowa. Ewa, w obawie o ewentualne promile w krwiobiegu Rudej, przejęła kierownicę i dla dodania im obu animuszu puściła w radiu rytmiczny kawałek. Najnowszy przebój zwycięzcy któregoś kolejnego talent show poprawiał humor i nasuwał skojarzenie z imprezą na zalanej słońcem egzotycznej plaży.

Próbowała pozbierać myśli. Miała zamiar zafundować Maćkowi ostrą reprymendę, taką, żeby poszło mu w pięty. Żeby już nigdy więcej nie oszukał nikogo. Ukradkiem zerknęła na przyjaciółkę, która niby nuciła pod nosem, choć Ewa i tak wiedziała, że w głowie Rudej trwa gonitwa myśli. Doskonale wiedziała, jak zdrada Maćka wpłynie na jej przyjaciółkę. Monika niczym nie zasłużyła sobie, aby życie traktowało ją w taki sposób. Oczywiście miała swoje wady, jak każdy, ale przecież miała też prawo oczekiwać, że w końcu się jej poszczęści. Nieudaczny małżonek był jak dopust boży, najwyższy czas na kogoś lepszego. Na zwykłe zrozumienie, akceptację, zaufanie. I męskie ramię, na którym można się wesprzeć.

Monika miała mieć Maćka, tak jak Ewa miała Tomka.

Zadrżała na myśl o Tomaszu. Pragnęła jego ust, dotyku jego rąk i słów, które szeptał jej do ucha.

Próbowała się z tego otrząsnąć, ale bez powodzenia. Tęskniła jak nigdy dotąd. Niedawna przygoda z Carlosem jawiła się jej jak odległy niedorzeczny epizod. To, co wtedy czuła, było niczym w porównaniu z aktualną tęsknotą, dolegliwą jak ciężka choroba. Ewa była jak pacjentka, której nagle odcięto tlen, odbierając jej chęć do życia. Przykra pustka przepełniła ją już w chwili, gdy Tomek opuszczał jej ramiona. Wszechogarniające uczucie nieustannie dręczyło jej ciało i umysł. Nie potrafiła skupić się na niczym innym. Ostatnio nawet Ruda zeszła na dalszy plan.

Co do tej pory było nie do pomyślenia.

ROZDZIAŁ 20

JEDNOCZEŚNIE ZACZERPNĘŁY POWIETRZA, jak pływacy przed skokiem do basenu, i wkroczyły na oddział pewnym krokiem, godnym oficerów SS. Plotkujące na korytarzu pielęgniarki zamilkły na ich widok i rozstąpiły się na boki.

Ewa i Ruda wmaszerowały do sali, w której przebywał Maciek.

Leżał w łóżku z zamkniętymi oczami. Był blady, ale zważywszy na czas, jaki upłynął od zabiegu, wyglądał całkiem nieźle.

– Dzień dobry – powiedziały w przestrzeń, witając się ze wszystkimi.

Maciek ocknął się z drzemki. Jego twarz natychmiast rozjaśnił uśmiech.

– Kurczę, co za niespodzianka! – ucieszył się jak dziecko. – Ewa, miło cię widzieć. Napędziłaś nam stracha, że ho, ho. Nawet nie wiesz, jak bardzo się martwiliśmy. Ale co tam. Strasznie się cieszę, że jesteście tu obie. Przed chwilą był u mnie lekarz prowadzący i obiecał, że za kilka dni wypisze mnie do domu – gadał jak nakręcony.

Że coś jest nie tak, zauważył dopiero po chwili. Żadna z kobiet nie odpowiedziała mu uśmiechem. Obie stały daleko od łóżka i wbijały w niego zimne, prawie mordercze spojrzenia. Żadna nie podeszła, żeby uściskać go na powitanie.

– Stało się coś złego? – zaniepokoił się.

– To ty masz jeszcze czelność pytać? – Monika zagotowała się ze złości.

Gdyby Ewa nie przytrzymała jej za rękę w uspokajającym geście, zapewne wybuchnęłaby na całego. Zazwyczaj nad sobą panowała i nawet w najbardziej stresujących sytuacjach potrafiła zachować twarz pokerzysty, ale teraz była naprawdę na skraju wytrzymałości. Obecność przyjaciółki i innych pacjentów cudem powstrzymała ją od rzucenia się na Maćka z pięściami. Potrafiła wiele wybaczyć, ale takiego obrzydlistwa nigdy!

– Ale ja nie wiem. – Na wszelki wypadek Maciek ściszył głos.

– A czegóż to nie wiesz, baranie jeden?! – Ruda nie wytrzymała.

– To raczej my paru rzeczy nie wiemy – wtrąciła się Ewa. – I chętnie usłyszałybyśmy kilka słów wyjaśnienia. Byłoby miło – dodała kwaśno.

– Ale o co chodzi? – Maciek z grymasem bólu na twarzy podciągnął się na łóżku do pozycji siedzącej.

– Takiś ciekaw? Proszę bardzo! – Ewa sięgnęła do aktówki i rzuciła mu na kolana tekturową teczkę z wydrukami.

– Aaa, tooo…

Wystarczyło, że zobaczył teczkę, a w lot zorientował się, o co kaman. Otworzył ją wyłącznie po to, by upewnić się, że jego podejrzenia są słuszne. Niestety.

Poczuł się jak skończony kretyn. Mogłem jakoś lepiej to schować, tylko jak miałem przewidzieć, że uwięźnie mi przepuklina i trafię do szpitala na ostry dyżur?, myślał w popłochu. Przy całej swojej przezorności nie mógł założyć, że Monika nagle pojawi się w jego mieszkaniu i natrafi na te wydruki.

– Nie myśl sobie tylko, że grzebałyśmy w twoich rzeczach. – Ruda jakby czytała w jego myślach.

– Nic z tego nie rozumiem – poskarżył się i ponownie skrzywił z bólu.

– Po prostu chciałam skorzystać z twojego sprzętu, żeby coś wydrukować. Drukarka musiała zapamiętać zadania z poprzedniej sesji i wypluła to cudo.

Wiesz, to żenujące. – Monika wzdrygnęła się z obrzydzeniem.

– Wiem. Przepraszam.

– Tylko tyle? – Zdziwiona Ewa spojrzała na niego z niedowierzaniem.

– Tylko tyle i aż tyle.

– Możesz jaśniej? – zdenerwowała się Monika. – Nie wiem, jak wyjaśnisz to wszystko, ale to zakrawa na totalne zboczenie.

– To może ja zostawię państwa na chwilę? – Pacjent z sąsiedniego łóżka z ociąganiem wyszedł na korytarz.

– A tamten? – Ewa wskazała głową na odległy kąt sali.

– Tamtego właśnie przywieźli ze stołu. Będzie spał do wieczora. Ale do rzeczy. Przecież wiesz, że cię kocham i jesteś mi bardzo bliska. – Maciek zwrócił się do Moniki. – No i ciebie też, Ewuniu, choć jakby nieco inaczej. Tak czy inaczej na was obu bardzo mi zależy. Ale to, co mam do powiedzenia, to sprawa osobista, więc wolałbym…

– Dobra, streszczaj się, bo tracę cierpliwość! – warknęła Ruda.

– Wolałbym zostać z tobą sam na sam. Nie gniewaj się, Ewa.

– Nie gniewam się. Ale chyba wiesz, że i tak o wszystkim się dowiem?

357

– Wiem. Ale mimo wszystko bym wolał. Na serio, nie mam niczego do ukrycia.

Ewa, ponaglona wzrokiem przyjaciółki, niechętnie wyszła na korytarz, kupiła w automacie espresso i przysiadła na plastikowym krześle. Zżerała ją ciekawość, cóż takiego Maciek może powiedzieć na swoje usprawiedliwienie, nie licząc tego, że ma co najmniej dziwne skłonności w kierunku preparowania erotycznych obrazków.

Rozmyślania przerwał jej telefon od Tomka, który stęskniony usychał samotnie w Podgórkach, od czasu do czasu niepokojony przez Halinę, bo ta nijak nie potrafiła przywyknąć do samotności. Leśna cisza dobijała ją, nie mogła znaleźć sobie miejsca. Wyzbierała już chyba wszystkie jagody i poziomki w okolicy; owoce o cudownym aromacie, przesypane cukrem w słojach, już puszczały sok. A że w lesie aż roiło się od grzybów, na maleńkim ganeczku regularnie pojawiały się wielgachne kosze borowików. Jak relacjonował Tomasz, wcześniej Halina zastanawiała się, jakim cudem ludzie potrafią za jednym zamachem uzbierać aż tyle, tymczasem już w dniu przeprowadzki do chatki natrafiła przypadkiem na grzybne runo. W pierwszej chwili nie mogła uwierzyć we własne szczęście, bo dobra rosło tyle, że można je było kosić kosą. Żeby nie zabłądzić, zostawiła wśród mchu

kolorową ściereczkę i rozradowana pobiegła po no-
żyk i kosz. Miała nadzieję ususzyć, ile się da, i bodaj
w taki sposób zrewanżować się Tomkowi za gościnę
i pomoc. Starannie oczyściła grzyby z resztek ściółki,
a potem... zaprzęgła swojego dobroczyńcę do nani-
zania ich na nitkę. Robił to po raz pierwszy w życiu
i co chwila kłuł się w palce, bo okazał się w tej materii wybitnym beztalenciem. Halina, chcąc nie chcąc,
odwaliła robotę sama i późnym wieczorem dumna
rozwiesiła nad kuchnią sznury zdrowiutkich praw-
dziwków. Wciąż gnana wdzięcznością przyrządziła
dla siebie i Tomka spaghetti z sosem bolońskim. Już
nawet nie miał siły się złościć, bo nie dość, że znowu
zrównała mu kuchnię z ziemią, to jeszcze wykorzy-
stała mięso przygotowane na inny cel. Klopsy, czyli
jego firmowe danie, miały wjechać na stół po powrocie
Ewy, ale niedoczekanie. Było spaghetti, i to w dodatku
w takiej ilości, że można nim było nakarmić głodną
drużynę harcerską. Halina zwyczajnie zapomniała, że
gotuje tylko dla dwojga, i trochę ją poniosło.

– A przynajmniej da się to zjeść? – Ewa, rozbawiona, pękała ze śmiechu.

– No jasne. Choć za trzy dni nie będzie się dało
na to patrzeć.

– To mało ważne. Istotne, że przyjrzę się temu
dziś wieczorem.

– Rozumiem, że damsko-męski pożar ugaszony? – zmienił temat Tomasz.

– Właśnie się gasi, ale jeszcze nie wiem, z jakim skutkiem.

Nie miała pojęcia, jakich Maciek mógłby użyć argumentów, żeby udobruchać Rudą. Fakty wyglądały paskudnie i świadczyły na jego niekorzyść, choć ten rodzaj działalności kompletnie nie pasował do dobrodusznego olbrzyma.

Drgnęła, gdy drzwi od sali stanęły otworem i pojawiła się w nich rozpromieniona Monika. Gdyby nie uszy, szeroki uśmiech obiegałby jej głowę dookoła.

– Jezu, gadaj! – Ewa aż podskoczyła do przyjaciółki.

– Ależ jesteśmy wredne – wysapała Ruda w drodze do windy.

– My? – zdziwiła się Ewa.

– Wytłumaczenie jest tak banalne, że aż nieprawdopodobne. Nie wiem, od czego zacząć.

– Najlepiej od początku.

– Czyli nadal nie wiem od czego. Może powiem tak: Maciek jest, ekhm, fizycznie lekko niedysponowany w te klocki.

– Że jak? – Ewa nie zrozumiała.

– No, po prostu. Od jakiegoś czasu jest impotentem.

– Jezusie…

– Po raz pierwszy zauważył coś kilka lat temu. A później cała ta męska hydraulika wysiadła mu na amen. Kapeć i nici z figli. Kompletnie jednak nie łączył tych przypadłości z przepukliną, którą właśnie mu zoperowano. Tymczasem okazało się, że jelito uciskało te jego tamte sprawy. I już.

– A zdjęcia?

– No, robił to dla mnie. Miał nadzieję, że go w jakiś sposób ruszą. Ale nie ruszyły. No i wstydził się przyznać.

– Nie poszedł z tym do lekarza?

– Nie. Wydawało mu się, że libido mu zdechło przez te długie rejsy, gdzie kobiet jak na lekarstwo. Później poznał mnie, ale mimo chęci nie zdołał z siebie nic wykrzesać.

– Cholera. To wiele wyjaśnia. Tylko co dalej?

– A dalej to trzymajmy kciuki. Na razie lekarze są dobrej myśli.

– Szkoda, że nie powiedział ci wcześniej. Prędzej czy później to musiało się wydać.

– Po prostu się wstydził. A przy tym miał nadzieję, że jak przyjdzie co do czego, to wszystko zaskoczy jak trzeba.

Kawałki układanki nagle zaczęły do siebie pasować. Wyjaśniło się, dlaczego Maciek kilka razy wymigał się od spotkania, choć fakt, okoliczności układały się dla niego szczęśliwie. Aż stało się to, co się stało, i wyszło szydło z worka. Do pewnego momentu miał nadzieję, że poradzi sobie sam, ale w ślad za poznaniem Moniki sprawy zaszły już za daleko. Nie umiał i nie chciał już dłużej jej oszukiwać. Zamierzał wyjawić jej prawdę tego wieczoru, kiedy chwycił go atak. I po prostu nie zdążył, bo znów zbieg okoliczności zadecydował za niego. Szczęściem interwencja lekarska przypadkiem pozbawiła go kłopotu i wyjaśniła przyczynę wstydliwego problemu.

– Tylko co dalej? – powtórzyła oszołomiona Ewa już w aucie.

– Za trzy dni wypis do domu. Później z tydzień, dwa rekonwalescencji. A potem zaczniemy trening. – Monika parsknęła śmiechem. – Wiesz, to rehabilitacja zalecona przez lekarzy.

– A robota? Przecież on miał jechać gdzieś na dłużej.

– Już zgłosił wszystko w centrali. Przesunięto mu wyjazd o miesiąc.

Oczy Rudej zaszkliły się niebezpiecznie. Podobnie jak Ewa zawsze dzielnie stawiała czoła najgorszym przeciwnościom. Rozklejała się dopiero po fakcie.

– Ej, no, nie rycz. Makijaż ci spłynie. – Przyjaciółka próbowała ustawić ją do pionu.

Na wszelki wypadek jednak wyjęła paczkę chusteczek ze schowka.

To był błąd. Monika rozchlipała się na dobre.

– To miała być wodoodporna maskara. – Głośno wysmarkała nos i odgięła przeciwsłoneczną klapkę z lusterkiem. – Matko, wyglądam jak panda, której ktoś podbił oczy. Przecież zaraz mnie wezmą za ofiarę przemocy.

– No, nie da się ukryć – roześmiała się Ewa. – Rzeczywiście, wyglądasz jak półtora nieszczęścia.

Rudą chwycił kolejny spazm, a Ewa uznała, że trzeba pozwolić jej się wybeczeć. Wraz ze zmianą świateł ruszyła ze skrzyżowania i skierowała się w stronę Chrzanowa. Miała nadzieję, że zanim dojadą na miejsce, przyjaciółka uspokoi się na dobre. W tej chwili nie interesował jej nawet urywający się telefon, choć zwykle było nie do pomyślenia, żeby nie odebrała czy chociaż nie zerknęła, kto dzwoni.

– Daj to cholerstwo, bo mnie tu zaraz szlag trafi od tego dzwonka. – Ewa sięgnęła do kieszeni żakietu przyjaciółki. Odebrała i w kilka sekund uprzejmie spuściła interesanta po brzytwie.

– Kto to był? – chlipnęła Monika.

– Ktoś, kto chce kupić twój dom. Nie wiedziałam, że naprawdę chcesz go sprzedać.

– Chcę. Za dużo w nim złych wspomnień.

– Nawet teraz, jak masz Maćka?

– Zwłaszcza teraz. Złe duchy czają się w każdym kącie, a poza tym po nocach dojeżdżają mnie kibole z pobliskiego baru. Mówię ci, idzie sobie w łeb strzelić w tej cholernej chałupie – pociągnęła nosem Ruda.

– No, chyba że tak. To zmienia postać rzeczy. Ale pomyśl, przecież to dom po rodzicach. Jak się stamtąd wyniesiesz, będziesz miała daleko do pracy.

– No to co? Coś w pobliżu się znajdzie. A jak nie, to wybuduję. Chociaż nie wiem, bo nie mam na to nerwów. Głupi remont mnie wkurza, a co dopiero budowa od podstaw.

Monika wyraźnie się uspokoiła, a Ewa, zadowolona, że szlochy wreszcie ustały, pociągnęła temat sprzedaży domu. Wypytała o portale z nieruchomościami, o pośredników, o dostępność i ceny oraz o ruch na rynku wtórnym. I mimo że wkrótce inwencja ją opuściła, tamta zdążyła zapomnieć o płaczu.

– Zatrzymaj się – powiedziała.

– Jasne. Ale tu nie mogę. Stacja benzynowa jest za zakrętem. A poza tym trzeba zatankować, bo rezerwa się świeci – stwierdziła rzeczowo Ewa.

Swoje auto znała i wiedziała, ile może przejechać od zapalenia się kontrolki, ale prowadziła obcy samochód.

– Niech będzie.

Po minucie zajechały pod dystrybutor, a Monika, jak gdyby nigdy nic, zabrała się do poprawiania makijażu. Ewa, rada, że już wszystko w porządku, zatankowała sprawnie, zapłaciła za paliwo i ruszyła w dalszą drogę.

Teraz dla odmiany to Ruda tryskała energią i humorem. Za to Ewa kwękała z tęsknoty za Tomkiem. Dosłownie przebierała nogami, nie mogąc doczekać się odstawienia przyjaciółki do Chrzanowa i podróży powrotnej nad podgórkowskie jezioro.

Odświeżony makijaż sprawił, że Monika na nowo zaczęła wyglądać jak człowiek. Pozwoliła sobie nawet na kilka docinków pod adresem Ewy. Włącznie z tym, że ta nie potrafi prowadzić, bo przecież auto kaszle i szarpie przy każdej zmianie biegu.

– Cholera, naprawdę kaszle – Ewa mruknęła pod nosem.

Samochodem szarpnęło jeszcze dwa razy, po czym silnik zgasł. Przekręciła kluczyk w stacyjce, ale nic z tego. Cisza.

– Co się stało? – Pochłonięta wysyłaniem esemesa Monika nareszcie zainteresowała się własnym autem na poważnie.

– Rozkraczyło się bydlę. Wygląda, jakby brakowało mu paliwa. A przecież wlałam benzyny na ful.

– Co wlałaś?! – zapytała Ruda z niedowierzaniem.

– No, paliwo. A co?

– Wlałaś benzynę?

– A to nie benzynówka? Przecież zawsze takimi jeździłaś! – zdenerwowała się Ewa.

– Nie, to nie benzynówka. Ile wlałaś?

– Pod korek – padła odpowiedź.

Obie równocześnie westchnęły i obie jak na komendę parsknęły śmiechem. Chwilę trwało, zanim uspokoiły się na tyle, by racjonalnie pomyśleć.

Wezwały pomoc drogową, na której przyjazd przyszło im poczekać pół godziny. Jak na złość tego dnia żar lał się z nieba, a ponieważ nie pracował silnik, można było zapomnieć o klimatyzacji. Na dodatek samochód stał na światłach awaryjnych na skraju ruchliwej dwupasmówki, więc można było zapomnieć również o spacerze.

– Ale dałaś ciała – westchnęła Ruda i chusteczką otarła pot z czoła. – Patrz. – Podetknęła ją przyjaciółce pod nos. – W tym upale cały mój makijaż poszedł się pierniczyć.

– Spokojnie, zrobisz nowy. Ja na serio myślałam, że to benzynówka. Przepraszam cię – powiedziała Ewa ze skruchą. – Kiedyś słyszałam od taty, że benzyna dieslowi nie szkodzi. Pamiętam, że w zimie dolewał do baku trochę benzyny, żeby mu przy dużych mrozach paliwo nie zamarzało.

– I co?

– I nic. Nie zamarzało. Czasem tylko poszedł wystrzał z tłumika i tyle. Więc chyba rzeczywiście nie szkodzi.

– Nawet w takich ilościach? Jakby nie szkodziła, tobyśmy jechały – utyskiwała mokra jak mysz Monika.

– Ech, przestań gderać, nie będzie wielkiej biedy. Spuszczą, przeczyszczą i eee... No nie wiem, ale zaraz powinni po nas przyjechać.

– Biedy nie ma. Tylko ten upał.

– Wpadnij do nas na któryś weekend, to się ochłodzisz w jeziorze. Mówię ci, woda jak kryształ. Czyste dno. A w lesie grzyby i reszta. Tylko trzeba mieć cierpliwość, żeby zbierać tę jagodową drobnicę.

– A ryby? Są w tym jeziorze ryby?

– Nie mam pojęcia, ale zapytam Tomka. A co, czyżbyś polubiła wędkowanie?

– Ja nie, ale Maciek uwielbia. Jak mi zaczął truć kiedyś o przynętach, kołowrotkach i spławikach, to siedziałam jak na tureckim kazaniu. Nic z tego nie łapię.

– To super, że łowi – ucieszyła się Ewa. – Widziałam w składziku wędkę, więc może wyślemy ich obu na ryby? Zrobimy im kanapki, damy piwo, a same urządzimy sobie spa w ogrodzie. Taki pełny relaks.

Wiesz, obłożymy się ogórkami i błotem z jakiegoś morza. Strzelimy sobie jakąś ekstramaseczkę, wsuniemy jakieś zdrowe danie fit i popijemy schłodzonym winem – rozmarzyła się Ewa.

– Brzmi lepiej niż dobrze. – Monika kiwnęła głową z uznaniem. – W salonie piękności to bym chyba oszalała, ale z tobą w ogródku to może być niezła frajda.

– W takim razie wpadnijcie razem. Jak już Maciek wyjdzie od tych łapiduchów i stanie na nogi.

Perspektywa wspólnych kilku dni podniosła Ewę na duchu. Poza wszystkim ciekawiło ją, co przyjaciele powiedzą o Tomku. Bardzo jej zależało, żeby wszyscy się polubili, a z tym, jak wiadomo, mogło być różnie.

Pomoc drogowa przyjechała po niecałym kwadransie. Mechanik z trudem tłumił śmiech.

– No z czego się pan tak cieszy? Nigdy się panu coś takiego nie zdarzyło?

– Ależ zdarzyło. I to w zeszłym tygodniu – roześmiał się mężczyzna i z aprobatą otaksował Rudą od stóp do głów. – Zatankowałem auto żony, a żeby jej się dobrze jeździło, nalałem do baku ulepszoną benzynę V-Power.

– I auto całe? Nic mu się nie stało? – zaniepokoiła się Ewa.

– Nic. Dobrze, że nie jechała nim długo. Pom-powtryski wytrzymały, pompa też dała radę. A jak już spuściłem paliwo do kanistra, a potem wlałem do kosiarki, to dostała takiego szwungu, że za nią nie nadążam. – Mechanik sprawnie podczepił wy-ciągarkę.

Po chwili samochód bezpiecznie zakotwiczył na lawecie, a dziewczyny usadowiły się wygodnie w kli-matyzowanej szoferce.

Kiedy wreszcie dotarły do Myślenic, dochodziła siedemnasta. Ponieważ niesprawne auto wylądowało wcześniej w jednym z chrzanowskich warsztatów, Rudej przyszło zadowolić się firmowym autkiem piekarni.

– Tylko popatrz, jakie maleństwo. Kilka minut i od razu się człowiekowi charakter prostuje. – Moni-ka wymownie postukała paznokciami w maskę czer-wonej toyoty aygo. – Już mi się wydawało, że moje jeździdło to byle co, ale idę o zakład, że gdy jutro do niego wsiądę, zakocham się w nim od nowa. Po tym mikrusie będzie jak prom kosmiczny – roześmiała się serdecznie.

Zanim się pożegnały, przyjaciółki zjadły jeszcze razem obiad w pobliskiej knajpce.

Ewę nieco niepokoiło, w jaki sposób Ruda dotrze nazajutrz do mechanika, ale ta szybko ją uspokoiła.

W końcu miała do dyspozycji kilka służbowych samochodów, a i z kierowcą też nie powinna mieć problemów. W końcu każdy z pracowników piekarni chętnie podwiezie szefową na miejsce.

Gulaszowa i ruskie pierogi sprawiły, że Ewa poczuła senność, więc na deser zamówiła kawę i ruszyła w dalszą drogę dopiero przed dziewiętnastą. Przez głowę przemknęło jej nawet, żeby przenocować w Krakowie, ale tak tęskniła za Tomkiem, że czym prędzej porzuciła ten pomysł. Zabrała tylko z mieszkania kilka potrzebnych drobiazgów i jak na skrzydłach pognała do ukochanego.

Po drodze omal nie zapłaciła mandatu za przekroczenie dozwolonej szybkości. W ostatniej chwili dostrzegła mrugnięcie świateł samochodu jadącego z naprzeciwka, odpuściła z gazu i fuksem uniknęła kontroli. Niedaleko celu zrobiła jeszcze zakupy i jakby ją kto gonił, ruszyła malowniczą drogą przez las.

Miała nadzieję od razu wpaść w stęsknione męskie ramiona, ale z rozczarowaniem skonstatowała, że Tomasza nigdzie nie widać. Rozpakowała bagaże, zaniosła do kuchni zakupy, skosztowała spaghetti. I odświeżywszy się po ciężkim dniu, rozsiadła się z laptopem na tarasie.

Wskutek ostatnich wydarzeń znów miała spore zaległości, ale przynajmniej bez przysłowiowego noża na gardle, jednak mimo wszystko nie lubiła, gdy coś do zrobienia zbyt długo czeka na swoją kolej. Poza tym klienci mieli to do siebie, że nawet ci cierpliwi w końcu zaczynali upominać się o swoje. Czekały ją co najmniej dwie godziny skupienia i wytężonej pracy, choć wszystko wskazywało na to, że święty spokój stanowi w Podgórkach towar mocno deficytowy.

– Cholerne komarzyska – warknęła i energicznie trzepnęła się dłonią po udzie.

Strzał był celny. Na spodniach pozostały czarne szczątki owada i krwawy ślad. Drugą ręką energicznie machnęła nad głową, odganiając brzęczącego natręta. Widać oprysk przestał już działać, westchnęła.

Praca w takich warunkach okazała się niemożliwa, więc postanowiła skorzystać z niedawnej sugestii Haliny. Wróciła do kuchni, poszperała chwilę po szafkach, aż w końcu trafiła na to, czego szukała. Nalała na dłoń nieco oleistej cieczy, po czym natarła nią ciało. Wbrew obawom intensywna woń waniliowego olejku do ciast wcale nie była mdła. A co najważniejsze – komary faktycznie jej nie lubiły.

Zaczęło się ściemniać. Zaniepokojona nieobecnością Tomka dokładnie obeszła dom i ogród. Trochę obawiała się wieczornego spaceru do chatki Haliny, ale wzięła się w garść. W końcu wyrosłam już

z wieku, kiedy wierzy się, że w ciemnym lesie miesz-
kają duchy i potworne stwory pożerające niewinne
dziewice, dodała sobie odwagi.

Stwierdziła, że przed drogą spróbuje jeszcze zadzwonić do Tomasza, ale melodyjny dzwonek jego komórki rozległ się gdzieś w okolicy kuchennego kredensu.

– A poszedł ty! – Tupnęła nogą na Tornada, który
właśnie postanowił wykopać dziurę pośrodku zadba-
nego trawnika. Pies popatrzył na nią jak na kogoś
niespełna rozumu, kto nie pojmuje, że tak pasjonu-
jących zajęć się nie przerywa. – A sio! No sio, łajzo!
– krzyknęła.

Tornado potraktował to jak zachętę do zabawy
i w podskokach obiegł ją dookoła.

– No proszę. Ale masz autorytet. – Tomek omal
nie pękł ze śmiechu, przygarniając ukochaną.

– Gdzie się podziewałeś? – fuknęła. – Właśnie
miałam cię szukać po ciemnym lesie. – Uszczęśli-
wiona zawisła mu na szyi.

– Mmm – mruknął, wtulając twarz w szyję Ewy.
– Pachniesz jak sernik mojej ciotki. To coś nowego?

– Owszem. Pachnidło prosto z cukierni – parsknęła śmiechem.

– Całkiem apetyczne. Podoba mi się – powiedział
Tomasz z aprobatą.

– Komarom mniej.

Tęskniła tak bardzo, że miała wrażenie, jakby nie widzieli się przez rok. Niecierpliwie szarpała się z guzikami przy koszuli Tomka, nie mogąc ich rozpiąć. On, równie zniecierpliwiony, załatwił sprawę jednym ruchem. Drobne guziczki rozprysły się po sypialni we wszystkich kierunkach.

– Co ty...?

– Spokojnie, skarbie. Jest Halina, przyszyje – wymruczał Tomek pomiędzy pocałunkami.

Ewa nawet nie zorientowała się, kiedy została pozbawiona ubrania. Miała wrażenie, że unosi się w powietrzu. Ręce Tomasza były wszędzie; jeszcze dobrze nie zdążyła poczuć jego dotyku w jednym miejscu, a już dotykał ją gdzie indziej. Emocje były tak silne, że chwilami traciła oddech. W obawie, że zaraz upadnie, mocniej chwyciła Tomka za szyję.

– Kocham cię – wyszeptał i ułożył ją w pościeli.

– Nie – powiedziała i stanowczym gestem wskazała mu miejsce obok. – Teraz to ty się kładziesz.

Bez protestów oddał się pod rozkoszną komendę.

Dla odmiany to jej dłonie rozpoczęły wędrówkę pełną przygód, westchnień i zaskoczeń. Teraz to on przeżywał słodkie katusze.

– Miej litość. Ja już nie mogę – jęknął.

Ewie spodobało się to chwilowe poczucie całkowitej władzy, więc wcale nie zamierzała przestać.

Wzięła go w dłoń, a ciepłe i pulsujące życiem coś sprawiło, że pozbyła się wstydu i zahamowań.

Na pierwsze muśnięcia zareagował westchnieniem, ale gdy zaczęła delikatnie skubać go zębami, dobiegł ją cichy pomruk zadowolenia. Tomasz wyprężył się w bezwiednej prośbie o dalsze pieszczoty. Lekkie ukąszenia i kontrolowane skubnięcia, połączone z ciepłem bijącym z miękkiego języka Ewy, który zdawał się tańczyć i oplatać, doprowadziły mężczyznę do stanu, w którym już nie wiedział, czy śni, czy tylko marzy. Gdy porzuciła go, dosłownie na kilka sekund, poczuł się jak dziecko, któremu odebrano cukierka.

Ale Ewa nigdzie się nie wybierała. Namiętnie pocałowała go w usta.

– Uwielbiam patrzeć na ciebie z góry. Uwielbiam cię takiego bezbronnego, na granicy przytomności... – wyszeptała między przyśpieszonymi oddechami.

– Jestem... – westchnął.

– ...jak jesteś taki całkiem... mój – wykrztusiła przed ostatecznym spazmem.

Jej szybki oddech skrzyżował się z jego niewypowiedzianym wyznaniem i Ewa poczuła w swoim wnętrzu pulsujące ciepło. Szarpnął nią spazm, a gdy stopniowo ogarnął całe jej ciało, z tłumionym krzykiem wpadła w jego objęcia i zatraciła się całkowicie.

ROZDZIAŁ 21

SŁOŃCE STAŁO W ZENICIE, ale jego promienie padały już jakby nieco inaczej. Również owady zdawały się brzęczeć w tych dniach na inną niż wcześniej nutę.

Ewa nigdy nie lubiła sierpnia. W czasach szkolnych widok uwijających się na polach żniwiarzy i powiązanych snopków skoszonego zboża nieodmiennie kojarzył się jej z końcem wakacji. Oczywiście teraz nie musiała już szykować się do szkoły, ale przyroda i tak całą sobą zwiastowała zbliżającą się jesień.

Była z Tomkiem szczęśliwa, ale jakoś nie potrafiła sobie wyobrazić zimy spędzonej w tej oddalonej od cywilizowanego świata głuszy. Rozmowa na ten temat, podobnie jak o dalszych losach ich związku, stawała się powoli palącą koniecznością. Pomijając zobowiązania zawodowe Ewy, dom Tomasza bardziej nadawał się na letnisko niż na całoroczne lokum. Owszem, dałoby się tu mieszkać na okrągło, ale wymagałoby to kilku inwestycji. Tymczasem Tomek jakoś się do nich nie kwapił. Chociaż ostatnio całkiem nieźle stał finansowo, przez myśl mu nie przeszło, żeby włożyć pieniądze choćby w docieplenie czy centralne ogrzewanie.

Ewa nie miała pojęcia, z czego żyje jej partner. Przypuszczała, że zapewne ma oszczędności, ale przecież nikt nie ma ich aż tak dużo, żeby całkowicie osiąść na laurach i nie martwić się o przyszłość. Ostatnio planowała nawet o to zapytać, ale ją ubiegł, kładąc jej przed nosem swoje CV.

– Szukasz pracy? – zapytała.

– Nieustannie. – Uśmiechnął się szeroko. – I właśnie postanowiłem nieco zmodyfikować to i owo w tym dokumencie. Rzucisz okiem?

– Chętnie – powiedziała i uważnie przestudiowała zawartość dwóch kartek formatu A4. – Całkiem nieźle. Jestem pod wrażeniem – przyznała zaskoczona tak wszechstronnym doświadczeniem.

Na twarzy Tomka pojawiła się słabo skrywana satysfakcja.

– Robię, co mogę. Nie wypada tak dalej się opierniczać. Tylko nie za bardzo wiem, jakim cudem miałbym stąd dojeżdżać do jakiejkolwiek pracy.

– Też się nad tym zastanawiałam. A co byś powiedział na przeprowadzkę do miasta? Przecież w zimie nas tutaj zasypie na amen. A i z ogrzewaniem może być krucho. Tymczasem ja cały czas wynajmuję niewielkie mieszkanie w Krakowie. Tylko nie wiem, czy nie będzie nam tam za ciasno we dwoje.

– Nie martw się, skarbie. Najwyżej mocniej cię przytulę, a swoje rzeczy będę trzymać w samochodzie. Jeśli kiedyś go kupię – roześmiał się Tomek. – A najpierw na niego zarobię.

– Spokojnie, kochanie. – Ewa pocałowała go w usta. – Na razie wystarczy nam mój. A jeśli moje krakowskie lokum okaże się za małe, zmienimy je na większe i tyle. Ale na razie przynieś trochę drewna z drewutni. Przyda się po południu na ognisko. Węgiel do grilla też by się przydał. Właśnie przed chwilą dzwoniła Ruda, że przyjadą.

– Super! – ucieszył się Tomek.

O przyjaciółce Ewy słyszał tyle, że miał wrażenie, jakby znał ją od lat. Wspomniana Ruda od dawna jawiła mu się jako wzór wszelkich cnót, ideał kobiecej urody oraz najwyższej klasy intelektualny autorytet, nie mógł się zatem wprost doczekać, kiedy wreszcie będzie dane mu poznać ją osobiście. Nagle podskoczył jak oparzony.

– Rany boskie! Przecież trawnik nieskoszony!

Pognał do składziku na narzędzia i po kwadransie już zasuwał z kosiarką, sprawiając wrażenie, że przykłada się do tej czynności bardziej niż zwykle. Ewa w duchu konała ze śmiechu i chętnie pogapiłaby się dłużej, ale czas do przyjazdu gości jakoś dziwnie zaczął się kurczyć, pobiegła więc do kuchni zamarynować mięsa.

W progu natknęła się na Halinę z wielką miską w dłoniach.

– Pierogi z jagodami to coś najlepszego w świecie. Ulepić? – zapytała retorycznie.

Kobieta na każdym kroku pragnęła odwdzięczyć się za gościnę i pomoc, ale Ewa i Tomek, świadomi skłonności do bałaganiarstwa, zwykle starali się jej nie angażować do kuchennych czynności. Jednak pierogom z jagodami trudno było się oprzeć.

– No jasne! – Ewa aż podskoczyła i łakomie przełknęła ślinę napływającą do ust. – Mamy dziś gości, więc będą świetne na deser po ognisku i grillu.

– Tym bardziej trzeba ulepić więcej. Jak zostaną, zamrozimy.

Halina zakasała rękawy i zamaszystym gestem sypnęła garść mąki na blat. To, że przy okazji zaprószyła nią podłogę i pół kuchni, całkowicie uszło jej uwagi.

Ewa udała chwilową ślepotę i po prostu wyszła z domu.

Zdjęła z haczyka jutową siatkę i zarzuciwszy ją na ramię, gwizdnęła na psa. Pogrążony w drzemce owczarek poderwał się jak podcięty batem i w sekundę zameldował się przy nodze, gotów do spaceru.

– No, Tornado, idziemy! – wydała komendę i skierowała się w stronę pogorzeliska.

Ostatnie malinówki z inspektu dojrzały wczoraj, więc był już ostatni dzwonek, by zebrać plony. Przy okazji w torbie wylądowało kilka świeżych ogórków i całkiem sporo uciętego nożykiem szczypioru. Na koniec wyciągnęła ze studni kilka wiader wody i obficie podlała rośliny. W drodze powrotnej nadłożyła drogi, by w pobliskim gospodarstwie kupić jajka, masło i ser domowej roboty. Sympatyczna gospodyni w ramach gratisu dołożyła jej słoik malinowych konfitur i skrzętnie ukryła banknot w kieszeni fartucha, wyraźnie ucieszona z dodatkowego zarobku, i to poza wiedzą krewkiego małżonka. Rzuciła Ewie porozumiewawcze spojrzenie i znacząco zerknęła w stronę starej jabłoni, pod którą ten, mimo wczesnej pory, chrapał w najlepsze. Było tajemnicą poliszynela, że od czasu do czasu łapie kilkudniowy alkoholowy ciąg i bije żonę. Teraz właśnie był w jego trakcie.

Zadowolona z eskapady wróciła do domu. Była tak głodna, że oddałaby królestwo za zwykłą kanapkę.

Wkroczyła do kuchni i złapała się za głowę. Nawet najlepsze pierogi świata nie były warte takiego bajzlu.

– O Boże – szepnęła i bezradnie rozejrzała się za ścierką.

Rzecz jasna wypadałoby od razu zabrać się do sprzątania, ale wizja chrupiącej skórki od chleba w połączeniu z ostrym aromatem gruntowego szczypiorku chwilowo wzięła górę nad chęcią zaprowadzenia jakiego takiego ładu. Przeżuwając smakowity kęs, machinalnie liczyła pierogi. Pogubiła się przy sto pięćdziesiątym.

Cóż, może taka ilość jest jednak warta grzechu i największego bałaganu?, pomyślała nieco udobruchana.

Przełknęła ostatni kęs kanapki, byle jak przetarła zasypany mąką blat i sięgnęła po szczotkę. Nakarmiła psa i wyniosła mu na zewnątrz miskę z wodą. Zmęczony Tornado od niechcenia pochłeptał różowym jęzorem, po czym jak nieżywy padł pod krzakiem bzu. Ewa miała ogromną chęć do niego dołączyć, ale perspektywa gości stanowiła w lokalnych warunkach nie lada atrakcję i trzeba się było do niej przygotować. To nic, że z wizytą mieli wpaść jej najlepsi przyjaciele, przed którymi nie musiała się krygować. To nic, że we trójkę rozumieli się świetnie. Teraz na myśl o spotkaniu odczuwała lekki ucisk w żołądku. Ogromnie jej zależało, by Monika i Maciek dogadali się z Tomkiem. Znała życie i nie od dziś wiedziała, że nawet długoletnia przyjaźń potrafi się rozpaść przez brak międzyludzkiej chemii.

Tymczasem ona ani myślała rezygnować z Rudej czy z Maćka. Cała trójka zwyczajnie musi się dogadać, pomyślała buntowniczo. Muszą się postarać, choćby ze względu na mnie.

Na chwilę przysiadła w wiklinowym fotelu, ale głód i wspomnienie chleba ze szczypiorkiem zagnały ją z powrotem do kuchni.

Tomek właśnie skończył trawnik w ogrodzie i zabierał się do fragmentu pomiędzy ogrodzeniem a drogą. Nigdy nie lubił tego kawałka, bo zadanie utrudniał mu rów melioracyjny. Zwykle korzystał z elektrycznej podkaszarki, która jednak właśnie odmówiła współpracy, wydając z siebie ostatnie tchnienie, zatem niechętnie chwycił za tradycyjną kosę.

Charakterystyczny dźwięk ślizgającej się po ostrzu osełki sprawił, że Ewa struchlała. Oczami wyobraźni zobaczyła leżące w trawie poobcinane Tomkowe palce. Niezwłocznie sprawdziła zapas lodu w zamrażalniku. Gdzieś kiedyś czytała, że odcięte członki należy natychmiast schłodzić, więc z tą świadomością poczuła się nieco lepiej. Niemiły zgrzyt ustał jednak wreszcie, więc odetchnęła z ulgą, nalała do szklanki zimnej lemoniady i zaniosła kochanemu kosiarzowi. Na miejscu skonstatowała, że machanie kosą nie sprawia mu większych problemów, odpuściwszy sobie zatem wizję jego obciętych stóp, zawróciła do domu i nakryła do stołu. W międzyczasie dzwonek komórki Tomka zabrzmiał kilka razy, ale zanim zdążyła sprawdzić, kto dzwoni, urządzenie piknęło trzykrotnie, zwiastując kompletnie wyczerpaną baterię. Podpięła komórkę do ładowarki i zajęła się resztą przygotowań.

Do przyjazdu gości pozostała jeszcze co najmniej godzina, gdy zadowolona z efektu zasiadła do komputera. Miała zbyt mało czasu, by przysiąść nad projektem, ale odczytała wiadomości i posortowała według działów oferty składów budowlanych.

– Ewunia! – dobiegł ją okrzyk Haliny. – Chyba już są!

– Super! – Ewa zerwała się jak oparzona i energicznie zatrzasnęła wieko od laptopa. – Nareszcie.

W podskokach podbiegła do furtki i z piskiem rzuciła się Rudej na szyję.

– I jak z nim? – zapytała konspiracyjnym szeptem.

– Będzie dobrze. Rehabilitacja idzie pełną parą. – Monika puściła oko i głęboko zaciągnęła się przesyconym wonią lasu powietrzem. – Mmm, ale raj – mruknęła z zachwytem.

Podczas gdy Maciek parkował, Ewa obrzuciła przyjaciółkę uważnym spojrzeniem.

Ruda zawsze wyglądała nieźle, ale teraz prezentowała się wprost kwitnąco. Zrzuciła ostatnio parę kilogramów, bo modne obcisłe dżinsy z przetarciami leżały na niej jak na modelce z żurnala. I wreszcie zmieniła odcień włosów na bardziej zbliżony do naturalnego; ciemna rudość podkreśliła jej jasną karnację. Roziskrzone spojrzenie mogło świadczyć tylko o jednym – Monika po prostu była zakochana. A zważywszy na cielęce spojrzenie, jakim wodził za nią Maciek, śmiało można było go posądzać o wzajemność.

Poczciwy olbrzym na powitanie zamknął gospodynię w niedźwiedzim uścisku.

– Czy teraz już od nowa mnie lubisz? – mruknął jej do ucha.

– Jasne. A już szczególnie za nią – roześmiała się, wskazując na rozpromienioną przyjaciółkę. – Nigdy nie widziałam jej tak szczęśliwej.

– Mówisz poważnie?

– Dobra, dobra, nie udawaj niewiniątka. Przecież nawet ślepy by zauważył, że jesteście dla siebie stworzeni.

Z domu wybiegła Halina.

– Właśnie umieszałam śmietany do pierogów. Grzać wodę? – zapytała i nieco speszona pozwoliła się przedstawić.

– Może trochę później? – zaproponowała Ewa.

Ujęła Rudą pod rękę i poprowadziła w stronę jeziora. Tym samym chciała dać Tomkowi szansę bliższego zapoznania się z Maćkiem.

– Kurczę, fajny ten twój Tomek. – Monika szturchnęła ją pod żebro, jak za dawnych lat.

– Mówisz? Też mi się podoba – roześmiała się Ewa.

I w jednej chwili dotarło do niej, że do tej pory jeszcze nigdy, w całym ich życiu, nie zdarzyło się, żeby obie były szczęśliwe jednocześnie. Dopiero teraz nieszczęsny system naczyń połączonych między nimi wreszcie przestał działać.

– Niezłe ciacho jak na porywacza – dodała Ruda. – Gdyby nie Maciek, też mogłabym dać mu się porwać.

– Nie gadaj głupot. Cała ta historia jest jak jakiś film dla kretynów. Nikt normalny nie uwierzyłby, że to może być prawda.

– Ano racja, brzmi kosmicznie. Ale przecież życie pisze najdziwniejsze scenariusze. Fakt, porywacz z niego jak z koziej dupy trąba, ale w innych dziedzinach chyba jakoś daje radę, skoro tak cię wzięło?

– No, na amen mnie wzięło. – Ewa spojrzała porozumiewawczo.

Chętnie pogadałyby dłużej, bo miały w tej materii spore zaległości, ale od domu właśnie dobiegły nawoływania.

Panowie najwyraźniej dogadali się od pierwszego wejrzenia, bo właśnie osuszyli po butelce jasnego pełnego i rozglądali się za następną kolejką. Dziewczyny nie kryły zadowolenia, nie przeszkadzały im nawet wędkarskie tematy. Przełknęły je gładko, bo o dziwo, dziś nie brzmiały tak nudno jak zwykle. Cała czwórka wspólnie zdecydowała, że najpierw rozpalą grilla, a słodkościami uraczą się później.

Maciek obficie polał węgiel rozpałką, a Tomek skoczył do kuchni po mięsa. Rozczarowana Halina nadąsała się, że jej pierogi nie zostaną zaserwowane od razu, ale ostatecznie uznała, że pochwalne peany i tak jej nie ominą, i poszła do siebie.

Spotkanie przy grillu rozkręciło się niemal z marszu. Pierwsze lody zostały przełamane i towarzystwo bawiło się w najlepsze. Panowie sprawnie uwijali się przy ruszcie, przyjaciółki łaskawie pozwalały się obsługiwać. Na ich talerzach lądowały coraz to

bardziej smakowite kąski. Maciek oszałamiał nie-
wyczerpanym zapasem anegdot.

– A opowiadałem wam, jak to moi kumple kiedyś
jeździli na ryby? – Tomek nie zamierzał pozostać w tyle. – Pakowali się w pięciu do nyski, ładowali drelichy,
wodery i wędki. No i wio gdzieś daleko, do dyskote-
ki. Przebierali się w paradne ciuchy i wyrywali laski
na całego. Następnego dnia rano odwiedzali centralę
rybną, żony cieszyły się z połowu i szafa grała.

– Do kiedy? – zainteresowała się Ruda.

– Dopóki w tej centrali nie sprzedano im śledzi
zamiast pstrągów, a jedna z żon się nie połapała, że
śledzie nie żyją w jeziorze.

– A wiecie, kiedyś za czasów studenckich poje-
chaliśmy z kumplem na ryby – pociągnął wędkarski
temat Maciek. – Na prawdziwe ryby, nie na dziewczyny. Rozsiedliśmy się nad brzegiem, rozbiliśmy
namiot, a że nie było brania, obróciliśmy flaszeczkę
albo i dwie. Ryby ani widu, ani słychu, a my głodni,
więc uznaliśmy, że niezła będzie kura. Wzięliśmy
wędkę i poszliśmy do najbliższego gospodarstwa.
Zaczęło się ściemniać, komary cięły jak wściekłe,
ale my dzielnie przycupnęliśmy za oborą.

– Z wędką? – zdziwiła się Ewa.

– No a jak? Oczywiście na trzeźwo żaden by na
to nie wpadł, ale kto mówi o trzeźwości? Kumpel

nadział robaka na haczyk, a że kury właśnie wyszły na wieczorne dziobanie, zarzucił przynętę między kury. Chwilę to trwało, bo kury ślepawe, ale w końcu jedna dziobnęła rosówkę i się złapała na haczyk. Na to wszystko z domu wyszedł gospodarz. Kurde, no to my w nogi do lasu. A ta kura za nami!

– Boże, nie mogę – Ruda ze śmiechu trzymała się za brzuch.

– To jeszcze nic. Jak gospodarz to zobaczył, to wrzasnął: „Panowie! Nie bójcie się! Ona wam nic nie zrobi!".

– Matko, zaraz pęknę w szwach. – Rozbawiony do granic Tomek w końcu usiadł przy stole. – Co powiesz na ryby? Jutro? – zapytał z nadzieją, że jego gość na razie odpuści sobie wędkowanie z pełnym brzuchem. – Drobiu nie obiecuję, ale za to okonie i szczupaki jak malowane.

– No pewnie, że jutro. Dziś nawet nie dotoczę się na brzeg – sapnął Maciek, który też ledwie się ruszał z przejedzenia.

– No to umowa stoi – stwierdził Tomek, posyłając Ewie szeroki uśmiech. I w tej samej chwili jego twarz stężała. – Kurwa! – wyrwało mu się od serca.

Zza domu wyłonił się Dariusz.

Ruda w pierwszej chwili nie załapała i powitała przybysza uśmiechem. Ewa i Maciek siedzieli tyłem.

Darek w lot zrozumiał niezręczność sytuacji, ale było za późno, by się wycofać.

– No, witaj. Co za spotkanie – rzuciła swobodnie Monika.

– Co ty tu robisz? – Ewa odwróciła się i rozpoznała w przybyszu dawnego znajomego.

Dariusz kombinował gorączkowo, jak by tu zgrabnie wywinąć się z opresji, ale jego osobiste dzieci załatwiły go na cacy. Chłopcy w pełnym biegu rzucili się w stronę Tomka.

– Wuuujek! Wuuujek! – wrzasnął młodszy.

Starszy zaczął coś trajkotać o obozie harcerskim, a Tomasz pobladł jak płótno. Ruda omal nie zadławiła się karkówką, a nic nierozumiejąca Ewa zamilkła w oczekiwaniu na wyjaśnienia. Jedynie niczego nieświadomy Maciek podniósł się z krzesła i dostawił do stołu dodatkowe siedziska.

– Czy ja śnię? – Monika w końcu odzyskała głos. – To wy jesteście braćmi?

– I owszem – wykrztusił Tomek.

– Czyli jak to? To ty cały czas wiedziałeś, gdzie jest Ewa? – w lot kojarzyła fakty.

– Eee, ten... Ja to wszystko wytłumaczę...

– Że co niby wytłumaczysz? No nie wierzę. Normalnie nie wierzę. Albo zwariowałam, albo to jakaś cholerna fikcja!

Dariusz to bladł, to czerwieniał na przemian. Gdyby mógł, udusiłby własne dzieci w jednej chwili. Gdyby pokrewieństwo z Tomkiem nie wyszło na jaw w tak idiotyczny sposób, była szansa, żeby się wywinąć. No ale skąd miał wiedzieć, że zastanie tu taki zestaw gości. Kurczę, przecież dzwoniłem i nagrałem się na pocztę, że jadę odebrać dzieciaki z obozu i wpadniemy po drodze z wizytą!

– Nie czytasz esemesów? – naskoczył na Tomka.

– Telefon mu się rozładował – odparła bezbarwnym głosem Ewa.

Tomasz przeprosił towarzystwo i chwyciwszy brata za ramię, lekko popchnął go w stronę domu.

– Porąbało cię do reszty, żeby mi się tu zwalać na łeb? – Aż trząsł się ze złości.

– Cholera, dzwoniłem! Skąd miałem wiedzieć, że tu są? Nie widziałem żadnego samochodu.

– Bo podjechali z drugiej strony. – Tomasz wskazał na zaparkowanego za płotem SUV-a.

– Kurwa mać! I co teraz?

Przez chwilę próbowali coś ustalić, ale skończyło się na wzajemnych pretensjach i oskarżeniach. Ale tak czy siak należało wrócić do pozostałych i mówić jak najmniej. Niestety, trójka, która pozostała w ogrodzie, miała nieco czasu na przemyślenia.

– A więc na tym polegała ta niby-sekta? Czyżby twój informator za mało zarobił? – Monika od razu przypuściła frontalny atak.

– Nie.

– Akurat! – Ruda się wściekła. – Gadaj prawdę, bo za chwilę wszyscy będziemy zeznawać na policji, choć w różnym charakterze.

– Oddam ci pieniądze. Wszystkie. Wierz mi, to był przypadek – tłumaczył się nieporadnie Dariusz.

– To znaczy, że porwanie było zaplanowane? – Ewa wreszcie odzyskała głos.

– Nie. Uprowadzenie ciebie było pomyłką. Chodziło o Marzenę. Ale skoro już tu trafiłaś i to właśnie Monika zaczęła cię szukać przez moją agencję, plan uległ zmianie. – Dariusz postanowił nie brnąć już w kłamstwa.

Za nic nie chciał stracić rozgłosu i dobrej marki, jaką zyskał na tej drace. Teraz mógł się zgodzić na wszystko.

– Jak się połapaliśmy, co się stało, postanowiliśmy ratować plan. Miałaś szybko się odnaleźć. Moja firma bankrutowała, musiałem jakoś się ogarnąć. Pojawiła się możliwość spektakularnej promocji w mediach. No i sukcesu.

– Teraz to ci się, kolego, pojawiła możliwość spektakularnego oberwania po gębie – sapnął Maciek.

Choć ledwie nad sobą panował, przez wzgląd na obecność dzieci nie ruszał się z miejsca.

– Przepraszam, to wszystko nie tak! – W głosie detektywa pojawiły się piskliwe tony. – Ale skoro Ewa już tu była i nie uciekła, choć miała taką możliwość, uznałem, że jeśli jeszcze chwilę posiedzi, nic się nie stanie. Była bezpieczna, a Tomek miał ją tylko trzymać z dala od telefonu do mniej więcej końca tamtego feralnego tygodnia, bo…

Nie dokończył. Tomek syknął znacząco, ale znów było za późno. Ewa zerwała się z miejsca. Ze łzami w oczach podeszła do Tomasza i z całej siły zdzieliła go w twarz.

– A masz, ty parszywy draniu! – wrzasnęła. – Żałuję, że cię wtedy nie dobiłam! Żałuję, że nie doniosłam na ciebie! Żałuję, że ci zaufałam! I żałuję, że zaczęłam cię kochać. Ty…

– Ale to nie tak!

– Co nie tak?! – krzyknęła przez łzy. – Wszystko jest tutaj nie tak! Ty kłamliwy, podstępny sukinsynu! To dlatego zaciągnąłeś mnie do łóżka? To dlatego powiedziałeś, że mnie kochasz?

Tomek chciał ją przytulić, ale Ewa odwróciła się na pięcie, ostentacyjnie splunęła mu pod nogi i pobiegła do domu.

Nigdy w życiu nie była tak wściekła. Nie sądziła nawet, że tak potrafi. Miała ochotę zamordować

Tomasza gołymi rękami. Miała ochotę go skrzywdzić. Tak mocno jak on ją.

– Ewuś... – W progu stanęła roztrzęsiona Ruda. Od razu przysiadła obok przyjaciółki.

– Boże, dlaczego znowu ja? – szepnęła Ewa z rozpaczą. – Dlaczego to zawsze muszę być ja? Przecież wiem, że zawsze pakowałam się w kłopoty na własne życzenie. Że te wszystkie sercowe niewypały były na moją prośbę, ale teraz? Przecież naprawdę myślałam, że on mnie kocha – chlipnęła. – A on tylko szukał sposobu, żeby mnie udupić w tej dziurze. – Głośno pociągnęła nosem. – Skurwysyn jeden! Zabiję dziada! – Zagotowała się i zerwała na równe nogi.

Wystartowała w kierunku drzwi.

Zaskoczona wybuchem Monika pogalopowała za nią. Jeszcze nigdy nie widziała przyjaciółki w takim stanie, więc całkiem serio bała się o życie wiarołomcy.

Obie niemal w tej samej chwili wybiegły na taras.

Dariusz z dzieciakami ulotnił się jak kamfora. Jakby na potwierdzenie za domem zachrzęścił żwir pod kołami ostro ruszającego samochodu.

Maciek bez najmniejszego wysiłku trzymał przerażonego Tomka za barchaty. Zwinięty pod brodą materiał koszuli chyba trochę poddusił bezbronnego gospodarza, który, choć sam nie ułomek, ledwie dychał.

– Maciek, puść go! – krzyknęła Ruda w obawie, że dojdzie do poważnego mordobicia i wszystko skończy się tragicznie.

O dziwo, Maciek posłuchał. Zluzował uchwyt i popchnął ofiarę na trawnik. Tomek zachwiał się i omal nie upadł. W ostatniej chwili przytrzymał się drzewa.

– Ani mru-mru – Maciek pogroził mu palcem, a Tomasz posłusznie przysiadł pod drzewem, oparty plecami o pień. Łapał powietrze jak ryba wyrzucona na brzeg.

– Chodź. Pomożesz mi się spakować. – Ewa wzięła przyjaciółkę pod rękę.

Emocje były tak silne, że coś w niej pękło. W jednej chwili obeschły łzy i opanował ją nagły spokój. Taki absolutny, martwy i kompletnie pozbawiony barw. Zimna martwota serca i zmysłów. Wrażenie całkowicie odrętwiałej duszy.

– Jesteś pewna? – zapytała Ruda, obejmując Ewę delikatnie.

– Jak nigdy dotąd – odparła beznamiętnie i kanciastymi ruchami robota pozbierała wszystkie swoje rzeczy.

Po kwadransie była gotowa.

– Pojedziesz z nami – zarządził Maciek.

– Ale... – spróbowała zaprotestować.

393

– Nie ma mowy. Nie będziesz prowadzić w tym stanie. Ja teraz też nie mogę, bo wypiłem piwo, więc poprowadzi Monika.

– Ale moje auto tu jest – powiedziała cichutko Ewa. – A ja nie chcę tu wracać.

– Nic się nie martw. Jakoś zorganizujemy jego bezpieczny transport do Krakowa. Przyślę tu któregoś z firmowych handlowców i będzie po sprawie. – Ruda, jak zwykle, rzeczowo podeszła do tematu i od razu znalazła rozwiązanie.

Ewa skinęła głową i posłusznie usadowiła się na tylnym siedzeniu. Nawet nie spojrzała w kierunku ogrodu.

– Pasy zapięte? – zapytał Maciek i niespodziewanie cofnął się w stronę domu.

– Jasne, szefuniu. A ty gdzie? – Przez wzgląd na stan przyjaciółki Monika chciała ruszać jak najszybciej.

– Mam jeszcze coś do załatwienia. – Maciek zawinął się na pięcie i z gracją, o jaką trudno go było posądzić, podbiegł do gospodarza.

– Tak? – zapytał tamten niepewnie.

– A żebyś wiedział, że tak!

Na podbródku zaskoczonego Tomasza wylądował lewy sierpowy, a on sam padł na ziemię jak bezwładna szmaciana lalka.

– Jeszcze raz ją tkniesz, żałosny nieudaczniku, to oberwiesz z prawego. Ale lojalnie ostrzegam, jest dużo mocniejszy niż mój lewy.

– Chryste! – wykrztusił ogłuszony Tomek. – Odwaliło ci czy jak?

– Mam poprawić z drugiej strony?

– Tfu! – Tomasz splunął krwią. Nieporadnie gramolił się z trawnika. – Niech was szlag!

– Na twoim miejscu już bym się nie odzywał. Żegnam – oznajmił Maciek wyniośle i roztarł sękate łapsko.

Nie przywykł do bicia. Z zasady unikał konfliktów, ale teraz po prostu wyszedł z siebie.

– Co za popieprzona ekipa – mruknął do siebie Tomek.

Splunął ponownie na trawę i odprowadził napastnika wzrokiem pełnym nienawiści.

Nie zasłużyłem sobie na to wszystko, myślał. Mimo wszystko mam swoje racje, tylko kto mnie wysłucha?

Duszkiem opróżnił kolejną puszkę piwa i sięgnął po następną.

– O Boże! O mój Boże! A co tu się stało? I gdzie są wszyscy? – usłyszał nad głową histeryczny krzyk Haliny.

Czego jak czego, ale tego już było za wiele. Ostatnia, prawie zwęglona kiełbaska właśnie zajęła się ogniem, ale zupełnie nie zwrócił na to uwagi.

– Pojechali w cholerę. I tobie też radzę stąd zniknąć.

– Gdzie Ewa?

– Odeszła.

W oczach poczciwej kobieciny zalśniły łzy.

– Coś ty jej zrobił?

– Zostaw mnie, do cholery, w spokoju! Nie rozumiesz, co mówię?! Wynocha stąd, pókim dobry!

Halina odwróciła się i ze szlochem pobiegła w stronę lasu.

Miał już dosyć płaczących bab. Wstał i chwiejnym krokiem zbliżył się do paleniska. Rozpiął rozporek, obsikał rozżarzone węgle; zawsze chciał to zrobić, ale jakoś nigdy nie miał odwagi. Za to teraz miał jej aż nadto.

Było mu po prostu wszystko jedno.

ROZDZIAŁ 22

EWA LENIWIE PRZECIĄGNĘŁA się w łóżku. Odganianie promieni słonecznych ręką, jak natrętnych owadów, nie zdało się na nic, więc z niewyraźnym pomrukiem obróciła się na brzuch i wtuliła twarz w poduszkę.

Minionego już lata na Costa Brava panowały większe niż zwykle upały i nawet w połowie października pogoda nie zamierzała odpuścić.

Gdyby nie odrobina wiatru wpadająca od strony morza, egzystencja byłaby nie do zniesienia.

W mieszkaniu nie było klimatyzatora, bo zazwyczaj do zapewnienia naturalnego chłodu wystarczały kamienne mury, małe okna oraz dachy z ceramicznej dachówki. Ale wspomagający je klasyczny podsufitowy wentylator w postaci wiatraka o czterech szerokich łopatkach zepsuł się dzień wcześniej, a Ewa zapomniała wezwać kogoś do naprawy.

Poczuła, że się poci. Odgarnęła z czoła jasne posklejane kosmyki. Jej włosy w odcieniu naturalnego blondu, przetykanego platynowymi pasmami, od zawsze wzbudzały podejrzenia wśród nauczycielek. Żadna z nich nie mogła uwierzyć, że Ewa nie używa farby i nie robi sobie jasnego balejażu. Dały jej spokój dopiero po jakimś czasie, gdy mimo rentgena w oczach na próżno próbowały dopatrzyć się naturalnych odrostów.

Teraz rozjaśniona hiszpańskim słońcem fryzura jeszcze zyskała na atrakcyjności.

Przeciągnęła się ponownie i w końcu przetarła oczy. Gdyby nie fakt, że nie miała pęcherza z gumy, wylegiwałaby się zapewne dłużej, korzystając z tego, że po pierwsze jest niedziela, a po drugie położyła się późno w nocy, wykończona męczącym bankietem na swoją cześć. Gdyby impreza nie była dedykowana właśnie jej, pewnie urwałaby się wcześniej, ale jako gość honorowy musiała zostać do końca.

Właśnie zamknęła zlecenie na dekorację wnętrz u lokalnego biznesmena, a ten, mający wybitnie nowobogackie ciągoty, zapragnął pochwalić się wszem wobec nowo urządzonym domem. Na parapetówkę zaprosił chyba połowę dzielnicy, ale nawet ten tłum nie pozwolił Ewie zmyć się po angielsku. Gospodarze nie odstępowali jej na krok. Pozostawało uważne nadstawianie ucha i wyławianie znanych zwrotów.

Mimo to niewiele udało się jej zrozumieć. Wszechobecny w tej części kraju kataloński znacznie odbiegał od klasycznej literackiej hiszpańszczyzny, której Ewa uczyła się tak pilnie. Ale skrzętnie korzystała z każdej okazji, by zamienić z miejscowymi choć kilka słów. Nawet podczas przysłowiowej wizyty w warzywniaku. Nowości chłonęła jak gąbka i w efekcie potrafiła już czasem jako tako się dogadać, w razie czego podpierając się gestykulacją. Na szczęście jej ostatni zleceniodawca biegle władał angielskim i wyraźnie sprecyzował oczekiwania. Porozumieli się bez trudu i współpraca przebiegła bez najmniejszych zgrzytów.

To zlecenie trafiło się Ewie jak ślepej kurze ziarno. Po więcej niż burzliwym rozstaniu z Tomkiem, który okazał się oszustem i draniem, zmiana miejsca i klimatu była dla niej jak wybawienie. Paradoksalnie sprawił to... Carlos, z którym jeszcze do niedawna łączyły ją wyłącznie złe wspomnienia. Odezwał się niespodziewanie i jak gdyby nigdy nic zapytał wprost, czy Ewa wciąż żywi do niego urazę. A gdy zaprzeczyła, zaproponował jej dekorację wnętrz w domu jego sąsiada.

Chociaż teraz miała pogruchotane serce z powodu kogoś zupełnie innego, świetnie pamiętała chwilę, gdy zobaczyła go z żoną z gromadką dzieci. W normalnych okolicznościach by odmówiła.

Tymczasem felerna znajomość z Tomkiem przytępiła tamtą nienawiść i żal. Uznała, że Costa Brava jest idealnym miejscem na lizanie ran, i zgodziła się przyjąć zlecenie. Wszak jej babcia zawsze powtarzała, że w nieszczęściu należy sobie znaleźć absorbujące zajęcie.

Spodziewała się wprawdzie nieco lepszych efektów swojej zawodowej terapii, ale i tak było już całkiem nieźle. Tych kilka tygodni wystarczyło, by przestała popłakiwać na każde wspomnienie niedawnych uniesień, jakich doświadczała w Podgórkach. Niestety, na to, by serce i dusza wreszcie przestały boleć na dobre, było jeszcze za wcześnie. Co jakiś czas we śnie chwytała dobrze sobie znane obrazy. Choć wcale nie miała na to ochoty, pojawiał się na nich Tomek, a ona w zachwycie rzucała mu się na szyję. To cudowne uczucie ulgi, ta nagła świadomość, że wszystkie dramatyczne wydarzenia to nieprawda, sprawiały, że czuła rozpierające piersi szczęście totalne. Co z tego, skoro z każdym przebudzeniem docierała do niej bolesna rzeczywistość.

– Jezus Maria!

Donośny dźwięk z pobliskiej dzwonnicy poderwał ją z poduszki.

Wciąż jeszcze lekko nieprzytomna, usiadła na łóżku. Gdy doszła trochę do siebie, powoli opuściła nogi na podłogę.

Odkąd odrestaurowano stary średniowieczny dzwon, jego brzmienie zmieniło się całkowicie. Teraz, zamiast głębokiego, niskiego i szlachetnego dźwięku, wydawał z siebie jakieś piekielne odgłosy, od których bolały zęby i uszy. Na prośbę okolicznych mieszkańców proboszcz zaprzestał dzwonienia co godzina i zgodził się korzystać z dzwonnicy wyłącznie przed niedzielnymi nabożeństwami. Ewa zazwyczaj pamiętała, żeby w sobotę wieczorem pozamykać okna, ale ostatniej nocy wróciła tak wykończona, że nie było jej to w głowie.

Zauważywszy, że właśnie dochodzi dwunasta, podziękowała Bogu, że nie dotarł do niej dziki hałas zwołujący wiernych na poranną mszę, i poczłapała do łazienki, potykając się na nierównej podłodze, do której wciąż nie potrafiła się przyzwyczaić.

Kiedy po raz pierwszy ujrzała mieszkanie na piętrze urokliwej kamieniczki, niezmiernie ją zdziwiło, dlaczego ktoś ułożył na podłodze brukową kostkę. W dodatku nierówną i pozapadaną. Ale dwupokojowy, urządzony w starohiszpańskim stylu apartamencik tak ją zauroczył, że przepadła z kretesem i pokochała go od pierwszego wejrzenia. Uczucie to spotęgowała

401

jeszcze klimatyczna kuchnia, adekwatnie urządzona łazienka i kameralny, w połowie zadaszony niewielki taras, ulokowany na dachu sąsiedniej kamienicy. To właśnie widok stamtąd tak bardzo ją zachwycił, że finalnie postanowiła machnąć ręką na krzywy chodnik w mieszkaniu. A było stąd na co popatrzeć, ponieważ wychodząc na taras, można było odnieść wrażenie, że jest się na plaży. Co prawda kamienicę, w której mieszkała Ewa, od piaszczystego wybrzeża oddzielał deptak pełen kawiarnianych i restauracyjnych ogródków, ale z perspektywy tarasu zupełnie nie było tego widać. A co ważniejsze, w okresie pozawakacyjnym nie było go nawet słychać.

Zabytkowe kamieniczki położone u stóp zamkowego wzgórza w większości zbudowano z kamienia, z typową dla okolicy architektoniczną konsekwencją. Oczywiście z czasem powstawały też bardziej nowoczesne budowle, ale wciąż nawiązujące stylem do urokliwej starówki. Dopiero na przedmieściach wybudowano niedawno modernistyczne hotele, ale i tak doskonale wtopiły się w krajobraz.

Uwielbiane przez turystów zamkowe wzgórze atakowały w sezonie dzikie tłumy. Czasem było jej wstyd, że sama jeszcze tego nie zrobiła, pomimo że obiecywała to sobie od początku. Pochłonięta pracą lub własnymi sprawami zwyczajnie o tym zapominała, a pamięć wracała jej dopiero na widok kolejnych pielgrzymek. Nie lubiła tłumów przelewających się przez wąziutkie uliczki. Kiedy nastawała pora kotwiczenia na plaży, ciężko było się przecisnąć między ludźmi; w stronę morza ciągnęły ludzkie hordy, taszcząc dmuchane kółka, piłki i materace. A jeśli dodało się do tego plączące się pod nogami rozbrykane dzieciaki, otrzymywało się szaleństwo spoconych ciał i krzyków, od którego Ewa dostawała szału. Dlatego na większą część wakacji mieszkanie zostało wynajęte za pośrednictwem biura podróży. Takie rozwiązanie pozwalało w sposób niemal bezbolesny spłacać kredytowe raty.

Klnąc na czym świat stoi przeklętą dzwonnicę, poczłapała do kuchni po coś do picia.

Mimo że gospodyni nie była zbyt wymagająca, zawartość lodówki ewidentnie prosiła się o uzupełnienie. Ewa z niechęcią pomyślała o jedzeniu, za to za jednym zamachem opróżniła pół kartonu soku pomidorowego. Nie gotowała w domu. Zajęta pracą żywiła się czym popadło. A pod wieczór, gdy temperatura na zewnątrz stawała się do zniesienia, kierowała kroki do którejś z klimatycznych okolicznych restauracyjek.

Ponieważ nigdy nie potrafiła się zdecydować, na co tak naprawdę ma ochotę, zamawiała popularne tapas. Ulubiona dojrzewająca szynka smakowała jej zawsze, więc zajadała się nią bez przerwy przez pierwsze dni każdego pobytu, ale wreszcie przychodził czas, kiedy trzeba było zacząć odżywiać się mniej więcej racjonalnie. Choć zawsze była szczupła i nie przejmowała się zanadto kaloriami.

W trakcie aktualnego pobytu folgowała sobie bez wyrzutów sumienia. Za poradą swojego klienta co jakiś czas odwiedzała inną restaurację, by przetestować lokalne menu. Jak świat długi i szeroki również i tutaj sprawdzała się zasada, by unikać jedzenia przy głównym deptaku. Lepszym pomysłem było zapuszczenie się w głąb miasteczka, w miejsca nieco bardziej odludne, gdzie turyści bywali rzadkością. Poza tym bezpośredni kontakt z mieszkańcami miasteczka doskonale wpływał na pogłębianie znajomości języka; z dala od centrum, gdzie była istna wieża Babel, mało kto potrafił choćby przywitać się po angielsku. Żywieniowo-językowa strategia działała bez pudła, więc Ewa, zadowolona z postępów, średnio co drugi dzień zmieniała lokalizację.

Odświeżona wyszła na taras z kubkiem kawy w ręku i głęboko wciągnęła w płuca przesycone solą powietrze. Mimo niewyspania uśmiechnęła się na wspomnienie minionego wieczoru, okrągłej sumki na koncie oraz siły szeptanej propagandy. W trakcie przyjęcia kilkakrotnie poproszono ją o namiary; ona zapisała kontakt do siebie na zwykłych serwetkach, obiecując sobie solennie zamówienie wizytówek.

Rzecz jasna nie miała zamiaru tkwić na Costa Brava w nieskończoność, ale na razie nie wybierała się nigdzie. W Polsce miała wyłącznie Monikę. Co prawda brakowało jej zaraźliwego optymizmu Rudej, a przyjaciółka skarżyła się na tęsknotę, ale jak dotąd Ewa nie myślała o powrocie. Nic jej nie goniło, a zmiana otoczenia była jak balsam na wciąż świeże rany po Tomaszu, zadane celnie i głęboko. W dodatku na tyle rozległe, że goiły się z trudem.

Drugie rozczarowanie w ciągu niespełna jednego roku to stanowczo zbyt wiele, stwierdziła. Miała świadomość, że jest osobą z gruntu łatwowierną i stosunkowo delikatną, ale nie było przecież niczym złym, że chce szczęśliwie się zakochać i stworzyć z kimś normalne i szczęśliwe stadło. Tymczasem w tej materii wszystko szło źle. O ile wirtualną przygodę z Carlosem stosunkowo łatwo udało się jej puścić w zapomnienie, o tyle zdrada Tomka cały czas bolała jak diabli. To właśnie o nim marzyła, to jego pragnęła i to jego kochała na tyle, by poważnie myśleć o przyszłości. Lecz skoro stanowiła dla niego wyłącznie przedmiot, wykorzystany w intrydze mającej pozwolić mu się wzbogacić, odeszła. Gdy sprawa przypadkowo ujrzała światło dzienne, nie oglądała się za siebie nawet przez sekundę.

Perfidia ukochanego dotknęła ją do żywego i wykluczyła możliwość jakichkolwiek wyjaśnień. Chociaż na samym początku Ewa sądziła, że dopadł ją klasyczny syndrom sztokholmski, wkrótce okazało się, że miłość to miłość. I to wcale nie jakaś platoniczna, bo jeszcze nigdy żaden mężczyzna nie budził w niej tak silnego pożądania. Za każdym razem, gdy się kochała z Tomkiem, pragnęła go coraz mocniej. W jego rękach czuła się jak najcenniejszy skarb. Lecz wystarczyło, by pozwoliła sobie na wizję wspólnej przyszłości, a niespodziewanie runęło wszystko.

– No i sprawa się rypła – mruczał pod nosem Maciek. – W pale mi się nie mieści, że ten drań mógł ją tak skrzywdzić.

– Może rzeczywiście ją kocha? – dumała na głos Ruda.

Sama, nareszcie po rozwodzie, w nowym związku odżyła i znów zaczęła dostrzegać własną wartość.

Nieraz wspólnie z Ewą ubolewały, że nigdy nie bywają szczęśliwe obie naraz – jeśli u jednej szło jak po maśle, chrzaniło się u drugiej. I tak przez dwadzieścia lat znajomości. Ta dziwna prawidłowość działała do chwili, gdy obie niemal jednocześnie odnalazły miłość. A przynajmniej tak im się przez moment wydawało. O ile jednak u Moniki i Maćka udało się wyprostować niedomówienia, o tyle Ewa nie dała na to Tomkowi najmniejszych szans. Nie było po co.

Już nie.

Zaufanie, miłość i oddanie prysły w jednej chwili.

Niebo walące się na głowę potrafi bezpowrotnie pogruchotać naprawdę wiele. A w tym przypadku zmiażdżyło wszystko. Po burzliwym związku pozostała wyłącznie pusta przestrzeń. Pusta i bolesna. Dlatego decyzja o wyjeździe została podjęta bez namysłu. Ewa upewniła się tylko w biurze podróży, że jej hiszpańskie mieszkanie jest wolne, i bez zwłoki spakowała walizkę. Zrezygnowała z dwóch intratnych zleceń na miejscu, a wyjazd z Krakowa zajął jej dosłownie kilka dni.

Namowy przyjaciółki nie zdały się na nic.

– Wyjazd to dobry pomysł, ale czy musisz aż tam? – nieustannie pytała Ruda.

– Tak – odpowiedziała Ewa i zwiesiła głowę.

– Ja rozumiem, że chcesz się gdzieś zaszyć. Ale czy nie możesz zaszyć się gdzieś bliżej?

– Niby gdzie?

– A choćby i w Myślenicach. Wciąż nie tknęłaś sprawy chałupy po babci. Stoi na tym Zarabiu i murszeje – stwierdziła Monika, licząc, że zaszczepi przyjaciółce jakiś inny pomysł na nadchodzącą przyszłość. – Jeszcze rok, może dwa i trzeba będzie zrównać ją z ziemią. Twoja babcia przewróci się w grobie.

– Przestań! – fuknęła Ewa, świadoma, że Ruda, uderzając w sentymentalną nutę, chce wpłynąć na jej decyzję. – Moja babcia nie żyje od lat. Praktycznie mnie wychowała, bardzo ją kochałam, ale nie mogę uzależniać mojego życia od tego, co powiedziałby ktoś, kogo już nie ma. Chwilowo mam w nosie sentymenty. To ja jestem ważna w tym życiu. I to jest moje życie, które właśnie ktoś mi rozpieprzył.

– Normalnie nic, tylko zabić drania – podsumowała Ruda z rezygnacją.

– Nie ma sensu. Już niczego od niego nie chcę. Muszę na jakiś czas zmienić otoczenie. Poza tym to zlecenie od Carlosa bardzo…

– Jeszcze jego w tym wszystkim brakowało! Mało narozrabiał? – Monika, pomna wcześniejszej afery z Hiszpanem w roli głównej, na dźwięk jego imienia zareagowała alergicznie.

– Ale on nie ma tu nic do rzeczy. Poza tym, że załatwił mi pracę.

– Dobra, dobra – prychnęła Ruda, potrząsając ognistą czupryną.

Odkąd zupełnie przestała farbować włosy i na prośbę Maćka powróciła do naturalnego koloru, jej temperament wyostrzył się na nowo. Aż dziw, że kolor włosów może mieć pod tym względem jakieś znaczenie, niemniej przypadek Moniki dowodził tego niezbicie.

W niedzielę większość sklepów była zamknięta, więc Ewa odpuściła sobie zakupy do poniedziałku. Na razie zrobiła tosty z konfiturą, poleniuchowała w słońcu na tarasie i wreszcie poszła pod prysznic.

Postanowiła uczcić zakończenie intratnego zlecenia popołudniową wizytą w najdroższym lokalu w mieście, w położonej na skalnym uskoku restauracji, gdzie serwowano najlepsze w regionie owoce morza. Było co świętować. Może nie w sferze uczuciowej, ale w materialnej na pewno.

A kto bogatemu zabroni?, pomyślała z przekąsem i rzuciła okiem na skromną zawartość szafy. Hm, w tej kwestii również powinnam sobie dogodzić, uznała i planując, co i gdzie powinna kupić, na razie przejrzała zawartość garderoby pod kątem najlepszych kreacji. Wreszcie opróżniła karton z sokiem, wrzuciła do torebki tablet i wyszykowana lepiej niż zazwyczaj pomaszerowała prosto w stronę lokalu.

Zakładając ulubione szpilki, kompletnie nie wzięła pod uwagę, że większość nabrzeża pokrywają nierówne kocie łby. Balansując niezgrabnie i walcząc o życie, uszła ledwie kilkanaście metrów, gdy zdecydowała się na powrót do domu i zmianę obuwia.

Przy drugim podejściu poszło jej o wiele lepiej. Niewysokie koturny były znacznie bardziej stabilne.

Zmachana zakończyła wędrówkę po stromych kamiennych schodach. Wspinaczka okazała się warta grzechu – z tarasu restauracji roztaczał się widok na zatokę w kształcie półksiężyca, a dalej na morze. Ewa wybrała nieduży stolik i westchnęła z lubością, sięgając po kartę dań.

– A kogóż to widzą moje piękne oczy? – rozległ się nad jej głową tak dobrze znany niski głos.

Ewę zamurowało. Była pewna, że w efekcie zarwanej nocy dopadły ją omamy.

– Co ty tutaj robisz?! – Aż poderwała się z krzesła.

– Pracuję. Ale nie musisz z tego powodu uciekać – powiedział Tomasz, widząc, że Ewa odwraca się w stronę wyjścia. – Właśnie przywieziono świeże ostrygi. Naprawdę polecam.

– Nie wiem, czy lubię ostrygi – odparła drętwo, wciąż niepewna, czy faktycznie chce zostać.

Niespodzianka sprawiła, że straciła apetyt. Skąd on się tutaj wziął?, myślała w popłochu. Jakim cudem? Takie spotkania zdarzają się wyłącznie w filmach, myślała intensywnie i choć wierzyła w przypadki, tutaj jakoś nie mogła dać wiary. Chciałam przed nim uciec, ale znów wszystko poszło nie tak!

– Dobrze – powiedziała cicho, z trudem panując nad drżeniem głosu, i z powrotem usiadła przy stoliku. – Co polecasz?

Oszacowała, że jej skurczony znienacka żołądek przyjmie maksimum dwie wykwintne przystawki. A najlepszy wybór, zdaniem Tomasza, stanowiły małże świętego Jakuba i zapiekane jeżowce.

Gdy tylko Tomek zniknął w kuchni, Ewa mocno uszczypnęła się w rękę. Nie śniła. Chwila, o której marzyła od tygodni, właśnie przestała być wyłącznie marzeniem.

Ledwie zapamiętała smak wykwintnych przysmaków. Dobrze, że w restauracji wkrótce zaroiło się od klientów i obsługa musiała skupić się na nich. Była tak zdenerwowana, że kilka razy omal nie przewróciła kieliszka z winem. Przy barze uregulowała rachunek. Gorączkowo kombinowała nad genezą przypadkowego spotkania, ale sensowny wniosek nasuwał się wyłącznie jeden. I był bardzo prosty.

Ruda.

– Dlaczego o niczym mi nie powiedziałaś! – krzyknęła Ewa do telefonu.

– A niby o czym? – Monika udała pomroczność jasną, choć dobrze wiedziała, o co biega.

– Nie rżnij głupa! – Ewa znała przyjaciółkę nie od dziś.

– Nic nie powiem.

– Jak to: nic nie powiesz? – zdenerwowała się Ewa.

– No dobra. Rozumiem, że Tomek cię odnalazł, tak?

– Nie, to ja znalazłam jego. Przypadkiem. Jest kelnerem w restauracji. Tylko ta, dziwnym trafem, jest położona dwieście metrów od mojego mieszkania, hę?

– To i tak było nieuniknione. Prędzej czy później – podsumowała Monika i rada, że przyjaciółka nie może jej zobaczyć, zatarła ręce.

– Możesz jaśniej? – Ewa powoli traciła cierpliwość.

– Ależ spokojnie, kochana. Gdybyśmy z Maćkiem mieli wątpliwości, żadne z nas nie puściłoby pary z gęby. Przecież wiesz, że zależy nam na tobie.

– Wam może tak. Tylko co ma do tego Tomek i jego powalony braciszek? Detektyw od siedmiu boleści, ze złotym łańcuchem i fryzurą à la ligustrowy żywopłot?

– Wiesz, tak sobie myślę, że jednak powinnaś pogadać bezpośrednio z Tomkiem. Nie chciałabym namieszać.

– Taaa, jasne. I tak namieszałaś już dość. Daj mi Maćka do telefonu.

– Ale go nie ma.

– Dobra. Powiedz mi zatem tylko, czy Tomek wie, gdzie ja mieszkam?

– Wie. Obserwuje cię od kilku tygodni.

– Wy naprawdę wszyscy jesteście nienormalni! – piekliła się Ewa, choć gdzieś w okolicy jej żołądka odezwało się charakterystyczne łaskotanie, a w duszy wykluła się nikła iskierka nadziei, że może jednak nie wszystko stracone. – Skoro wie od tygodni, to dlaczego sam mnie nie odszukał?

– A o to to już musisz jego zapytać – zakończyła rozmowę Monika.

Ewa natychmiast wybrała numer Maćka, ale usłyszała tylko, że abonent znajduje się poza zasięgiem sieci.

Podenerwowana niemal zbiegła na dół do sklepu po butelkę wina. Musiała się jakoś uspokoić, a chwilowo nie miała innego pomysłu niż kieliszek albo dwa dla kurażu. Tego, co wcześniej zamówiła do obiadu, prawie nie tknęła. Wyleciało jej z głowy, by zapytać Rudą, czy dała Tomkowi numer jej hiszpańskiej komórki, a teraz głupio jej było zadzwonić. Bardzo nie chciała zdradzić się, że na dobre połknęła haczyk.

Mniej więcej w połowie butelki popołudniowe rozważania przerwał jej dzwonek telefonu. Serce jej stanęło, ale był to tylko Carlos, chcący podzielić się ploteczkami z sobotniego przyjęcia. Czuła, że potraktowała go trochę zbyt obcesowo, ale w tej chwili nie miała siły, żeby skupić się na czymkolwiek innym niż pojawienie się Tomka. Głowa pękała jej od domysłów i pytań. Nie potrafiła zrozumieć, dlaczego ani razu się nie odezwał. Dlaczego opuścił Polskę? No i dlaczego przyjechał właśnie tutaj? Czyżby dla niej? Całkiem możliwe, tylko co oznacza to jego milczenie? No i czego dokładnie dowiedział się od jej przyjaciół?

Późnym popołudniem stwierdziła, że dziś położy się wcześniej. Pięć razy sprawdziła, czy komórka znajduje się w zasięgu i czy bateria jest dostatecznie naładowana. Tomasz, w przeciwieństwie do niej, miał tę przewagę, że znał jej adres i zapewne, dzięki Rudej i Maćkowi, numer telefonu. A ona mogła jedynie czekać, aż się do niej odezwie.

Albo do niego iść.

Mowy nie ma!, siłą woli nakazała sobie położenie się do łóżka. Mimo że było jeszcze całkiem wcześnie, uznała, że to najlepszy pomysł.

Zdrzemnęła się może ze dwie godziny, gdy po raz drugi tego dnia obudził ją ten cholerny dzwon.

Wyrwana ze snu wyszła na taras.

Na zewnątrz ochłodziło się wyraźnie.

Pewna, że teraz prędko nie zaśnie, założyła dres i adidasy. Nic nie robi na sen tak dobrze jak fizyczne zmęczenie, stwierdziła.

Nogi same zaniosły ją w stronę nadmorskiej promenady. Było już późno i na zwykle zatłoczonych uliczkach było niewielu ludzi. Na plaży tylko gdzieniegdzie przytulały się pary, główny deptak był wyludniony całkowicie.

Ewa truchtała rytmicznie, starannie regulując oddech, aż w końcu uznała, że czas odpocząć. Z rozmachem wykonała kilka skłonów i przy którymś kolejnym natknęła się na przenikliwe spojrzenie podpartego pod boki spasionego wyrostka. Bezczelnie gapiący się młodzian i jego dwóch kumpli zrobili w jej kierunku kilka kroków.

– Witaj, piękna. Czemu biegasz samotnie?

Przerażenie najwyraźniej dobrze robi na intelekt, bo Ewa niespodziewanie dla samej siebie zrozumiała wszystko, co do niej mówią. Rozejrzała się wokół, ale w zasięgu wzroku nie było nikogo poza tą trójką. Liznęła kiedyś wprawdzie nieco samoobrony, niemniej teraz, patrząc na potencjalnych napastników, uznała, że nie ma żadnych szans. Mogła tylko liczyć, że uda się jej po prostu zwiać, choć nie miała wielkich nadziei na sukces. Postanowiła jakoś zagadać niebezpieczeństwo, ale próba odwrócenia uwagi wywołała wyłącznie salwy śmiechu.

– Może się przyłączymy i pobiegamy razem? – zarechotał jeden, choć przy jego tuszy było to raczej wątpliwe.

Nie czekając dłużej na rozwój wypadków, Ewa jak strzała wystrzeliła z miejsca i popędziła w stronę zbocza. Restauracja, w której pracuje Tomek, jest chyba jeszcze czynna?, myślała gorączkowo. Tam byłabym bezpieczna.

Prawie na bezdechu dobiegła do kamiennych schodów i dopiero wtedy odważyła się obejrzeć za siebie. Nikt jej nie gonił, ale pomysł, by Tomasz odprowadził ją do domu, wydał się jej całkiem rozsądny. Pal licho, jak on zareaguje na tę prośbę. Nie warto było ryzykować.

Zdyszana przysiadła na okalającym lokal murku, za dorodną agawą, żeby złapać oddech. Już miała wstać, gdy na schodach pojawili się jacyś ludzie.

Na widok łysej głowy zamarła. Tomek ostrożnie sprowadzał w dół jakąś kobietę. Tam się rozejrzał, a Ewa miała wrażenie, że ją dostrzegł. Myliła się jednak, bo otoczył tamtą ramieniem i oboje przeszli na parking.

Na ten widok Ewa dla odmiany całkowicie przestała oddychać. Sztywno tkwiła za agawą jak rażona gromem. Nie tego się spodziewała. Chwilę trwało, zanim dotarło do niej, co zobaczyła.

– Albo śnię, albo mam zwidy, albo kompletnie zgłupiałam – mruknęła do siebie i bezsilnie zacisnęła pięści. Załamana, wolnym krokiem ruszyła do domu. Na wszelki wypadek dołączyła do grupki turystów, którzy podążali w tę samą stronę.

Już w mieszkaniu spróbowała sobie uzmysłowić, co czuje, i doszła do wniosku, że mieszankę rozczarowania, żalu i złości. Moment, w którym los daje nadzieję na spełnienie marzeń, a później sobie drwi, był czymś, czego nie znosiła najbardziej. Była tak zła na siebie, że miała ochotę się rozpłakać. A właściwie to czemu nie?, pomyślała i wśród szlochu osuszyła butelkę z winem. Z dwojga złego lepiej, że tak się stało, zanim od nowa zaczęłabym robić z siebie łatwowierną idiotkę, stwierdziła.

Porządnie podpita i spłakana jak bóbr padła w końcu na łóżko.

Rano obudził ją dźwięk telefonu, ale szum w głowie i mdłości sprawiły, że rozmowa była ostatnią rzeczą, na jaką miała ochotę. W ostatniej chwili, przytrzymując się ściany, dotarła do toalety. Wymęczona, klnąc przeklęte wino oraz Tomka, zawróciła do łóżka i nakryła głowę poduszką.

– Jakiś zatruty kataloński zajzajer – jęknęła. – O dobry Jezu, za jakie grzechy?

Obudził ją hałas pod drzwiami.

417

Sądząc po kącie padania światła, musiała przespać większość dnia.

Nieprzytomna owinęła się kołdrą i podeszła do wejścia. Przez wizjer nie było widać nikogo, więc ostrożnie uchyliła drzwi.

– No, wreszcie – powiedział Tomek. – A już myślałem, że trzeba będzie wzywać policję i prokuratora. – Wstał z posadzki i spojrzał na Ewę z góry. – Choć widzę, że bardziej przydałby ci się fryzjer, bo wyglądasz okropnie.

– Dzięki – sarknęła. – Można wiedzieć, czego chcesz?

– Czekałem, aż wreszcie mi otworzysz. Dzwoniłem rano z propozycją obiadu, ale nie odebrałaś, więc postanowiłem przyjść osobiście.

– A niby po co? To naprawdę bezczelność – obruszyła się Ewa.

Jej umysł działał na mocno zwolnionych obrotach.

– Zaproszenie kobiety na obiad to według ciebie bezczelność?

– Nie! Bezczelnością jest to, że mnie śledzisz, nachodzisz. I to w dodatku po tym, jak po nocy obściskujesz się z innymi kobietami – wypaliła.

– Aaa! Masz na myśli wczorajszy wieczór? Czyli jednak nie wydawało mi się, że to byłaś ty.

– Widziałeś mnie?

– Oczywiście. Zaczajoną za krzakiem. I kto tu kogo śledzi? – sprytnie odparował jej wcześniejszy atak.

– Nieprawda! To nie tak! Ja tam byłam przypadkiem.

– Akurat. – Tomek potarł dłonią podbródek. – Wpuścisz mnie do środka czy będziemy się kłócić na schodach? – zapytał.

– Właź. – Ewa machnęła ręką na okoliczności.

Choć akurat teraz wolałaby wyglądać jak milion dolarów, a nie jak skacowane półtora nieszczęścia.

– Wczoraj w nocy to była moja koleżanka z pracy. Jest w ciąży i bardzo źle się poczuła, więc ją podtrzymywałem. A że jej mąż jest chory i nie dał rady po nią przyjechać, odwiozłem ją do domu. Tylko tyle.

– Nic mnie to nie obchodzi – żachnęła się.

– Czy ty jesteś zazdrosna, czy mi się tylko wydaje? – Tomek postąpił krok w jej stronę.

– Nie jestem! Zwariowałeś? – Odskoczyła jak oparzona i wzięła się pod boki.

– Ośmielę się mieć na ten temat inne zdanie. Ale na wszelki wypadek nie będę się zakładać. To jak? Pójdziemy coś zjeść?

Ewa uniosła się honorem i chciała zaprotestować. Lecz jej żołądek podjął decyzję za nią. Zaburczał głośno.

– No dobra – mruknęła.

– Tylko najpierw się ogarnij. Nie chcę, żebyś straszyła ludzi na ulicy.

– Bałwan! – skwitowała i zanurkowała w łazience.

Odbicie w lustrze pozostawiało wiele do życzenia, ale, o dziwo, złe samopoczucie znikło jak za dotknięciem czarodziejskiej różdżki. Po kąpieli Ewa ze zdziwieniem stwierdziła, że się uśmiecha. Czyżby to nagroda za tygodnie nerwów, rozpaczy i żalu? O ostatniej sądnej nocy nie wspominając.

– Ale dlaczego nie odzywałeś się przez tyle czasu?

O ile jeszcze mogła zrozumieć, że Tomasz przyjechał na Costa Brava dla niej, o tyle nie pojmowała jego taktyki.

– To proste. Jak już wydębiłem od Moniki twój adres, co wcale nie było takie łatwe, nie chciałem tak od razu ryzykować, że mnie spuścisz po brzytwie. A odnalazłem cię już na drugi dzień po przyjeździe. Brat wypłacił mi trochę grosza, więc nie widziałem problemu, by zakotwiczyć tutaj na dłużej, na wypadek gdyby jednak nie śpieszyło ci się do kraju. A za kelnerowanie wziąłem się tylko po to, żeby szybciej nauczyć się języka. Marzy mi się własna sieć punktów bukmacherskich, ale z tą inwestycją wolałem jednak zaczekać.

– Na co?

– Jak to na co? Na ciebie. Myślałaś, że kłamałem, mówiąc, że cię kocham? Że zrobiłem to, co zrobiłem, tylko po to, żeby trzymać cię z dala od świata? Żeby Dariusz mógł narobić jeszcze więcej szumu?

– Tak właśnie myślałam – odparła cicho Ewa.

Jakoś to wszystko do niej nie docierało. Mimo że logiczne tłumaczenie Tomka i jego pomysł z odszukaniem jej i przyjazdem były jak miód na jej zbolałe serce, zwyczajnie nie potrafiła uwierzyć, że po dniach dotkliwego bólu spełnia się jej najpiękniejszy sen.

– A co byś zrobił, gdybyśmy wcześniej na siebie wpadli? – zapytała.

– Wziąwszy pod uwagę twoje upodobania, była raczej marna szansa, że zawitasz w takie miejsce. Zapomniałaś, że już trochę cię znam? I że Ruda i Maciek znają cię doskonale?

– Zdrajcy – mruknęła, próbując bez powodzenia zrobić srogą minę.

– Po tym, jak Maciek obił mi gębę na odchodnym, trochę się bałem. Ale gdy wreszcie go przekonałem, że naprawdę mi na tobie zależy, szybko przeskoczył na moją stronę barykady. I jeszcze przeciągnął Monikę.

– A jakbym cię wczoraj nie spotkała? – nie ustępowała Ewa.

– To sam bym cię spotkał. Minęło już wystarczająco dużo czasu, żeby się przekonać, że w razie czego mogę tutaj zostać. Decyzja należy do ciebie.

Kolejne dni upływały Ewie jak w bajce. Uczucie wszechogarniającej radości i błogości, dzięki któremu miała wrażenie, że pęknie albo przynajmniej wzbije się w powietrze i poszybuje nad miastem, skutecznie zalało jej umysł falą endorfin. Jednak cudowne uczucie w tak ekstremalnym natężeniu nie mogło trwać w nieskończoność, więc starając się wykorzystać ten piękny czas, chwilowo odpuściła sobie zawodowe obowiązki. W chwilach bez Tomasza z rozkoszą oddawała się poszukiwaniu najładniejszych ciuchów i zakupowemu szaleństwu.

– Rozkwitasz z dnia na dzień. Widać to nawet przez telefon – nabijała się Monika.

– Och, przestań.

– Ale co? Należy ci się przecież.

W miłosnym amoku Ewa nie dostrzegła kolejnej zmowy, która podziała się tuż pod jej nosem. Tydzień po tym, gdy znów oficjalnie zostali parą, Tomek podstępem zasugerował jej elegancki strój, sam wbił się w garnitur i zaciągnął ją do restauracji. W loży zarezerwowanej w odległej części sali czekali już Monika z Maćkiem. Po chwili zaskoczenia przyjaciółki rzuciły się sobie na szyje, a mężczyźni po koleżeńsku poklepali po ramionach.

– Ale niespodzianka! Co tutaj robicie?

– A nie widać? Przyszliśmy coś zjeść, bo wypić to Monia przez jakiś czas raczej nie za bardzo. – Maciek uniósł w górę kciuk i puścił oko do Ewy.

Nie załapała od razu. Zaskoczyła dopiero, gdy przyjaciółka zrobiła głupią minę i znacząco dotknęła podołka.

– O Boże! Poważnie? – zawołała, nie zwracając uwagi na gości przy sąsiednich stolikach. – Ależ okazja!

– Nie jedyna – dorzucił Tomek i nerwowo przełykając ślinę, wysupłał z kieszeni marynarki małe pudełeczko. – Oni są tutaj również w roli świadków. Na wypadek gdybyś się jednak zgodziła, a później zmieniła zdanie. Nie mogę pozwolić, żeby znów coś poszło nie tak.

– Nie zmienię – wyszeptała wzruszona Ewa i pozwoliła sobie wsunąć pierścionek na palec.

– A kto cię tam wie…